一笑

古龍自署

盛期之風貌

與

武俠小說

臥龍生作品 帶動武俠風潮

《飛燕驚龍》開一代武俠新風

《飛燕驚龍》(1958)爲臥龍生成名作，共48回，約120萬言。此書承《風塵俠隱》之餘烈，首倡「武林九大門派」及「江湖大一統」之說，更早於香港武俠巨匠金庸撰《笑傲江湖》(1967)所稱「千秋萬世，一統」達九年以上。流風所及，臺、港武俠作家無不效尤；而所謂「武林盟主」、「江湖霸業」等新提法，竟成爲社會大眾耳熟能詳的流行術語了。

《飛燕》一書可讀性高，格局甚大。主要是寫江湖群雄爲覬覦傳說中的武林奇書《歸元秘笈》而引起一連串的明爭暗鬥；再以一部假秘笈和萬年火龜爲餌，交插敘述武林九大門派（代表正派）彼此之間的爾虞我詐，以及天龍幫（代表反方）網羅天下奇人異士而與九大門派的對立衝突。其中崑崙派弟子楊夢寰偕師妹沈霞琳行道江湖，卻如夢似幻地成爲巾幗奇人朱若蘭、趙小蝶之絕世武功技驚天龍幫，而海天一叟李滄瀾復接連敗於沈霞琳、楊夢寰之手；致令其爭霸江湖之雄心盡泯，始化解了一場武林浩劫云。

在故事佈局上，本書以「懷璧其罪」（與真、假《歸元秘笈》有關）的楊夢寰屢遭險難，卻每獲武林紅妝垂青爲書膽(明)，又以金環二郎陶玉之嫉才害能，專與楊夢寰作對(暗)爲反派人物總代表。由是一明一暗交織成章，一波未平，一波又起，極盡波譎雲詭之能事。最後天龍幫冰消瓦解，陶玉帶著偷搶來的《歸元秘笈》跳下萬丈懸崖，生死不明，卻予人留下無窮想像空間。三年後，作者再續寫《風雨燕歸來》以交代陶玉重出江湖，爲惡世間，則力不從心，當屬狗尾續貂之作。

在人物塑造方面，臥龍生寫男主角楊夢寰中看不中用，固然乏善可陳，徹底失敗；但寫其他三名女主角如「天使的化身」沈霞琳聖潔無瑕，至情至性，處處惹人憐愛；「正義的女神」朱若蘭氣質高華，冷若冰霜，凜然不可犯；「無影女」李瑤紅則刁蠻任性，甘爲情死等等，均各擅勝場。乃至寫次要人物如「賓中之主」海天一叟李滄瀾之雄才大略，豪邁氣派；玉簫仙子之放蕩不羈，爲愛痴狂；以及八臂神翁聞公泰之老奸巨猾，天龍幫軍師王寒湘之冷傲自負等，亦多有可觀。

摘自 葉洪生、林保淳著
《台灣武俠小說發展史》

台港武俠文學

流行天王

臥龍生

臥龍生是台灣最著名的武俠小說作家之一，自然也是海外新派武俠小說家中的重要一員。

在台灣武俠小說界，臥龍生曾獨領風騷被稱為「台灣武俠泰斗」。後來司馬翎、諸葛青雲脫穎而出，才與臥龍生並稱台灣俠壇的「三劍客」。那時候古龍還默默無聞。後來古龍名氣漸大，躋身高手之林，與「三劍客」合稱「台灣武俠小說四大家」，但臥龍生仍是深受讀者歡迎的武俠小說作家。

陳墨

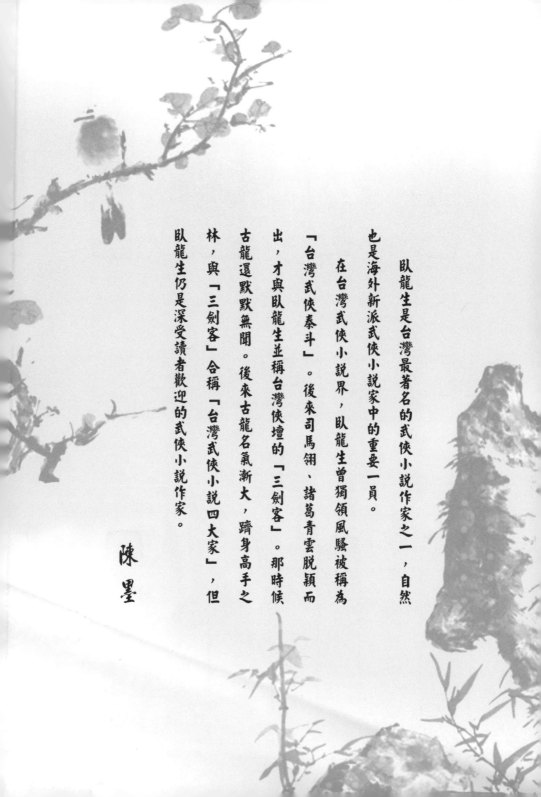

風雨燕歸來（二）

臥龍生

武俠經典珍藏版 18

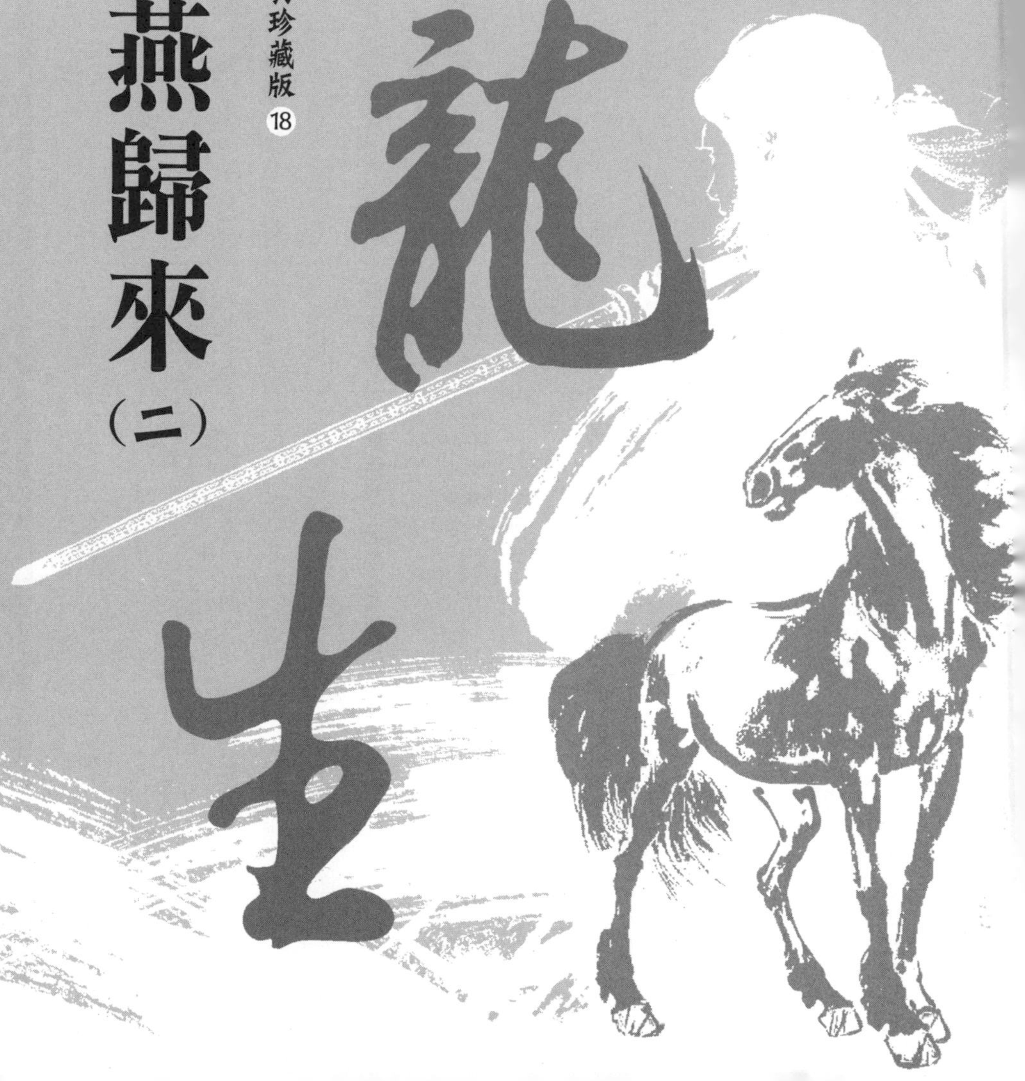

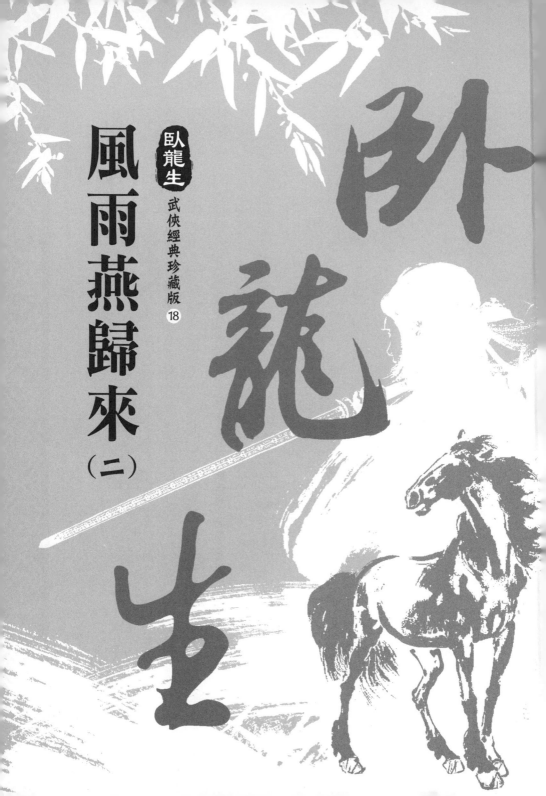

臥龍生 精品集⑱

風雨燕歸來(二)

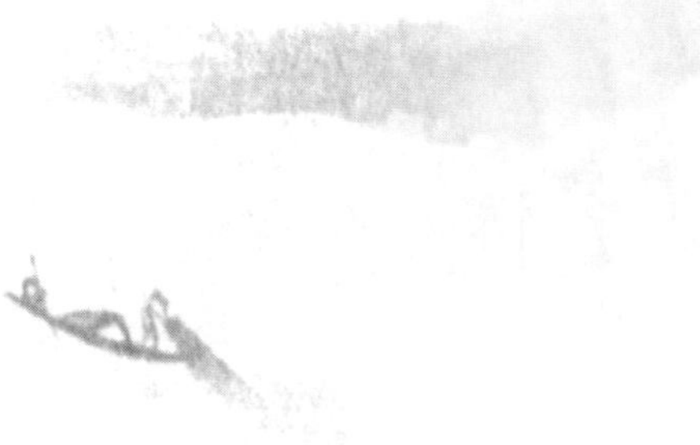

目錄

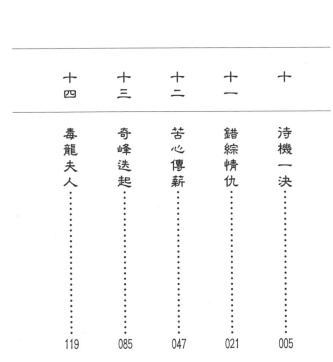

十 待機一決

這時那一側觀戰的黑衣人，似是瞧出便宜，彼此望了一下，突然向童淑貞撲了過去。

鄧開宇心頭大急，厲喝一聲：「鼠輩敢爾！」正待縱身去援，忽聽童淑貞輕叱一聲：「找死！」微閉的雙目突然睜開，長劍一抖，寒虹急卷而出。

但聞兩聲慘叫傳來，兩個當先衝近童淑貞的黑衣人，齊齊被攔腰斬作兩截。

這石破天驚的一劍，使接續撲到的黑衣人駭然止步，不敢再擅越雷池。

鄧開宇邁開腳步，突然停了下來，暗道：她重傷之後，仍有這般的武勇，如非內功絕佳，實難如此。這時突聞得一種尖厲悠長，似哨非哨，似嘯非嘯的聲音，傳了過來。

王寒湘突然一振折扇，道：「撤退。」右手一揮，當先躍起。

七八個黑衣人，緊隨在王寒湘的身後，登上屋頂。

只聽箭風破空，一排箭射了過去，又有兩個黑衣人被鋼箭射中，由屋面上跌了下來。

兩個奇裝大漢，正和楊夢寰鬥到生死關頭之處，聞得那尖厲的聲音，突然疾攻兩招，逼開楊夢寰掌勢，疾奔而去。

這般來如潮水，蜂湧而至，去如飄風，眨眼不見。

楊夢寰站在屋面上，望著兩個奇裝大漢遠去的背影，也未追趕。

驚天動地的一場惡戰，重歸靜寂，留下的只是遍地屍骸，斑斑血跡。

楊夢寰躍下屋面，解下臉上的青帕，低聲對鄧開宇道：「強敵已退，今宵不會捲土重來，少堡主請命他們打掃庭院，收拾殘骸吧！」

鄧開宇口中連聲答應，心中卻狐疑不定，暗道：來敵並無潰敗之徵，而且就勢而論，敵強我弱，不知何以會忽然撤走……

楊夢寰神情嚴肅，緩步走到童淑貞身側，道：「師姊受傷了麼？」

童淑貞微微一笑，道：「一點皮肉之傷，不礙事的……」

微微一頓，接道：「決戰勝負未分，強敵何以撤走？」

楊夢寰低聲說道：「有人暗中幫助我們，擋住敵人的後援高手，只怕他們的後援傷亡甚重，才行撤離。」

童淑貞奇道：「什麼人能幫助咱們？」

楊夢寰道：「現在我也不知，師姊先請養息一下傷勢……」

沈霞琳衣袂飄飄的行了過來，接道：「敵人都退了。」

楊夢寰道：「都退了，你扶著童師姊到房中去坐息一下，我去瞧瞧，還有沒有殘敵未去。」也不待沈霞琳答話，轉身飛奔而去。

他心有所念，直向地窖奔去。

衛守地窖的弩箭手，大都是鄧府家丁，早已認識楊夢寰，開了鐵門，抱拳相迎。

楊夢寰走近宮天健養傷密室，舉手一推，木門應手而開。

凝目望去，只見宮天健盤膝閉目而坐，似正在運氣調息，不禁驚得一呆。

他回手關上木門，緩步走近宮天健的身側，只覺他呼吸均勻，分明傷勢已癒，心頭更是震驚，忍不住低聲叫道：「老前輩。」

宮天健緩緩睜開雙目，望了楊夢寰一眼，淡淡說道：「楊大俠。」

楊夢寰只覺他說話的口氣十分生硬，似是突然在兩人之間劃了一條鴻溝，怔了一怔，道：「老前輩的傷勢好了些麼？」

宮天健道：「賤軀已然大好，不敢有勞楊大俠的費心。」

楊夢寰輕輕咳了一聲，道：「老前輩的……」

宮天健接道：「老朽此刻正需運功，調息，不便多言。」說罷，閉上雙目，不再理會楊夢寰。

楊夢寰連碰了幾個釘子，心中有異，但對方既不願說話，多問也是無益，轉臉望去只見擒來用作試驗的那黑衣大漢，早已不知去向，不禁歎息一聲，起身向外行去。

宮天健睜眼望著楊夢寰的背影，欲言又止，暗自一歎，重又閉上雙目。

這時老堡主鄧固疆已為人抬入了地窖之中，地窖中高燃著四支巨燭，照得一片通明。

沈霞琳白衣上濺滿了斑斑血跡，緊蹙著秀眉，站在鄧固疆身側，一看到楊夢寰，有如見到救星一般，急急說道：「寰哥哥，快來瞧瞧鄧堡主的傷勢，他傷得很重。」

楊夢寰急急走了過去，仔細瞧過了鄧固疆的傷勢，低聲說道：「不要緊，好好的休息治療，不難復元。」

沈霞琳展眉一笑，道：「那我就放心了。」

楊夢寰心中堆集了無數的疑問，急欲要求得證實，正待行出地窖，忽見鄧開宇喘著氣奔了進來，急急問道：「楊大俠，家父的傷勢如何？」

楊夢寰低聲歎道：「無性命之危險，但他一條腿的經脈已斷，只怕這一條腿難有復元之望。」

鄧開宇黯然說道：「那也算不幸中的大幸了……」語聲微微一頓，接道：「在下適才巡查宅外，發現了很多可疑的事。」

楊夢寰淡淡一笑，道：「什麼事？」

他爲人忠厚，雖然早已料到，但卻不願一語揭穿內情，敗了人的興致。

鄧開宇道：「在下在宅外發現了甚多遺屍，那些屍體都是傷在兵刃和拳掌之下，不是弩箭所傷……」忽然住口不言。

楊夢寰微微一笑，道：「很多麼？」

鄧開宇道：「很多，而且三面都有，不下二十具，不知是不是楊大俠所殺？」

楊夢寰道：「不是，你心中早已知道不是我所殺的了。」

鄧開宇被楊夢寰一語揭穿了心中之密，不禁臉上一紅，說道：「不知何人有這等武功，趕來援手，卻又不肯現身相見？」

楊夢寰道：「那些遺屍傷勢不同，自然不是一個人出手傷的了。」

鄧開宇道：「不錯。」

楊夢寰本待說出有人混入府中地窨，療治好宮天健的傷勢，欲待出口時，突然又改變了主意，淡淡一笑，道：「我那童師姊呢？」

鄧開宇道：「童姑娘在廳中坐息。」

楊夢寰道：「她傷得如何？」

鄧開宇道：「一點皮肉之傷……」

忽聽呀然一聲，木門大開，宮天健臉色肅穆，緩步走了出來。

鄧開宇先是一驚，繼而喜道：「宮叔叔的傷勢好了？」

宮天健點點頭，望了鄧固疆一眼，道：「你爹爹傷得很重麼？」

鄧開宇道：「楊大俠說，只怕要殘去一腿。」

宮天健回顧了楊夢寰一眼，淡然說道：「那也未必……」

目光轉注到鄧開宇的身上，接道：「你爹爹神志可還清醒？」

鄧開宇怔了一怔，只覺這親如父兄的義叔，口氣突然陌生起來。

沈霞琳接道：「他傷勢很重，我點了他的穴道。」

宮天健口中嗯了一聲，望著鄧開宇道：「告訴賢侄也是一樣，令尊醒來之後，請賢侄轉告於他，就說他待我數十年的情意，在下牢記心中，日後定當設法圖報，賢侄珍重，爲叔要去了。」

鄧開宇雖是聽得清清楚楚，但心中卻仍是不信，忍不住問道：「什麼，宮叔父要走了？」

宮天健道：「正是，天下沒有不散的筵席，爲叔的時間不多，不能等你爹爹清醒了。」

鄧開宇一臉茫然之色，瞪著一對眼睛，望著宮天健，呆呆的說不出話來。

只因這事情太過突然，雖然是擺在眼前的事實，鄧開宇仍不敢相信。

宮天健輕輕歎息一聲，道：「爲叔的留下一點物件，在我坐息二十年的房中，爲叔去後，賢侄再去取來。」言罷，轉身而去。

鄧開宇急急說道：「宮叔父當真要走麼？」

宮天健回頭笑道：「自然是當真去了，賢侄多多保重。」

鄧開宇突然一抱拳，恭恭敬敬的說道：「宮叔縱然一定要去，也請能夠等家父醒來再走，免得家父責怪起來，小侄擔待不起。」

宮天健道：「時間迫急，我必須立刻就走，令尊只怕不是一時片刻可以醒來的。」

楊夢寰突然接口說道：「鄧兄，宮老前輩意志如此堅決，想必是有不得已的苦衷，鄧兄也不必強留了。」

鄧開宇望望宮天健，又瞧瞧楊夢寰，一臉茫然之色，不知如何開口。

宮天健雙目精光暴閃，凝注在楊夢寰的臉上，臉上神色極是奇異，似怒非怒，似憂非憂。

楊夢寰一抱拳，道：「恭喜老前輩神功盡復，咱們青山不改，綠水長流，後會有期。」

宮天健輕輕歎息一聲，道：「楊大俠，保重了，老朽就此別過，異口相逢何處？爲敵爲友？那就很難說了。」轉身大步而去。

楊夢寰高聲說道：「但願人長久，在下不送了。」

遙聞宮天健道：「有勞賢侄代我向令尊多多致意，就說我宮天健人去心留，恩情常在！……」聲音逐漸遠去，終至消失不聞。

鄧開宇眉宇間一片茫然，回頭望望楊夢寰道：「這是怎樣回事？」

楊夢寰輕輕歎息一聲，道：「詳細的內情，我也說不出來，但他可能是受了威脅。」

鄧開宇道：「宮老前輩風骨嶙峋，決不會屈服於人的威迫之下。」

楊夢寰道：「也許有了承諾！」

鄧開宇接道：「這就可能了，他爲人極守信諾，一言應承，終身信守，可是他二十年來未離開寒舍一步，又怎會對何人有所承諾呢？」

楊夢寰沉吟了一陣，道：「不論他是受人威脅，或是爲了信守承諾，但匆匆的離此他往，決非早有存心。」

鄧開宇道：「變化就在傷勢轉好之間。」

楊夢寰凝目望著那通往地窖的暗門，道：「這座地窖，共有幾條可通之路？」

鄧開宇道：「三條，一條正道，一條通往中院一座堆放雜亂之物的室中，還有一條除了家父和宮叔之外，連在下也不知道。」

楊夢寰道：「在咱們拒擋強敵之時，有人混入這地窖之中，替宮老前輩療好傷勢，要他答應離開此地，你說他可會答應？」

鄧開宇道：「他日日想著恢復武功，也許可能答應。」

楊夢寰道：「如是那人很快的醫好他的傷勢，使他恢復神功，而且讓他運氣相試，果非虛言，但卻最後留下一處大傷，說明在一定的時間內，趕往某處，再替他療好最後一處大傷，如是過了時刻，那恢復的神功，即將再行失去，此等要挾，你說他去是不去？」

鄧開宇道：「自然要去。」

楊夢寰道：「那人告訴他不得洩露一語隻字，他就不會對咱們說了！」

鄧開宇道：「這個自然。」

楊夢寰道：「這就是了，在咱們拒擋強敵之時，有人混入了這地窖之中，替宮老前輩療好了傷勢，並且和他相約在某處會面。」

鄧開宇道：「正是如此，楊大俠料事如神，叫人好生佩服。」語聲微微一頓，道：「可是那人是誰呢？能有這等能耐。」

楊夢寰道：「世間能有如此能耐之人，除了一位妙手漁隱蕭天儀醫道通神外，那是只有寥寥幾人可數。」

鄧開宇道：「你說是否多情仙子？」

楊夢寰道：「除了那趙小蝶，還有一位朱若蘭姑娘，再就是陶玉，那朱姑娘出身金枝玉葉，氣度、胸襟都非常人能及，不論做什麼事，都是正正大大，陶玉又決不會有這等耐心救人之舉。」

鄧開宇道：「這麼說來，定然是那多情仙子了？」

楊夢寰道：「在未有確實證明之前，在下也不敢斷言，但不論是誰，咱們都得有點消息。」

鄧開宇和楊夢寰談話之際，突然想起同來鄧家堡的柳遠來，那柳遠自從進了鄧家堡後，就再未見到過他，急急說道：「那位柳兄呢？」

楊夢寰道：「柳兄被兄弟派了出去，爲了怕洩露機密，一直未對鄧兄說起。」

鄧開宇歎道：「楊大俠爲武林擁稱盟主，果有非凡之才，平穩之中，另有精巧安排。」

楊夢寰道：「令尊留在此地養息傷勢，咱們到外面瞧瞧去吧！」

他爲人深藏不露，事後才能發覺他過人才華，鄧開宇知此言必有深意，當下吩咐了地窖的家丁，好好照顧老堡主，隨在楊夢寰身後行去。

出了地窖大門，楊夢寰竟然折向後花園中行去。

鄧開宇也不多問，緊隨身後而行，穿過了幾重廳院，進入了後花園中。

楊夢寰直行向花園一角，在一棵高大的白楊樹前，突然一握真氣，直飛起兩丈多高，探手一揮，抓住了一根垂下的樹枝，微一借力，人已翻了上去。

這時天色已經大亮，一輪紅日，破地而出，景物清楚可見。

楊夢寰動作迅快，片刻間已然登上了高大白楊樹頂。

鄧開宇心中暗道：他到鄧家堡來，不過兩日夜的時光，大部份時間都在爲宮叔叔療傷，又趕上了這場惡戰，在這急促的時間之內竟然仍有了佈置，其人能爲武林同道讚譽擁戴，倒不是全以武功稱道了。

抬頭看去，只見楊夢寰手中高舉著一塊紅絹，不住搖動。

良久之後，才躍下大樹。

鄧開宇低聲說道：「可曾看到柳兄？」

楊夢寰道：「我和他約好了聯絡的方法，至於他是否看到，那就不太清楚了，咱們等候片刻之後再說。」

他深鎖眉頭，心中似是有著很大的隱憂，但他既不願說出，鄧開宇也不好追問。

兩人等候了大約頓飯時間，一條人影疾躍圍牆而入。

鄧開宇凝目望去，只見來人頭戴斗笠，身著黑衣，一付農家裝扮，面色黝黑、蒼老，竟是素不相識，正待出口喝問，楊夢寰已拱手說道：「辛苦柳兄了。」

那人伸手在臉上一抹，恢復了本來面目，欠身說道：「楊大俠、鄧兄。」來人正是柳遠。

楊夢寰接口問道：「可曾瞧到了什麼？」

柳遠點點頭道：「兄弟在鄧家堡外，布設一十二處暗樁，料想敵人的來路去處都不難查看清楚。」

楊夢寰接道：「柳兄可曾見到了那多情仙子的屬下？」

柳遠道：「見到了，如非那多情仙子的屬下相助，鄧家堡只怕難有此刻的平靜之局。」

鄧開宇道：「這就奇怪了，那多情仙子為什麼要幫助我們呢？……」他似是自知這幾句話，說的甚是無味，陡然住口不言。

他腦際之間，經常盤旋著那多情仙子美麗的容貌，常在不知不覺間，提起她的名字來。

只見楊夢寰點頭說道：「這就對了，宮老前輩定然是為她所救了。」

鄧開宇道：「楊大俠可是說在咱們拒擋強敵之時，那多情仙子悄然混入了我們鄧家堡？」

楊夢寰道：「正是如此，那多情仙子混入府中，救好宮老前輩的傷勢，迫他離開。」

鄧開宇不解的問道：「她幫咱們拒擋強敵，那是友好之舉，逼走宮老前輩，卻又是為敵之行，這等忽敵忽友的矛盾舉動，不知是何用心？」

楊夢寰道：「這其間原因複雜，一時也說它不清。」

柳遠突然一欠身，道：「兩位請談談吧！在下還得去查看一下那埋伏四周的暗樁，瞧瞧看是否有人傷亡，一個時辰之內，再趕來此地復命。」言罷，抱拳一禮，越牆而去。

鄧開宇望著柳遠越牆而去的背影，道：「楊大俠料敵機先，預作部署，實叫兄弟佩服……」

語聲微微一頓，道：「但兄弟有一事不明，還得請教楊大俠。」

楊夢寰道：「鄧兄有何指教？」

鄧開宇道：「就是那多情仙子和宮老前輩的事，彼此間素不相識，扯不上半點恩怨，為什麼她要替宮老前輩療傷，既然施恩，怎又結仇？逼他離開了鄧家堡呢？」

楊夢寰沉吟了一陣，道：「詳細的內情，在下一時間也難了然。但我想在這三五日內，必會有音訊傳來。」

這中間關係微妙，楊夢寰並非全然不知，只是說出也難令人相信，說不定還將受人譏笑，只好避而不談。

鄧開宇大概是瞧出了楊夢寰不願多提此事，避過話題說道：「不知家父傷勢情況如何？」

楊夢寰道：「咱們回去瞧瞧吧！」

二人奔入地窖之中，鄧固疆穴道已解，人也醒了過來，只因年紀老邁，失血過多，精神仍甚萎靡。

楊夢寰低聲對鄧開宇道：「宮老前輩離開的事，暫時不要對老堡主提起。」

鄧開宇點點頭，還未答話，忽聽鄧固疆問道：「宇兒，你宮叔的傷勢如何了？」

鄧開宇一生之中，從未對父親說過謊言，此刻要他驟然間以謊言相欺，竟覺得難以出口，他停了半天，才說出一句「他很好」來。

鄧固疆微微一笑，閉目睡去。

鄧開宇抹去頭上汗珠兒，緩步退了出去，只見一個家丁，手中執著一張白色封簡，肅立在地窖之外，欠身一禮，說道：「少堡主。」伸手遞過封簡。

鄧開宇接過一瞧，只見上面寫道：書奉楊夢寰親拆，七個大字。

鄧開宇一皺眉頭，暗道：何人寫來此信，又怎知楊夢寰在鄧家堡中。

忖思之間，楊夢寰已隨後走了過來，問道：「什麼事？」

其實他早已看到是自己的信，只是不願直接說出而已。

鄧開宇回頭遞上白色封簡，道：「楊大俠的密函。」

楊夢寰拆開封簡一瞧，只見上面寫道：「今夜二更過後，於鄧家堡西北十里外，荒園茅舍候駕，事極緊要，切勿外洩。」

短短數字，下面卻無具名，畫了一幅地圖，詳盡的註明了會見之地。

楊夢寰緩緩把密函藏入懷中低聲說道：「我去瞧瞧童師姊的傷勢。」

鄧開宇瞧出他不願多說，自是不便多問。

楊夢寰急急行入童淑貞的房中，只見她正在和沈霞琳談笑。

這位際遇凄涼的少女，終日裏愁鎖著雙眉，但此刻卻似突然開朗了很多。

楊夢寰掩去臉上愁苦之容，換上副笑意，和兩人天南地北的扯了一陣，悄然回到自己的房中，盤膝打坐，運氣調息。

柳遠和鄧開宇兩次進入房中，但楊夢寰卻裝作禪定未醒。

兩人不便驚擾，只好悄然退去。

是夜初更過後，楊夢寰悄然離開了鄧家堡，直向那荒園茅舍之中奔去。

那封簡內，把約會之地說得十分詳細，而且附有地圖，找起來並不十分困難。

這是個無月無星的黑夜，滿天濃雲欲雨，更增加了黑夜的陰森恐怖。

楊夢寰按圖索驥，找到了那座荒園，果見殘破荒園裏，有座點燃燈光的茅舍，當下加快腳步，奔近茅舍，推開水門，凝目望去。

這一座破敗的茅房，靠壁間放著一張白木方桌，桌上高燃著一枝紅燭，照得滿室一片光亮。

只見嬌艷如花的趙小蝶，寒著一張粉臉，和陶玉對面而坐，兩人各據一方，彼此沉默不言，似是都在等待自己，楊夢寰不禁微微一呆。

趙小蝶頭不回顧，目不轉視，冷漠說道：「楊大俠，請進啊！」

楊夢寰口雖不言，心中卻大爲吃驚，暗道：假若陶玉和趙小蝶聯手合作，武林中必將是屍骨如山、血流如河的慘劇……

心中念頭轉動，人卻緩緩向前行去，走近木桌旁邊，自行坐了下去。

這張小木桌長不過三尺，寬不過兩尺有餘，那陶玉和趙小蝶對面而坐，楊夢寰只好在兩人之間坐了下來。

三個人各據一方，各人的臉色都是一片肅穆，木然的坐著，誰也不願先和對方講話。

不知過去了多少時間，還是楊夢寰打破了沉寂，輕輕咳了一聲，「不知兩位之中，是哪一位邀在下前來。」

趙小蝶道：「我！怎麼，可是有些不配麼？」

楊夢寰道：「趙姑娘既有寵召，在下自是應該如命而來。」

趙小蝶輕輕咳了一聲，道：「楊大俠這麼看得起我，當真是叫賤妾感激得很。」

楊夢寰一皺眉頭，暗自忖道：只聽談話口吻，我們之間的距離是越來越遠了。當下說道：「姑娘函召在下來此，不知有何指教？」

趙小蝶冷冷的說道：「奉勸一事。」

楊夢寰道：「什麼事？」

趙小蝶道：「看在我那朱姊姊的面上，我要勸你一句話，今日此時起，退出江湖外，不要再多管武林的事。」

楊夢寰道：「爲什麼要在下一人退出？」

趙小蝶道：「因爲我怕一時間克制不住自己，出手傷害到你。」

楊夢寰吃了一驚，暗道：這麼看來她已準備正面和我爲敵了！輕輕咳了一聲，道：「姑娘可是已和陶玉協商好稱霸武林的大計麼？」

趙小蝶冷冷說道：「這個不用你管了。」

楊夢寰劍眉聳動，似要發作，但他終於忍了下去，淡淡一笑，目光轉注到陶玉臉上，道：「陶兄高見如何？」

陶玉道：「兄弟悉聽趙姑娘的吩咐。」

楊夢寰笑道：「可是在下並不要聽。」

陶玉道：「你要怎麼樣？」

楊夢寰道：「如若沒有你從中作梗，就算趙姑娘稱霸江湖，也不致作出什麼傷天害理的事。」

陶玉道：「楊兄覺得如何才好？」
楊夢寰哈哈一笑，道：「寒夜荒園，茅室孤燈，正是一處很好埋骨所在。」
陶玉道：「你想動手？」

十一　錯綜情仇

楊夢寰道：「咱們三人，今宵總該有一人埋骨此地。」

陶玉道：「你看是哪一個？」

楊夢寰道：「也許是在下，也許是陶兄。」

陶玉道：「楊兄之意，可是向兄弟挑戰麼？」

楊夢寰道：「如若武林中非有一次殺劫不可，如若咱們將來免不了一場拚鬥，那就不如現在分別出生死勝敗的好。」

陶玉望了趙小蝶一眼，欲言又止。

趙小蝶突然冷笑一聲，道：「楊夢寰你兇什麼？可是覺著你的武功定能勝過陶玉麼？」

楊夢寰淡淡一笑，道：「正和姑娘之言相反，在下實無信心能夠勝過陶玉。」

趙小蝶道：「既無信心勝人，爲什麼兇狠如此？」

楊夢寰哈哈一笑，道：「一件事放在心中，總歸是難以安得下心，倒不如早些解決的好。」

趙小蝶柳眉聳動，冷冷說道：「以天下武林安危爲己任，楊大俠好大的口氣啊！」

楊夢寰道：「既是水火之勢，早晚難免一場，何不早作一場決戰。」

趙小蝶道：「別說你未必是陶玉之敵，縱然你勝過陶玉，也還有趙小蝶活在世上，只怕也無法讓你稱心如願。」

趙小蝶道：「本來要和你談談天下武林大事，但此刻我瞧是不用再談了。」

楊夢寰先是一怔，繼而浩然一笑，道：「趙姑娘今宵約在下到此，究竟爲了什麼？」

楊夢寰突然站起身子，道：「既是如此，在下就此別過。」

趙小蝶道：「這般就走，不覺著來去太無價値麼？」緩緩站了起來，走到陶玉身後，伸出左手，放在陶玉肩上，口角間笑意盈盈，附在陶玉耳邊說道：「玉兄，不用怕他……」聲音越來越低，終不可聞。

只見陶玉那俊美的臉兒，泛起了笑容，不住點頭。

楊夢寰心中暗道：如若這兩人合起手來，爲害江湖，只怕是請得朱若蘭下山也難以對付。忖思之間，忽見陶玉挺身而起，笑道：「楊兄可是當真想和兄弟拚個生死出來麼？」

楊夢寰道：「如若陶兄有興，兄弟是捨命奉陪。」

陶玉笑道：「就算在下不是楊兄之敵，趙姑娘也不會坐視不管，楊兄你可曾算過這一戰的勝機麼？」

楊夢寰道：「大丈夫只求心安理得，生死勝敗的事豈會放在心上。」

陶玉道：「楊兄這干雲豪氣，磊落胸懷，實叫兄弟佩服得很……」

語聲微頓，接道：「好！兄弟就奉陪一戰吧！」

趙小蝶緩緩取下了按在陶玉肩上的左手，退到一側，大有袖手觀火之意。

楊夢寰暗中提聚真氣，凝神待敵，心中卻是暗作盤算，道：今日之局，只怕是難有善果，趙小蝶用心何在？實叫人難以猜測，如若她從中作梗，縱然有勝過陶玉之能，也無法生離此地。

陶玉神情間一派輕鬆，似是對今日之局有了必勝的把握，左掌護胸，右掌待敵，微笑著說道：「楊兄找兄弟拚命，那就請出手吧！」

楊夢寰望了趙小蝶一眼，揮手一掌拍了出去。

陶玉左掌平胸推出，硬向楊夢寰掌勢上面迎來。

楊夢寰心中大爲驚奇道，他拳招、劍法樣樣都在我之上，但內力卻比我遜上一籌，何以竟棄長用短，和我硬拚掌勢？忖思之間，雙掌已然接實。

但聞砰然一聲，兩人被震得各自向後退了一步。

楊夢寰隱隱覺著陶玉的內功，似是較過去強了甚多，當下說道：「陶玉，你的身體復元很快，這一掌隱隱之間已恢復未受傷的勇猛。」

說話之間，雙手已各攻三招。

陶玉雙掌揮轉，輕描淡寫的封開六招，笑道：「可是猶有過之麼？」

楊夢寰道：「縱有長進，那也有限得很。」

陶玉冷冷一笑，不再答話，全力揮掌搶攻。

剎那間，掌影飄飄，滿室風生，案上的燭火搖紅，壁間積塵橫飛。

這座茅屋久無人居住，十數年的積塵，被兩人的掌力震得紛紛飄下，片刻間整個的茅室之內，有如升起了一層黑色的煙霧。

趙小蝶退在茅屋一角觀戰，眼前積塵飄飄，心中大是厭惡，一運氣，在身軀四周布起了一堵氣牆，落下積塵，難以逼近她兩尺以內。

陶玉和楊夢寰雖然亦覺那落塵討厭，但已無暇顧及。

原來兩人惡戰，漸入兇險之境，掌上蓄蘊的真力也是愈來愈強，掌指的變化也逐漸的奇詭惡毒，指襲之處，無不是足以致命的大穴要害。

這兩人武功相若，誰也不敢輕易有著絲毫大意，生死攸關，縱然是落塵再密一些，也是不敢分心旁顧。

楊夢寰心知再這般纏鬥下去，那陶玉胸中熟記「歸元秘笈」上的武功，都可一一的得到了印證，無疑給他一個習練武功的機會，心念一轉，立時改變了打法。

陶玉心中亦是暗作主意，心想：「我今日如能把楊夢寰斃在掌下，趙小蝶亦將永遠斬除了心中一縷癡念，天下才貌雙絕的少年英雄，除了楊夢寰，就數我陶玉……」

念頭轉動之間，突覺身前壓力大增，楊夢寰右掌迎胸劈來，威勢強猛，有如排山倒海一般。

陶玉上次和楊夢寰動手時，吃過了一次苦頭，被震盪了內腑，憑仗「歸元秘笈」上的療傷秘訣，和趙小蝶內力相助，才得極快的使傷勢復元。此時突感壓力襲來，本是不敢和楊夢寰硬拚掌力，但因趙小蝶守在身側，又想到必要時趙小蝶會出手相助，竟然舉起了右掌，又硬接下楊夢寰迎胸一擊。

雙掌相觸，響起了一聲蓬然輕震。

楊夢寰身子一陣幌動，足下陷落半寸。

陶玉卻是馬步不穩，退後了兩步，才拿樁站好。

但他終於把楊夢寰深厚的內力接下。

雙方各以右掌，抵觸一起，各運內力攻向對方。

表面上看去，各出一掌相觸，反不如拳來腳往的惡戰凌厲，實則這是武林中一種最險惡的拚鬥之法，綿綿內力源源由掌內湧出，攻向對方，只要一方內力稍弱，立時可分出生死存亡。

相持大約有一盞茶工夫，楊夢寰內力稍勝一籌，漸占上風，陶玉卻漸感不支，緩緩仰身向後倒了下去。

這等互拚內力之戰，雖然不支亦不能逃，陶玉只要一鬆真氣，楊夢寰那滔滔不絕的內力，立可把陶玉震死掌下。

燭光下，只見陶玉的臉上，汗珠兒滾滾而下，顯然已到了強弩之末，再難過一刻工夫。

一側觀戰的趙小蝶突然舉步而行，走到了陶玉身後，伸出纖纖玉手，一指點在陶玉的背上。

陶玉內力陡增，反弱爲強，不但平反劣勢，而且反把楊夢寰逼得上身向後傾斜。

趙小蝶望著楊夢寰赤紅的臉色，肅然說道：「我沒有幫助他，只不過點了他一處穴道，激起他生命中的潛力。」

她似自言自語，又似在對楊夢寰解釋。

其實楊夢寰正運起所有的氣力，在生死邊緣上掙扎，根本未聽清趙小蝶說些什麼。

雙方又相持一刻工夫，仍是個不勝不敗之局，楊夢寰雖然稍處劣勢，但陶玉亦不能向前攻進一分半寸。

原來兩人內力相差有限，同時面臨到體能的極限，雖然誰能稍增上三五十斤氣力，就可把對方置於死地，可是事實上誰也不能。

又相持了一刻工夫，雙方同時發出了喘息之聲。

黃豆大的汗珠，一顆接一顆由兩人臉上滾了下來。

這時兩人已成了欲罷不能之勢，只有這般對峙下去，直到筋疲力竭，死而後已。

楊夢寰心中已有了必死之志，只要能和陶玉同歸於盡，那就算償其所願，但陶玉卻是大爲後悔，想到此後，盟主武林霸業的威風，今日如和楊夢寰同時死於這荒園之中，豈不是滿懷的雄心大志，盡成泡影。

一個漠視生死，全力施爲，但求能爲武林消滅一個大禍患，生死在所不計，一個顧惜生命，心有所憾，心理上的影響減少了他的實力。

但見楊夢寰分分前移，又逐漸的平反劣勢。

這當兒兩人已成斤兩之爭，誰能使生命中潛力多發揮斤兩之力，就可多一分取勝之機。

趙小蝶冷眼旁觀，看兩人實已難再支撐多久，再要強撐下去，頃刻間都將身受重傷，當下舉步而上，直對兩人行去，伸出纖纖玉手，雙掌齊出，同時分拍在楊夢寰和陶玉的背上。她出手拿捏的時機恰到好處，兩人在同一時間內，一齊失了主宰自己之能，同時垂下了右掌。

楊夢寰轉過臉去，望了趙小蝶一眼，欲言又止。

趙小蝶淡淡一笑，道：「你瞧什麼？我如不管你們，這將是一個兩敗俱傷之局，難道你還能勝了人家陶玉不成？」伸手拍活兩人穴道。

楊夢寰閉目不語，其實此時說一句話亦覺得十分吃力，何況局勢險惡，他必須早些設法恢復體力，必要時以傾盡其能，作孤注一擲。

陶玉更是在潛心內修，依照「歸元秘笈」上的口訣行功調息。

楊夢寰不知那「歸元秘笈」記載的導氣之法，行功調息起來，吃虧甚大，不及陶玉來得快速，他尚在運息之間，陶玉已調息完畢，霍然睜開了雙目。

這時兩人相距甚近，陶玉只要一伸手，就可擊中楊夢寰要害大穴。

陶玉似是心知此刻出手擊斃楊夢寰，決非趙小蝶所同意，暗中運勁於指，準備在趙小蝶不注意時，暗中施襲，如若一擊把楊夢寰斃於指下，那時趙小蝶心中縱然不悅，也是回生乏術了。

那不但可以少去了一個阻礙霸業的大敵，而且也少去了一個情場上的敵手。

楊夢寰仍在運氣調息，對身外險惡的處境，卻是一無所知。

趙小蝶突然舉步行近兩人的身側，緩緩蹲下了嬌軀，嬌聲說道：「陶玉啊！你可想借他調息機會殺了他麼？」

陶玉道：「沒有的事，這暗施算計的事，兄弟如何能作得出來。」

趙小蝶嬌媚一笑，道：「你們男子漢，都有些英雄性格，雖是勁敵，但也不願出手暗施算計，唉！如是換了我們女人，那就不用顧忌了。」

陶玉笑道：「婦道人家倒也是不用篤守信諾，」

趙小蝶揚了揚柳眉兒，笑道：「你的武功日有進境，楊夢寰卻已是停滯不前，你現在不殺他，日後殺他也是一樣。」

這時楊夢寰已然調息完畢，醒了過來，但聞得兩人談話之聲，心中突然一動，暗道：我得聽聽兩人說些什麼。

但陶玉說道：「趙姑娘，在下心中有一樁不解之事，想請教姑娘一二。」

趙小蝶道：「什麼事？」

陶玉道：「自然是關於武功方面了。」

趙小蝶道：「咱們武功同時得自歸元秘笈上，你不明白的，只怕是我也不知，但卻不妨說出來，咱們研究研究。」

陶玉道：「在下照那歸元秘笈上記載習練，自信沒有半點錯誤，但近月之中，卻感到內功凝滯不進，不知是何緣故，唉！拳招變化之上，我自信已可勝過楊夢寰，只是內力上卻似弱他一籌，始終無法勝他。」

趙小蝶道：「這事不足爲怪，需知一個人的武功進境到某一種程度之後，都將面臨著一種、無法克服的體能極限，不論天賦如何，都無法克服此關，也就是說一個人把他身體潛能完全發揮到極致，這時不但內功難再增進，而且面臨著巔峰的險關，隨時有走火入魔，自爆血管的危險，如何能使武功和滯留的體能配合，一直是武學無法克服的一個難關，你目下的現象，正是如此。」

陶玉長吁了一口氣道：「難道就沒克服的辦法了麼？」

趙小蝶笑說：「也許會有，但我還未想通箇中的奧秘。」

陶玉道：「據那歸元秘笈上的記載，有一種佛、道合壁的大般若玄功，列為內功至上之學，不知能否克服武功極限的難關……」說話之間，突然合掌作勢，雙掌合胸，突然一股暗勁，呼的一聲，由趙小蝶身側穿過，擊中了楊夢寰。

但聞楊夢寰悶哼一聲，站起身子，步履踉蹌的奔出了茅舍。

趙小蝶料不到陶玉竟會陡然間下手施襲，想待阻止，已自不及，眼看楊夢寰步履踉蹌而去，心中大怒，暗道：這陶玉心地如此惡毒，非得給他點苦頭吃吃不可。

回目望去，只見陶玉緊閉雙目而坐，似是已知此舉必將惹怒趙小蝶，索性連望也不望趙小蝶一眼。這時，趙小蝶只要舉手一擊，立可把陶玉傷在掌下，但她強自忍下心中的憤怒，嬌聲笑道：「陶玉，你出手太輕了，這一掌打他不死。」

陶玉聽那趙小蝶語音柔和，似是毫無怒意，不禁膽氣一壯，緩緩睜開雙目，笑道：「雖然不足要他的命，但那一擊力道甚重，也得十天八天靜養。」

趙小蝶探手摸出一粒白色丹丸，笑道：「這粒丹丸，補神益氣，你剛和楊夢寰硬拚掌力，消耗不少內力，服了此藥，對你幫助甚大。」

陶玉伸手接過丹丸，淡淡一笑，道：「這等珍貴之藥，在下要好好的收存起來，備作日後之用。」他生性多疑，竟是不肯服用。

趙小蝶緩緩站起身子怒道：「你這人如此多疑，咱們如何能夠合作。」言罷轉身而去。

陶玉急急說道：「姑娘留步。」

趙小蝶突然回過身來，揚手一指，遙遙點了過去。

一縷指風，疾射而去。

陶玉狡詐絕倫，心知自己如若避開趙小蝶這一擊，說不定將引起她的殺機，當下一運氣，微偏身軀，讓過要穴，硬接一擊。

趙小蝶眼見指風擊中了陶玉，冷笑一聲，道：「陶玉，你處心積慮的想殺掉楊夢寰，但如你殺了他，對你百害而無一利，我這一指用得很有分寸，點了你一處經脈，使你三個月內武功難有進展。」

陶玉笑道：「在下自知在短短一兩年內，還不是姑娘之敵，傷死在你的手下，那是敗得心甘情願，你既畏懼於我，何不借此機會取我性命。」

趙小蝶笑道：「我要你和楊夢寰始終保持個半斤八兩之局，對峙於江湖之上。」

陶玉道：「是了，我們既無法分出勝敗，姑娘就可在江湖上成爲舉足輕重的人物了。」

趙小蝶道：「那也不是，你和那楊夢寰已面臨了體能負荷的武功極限，要說短期能有如何大進，超越過我，那是大不可能的事，但你有『歸元秘笈』，可能在半年內越過楊夢寰，你這人手段毒辣，只要你能夠殺他，決然不會放過他。」
陶玉接道：「難道姑娘的成就已超越了體能的極限麼？」
趙小蝶道：「我也一樣受著體能極限的困擾，只不過咱們感受的不同罷了。」
陶玉生恐趙小蝶瞧出了自己負傷不重，趕忙裝出滿臉痛苦之色，閉目不言。
趙小蝶道：「陶玉，如若你覺著不適，就把那一粒丹丸服下。」也不容陶玉再多說話，縱身一躍，飛出茅舍，四下打量一眼，直向西北方追了下去。

且說楊夢寰在驟不及防之下，吃陶玉陡然間暗發內力擊中，內腑受傷甚重，強自提聚一口真氣，壓住傷勢，不讓它立時發作，快步向外奔去。
他盡量壓制著傷勢，爭取逃走的時間，一口氣奔出了數里之遙，到了一片叢林旁邊。這時，他實在已然無法支撐，靠在一株大樹之上。
這當兒悄然由林中走出來兩條人影，直向楊夢寰身側欺去。
楊夢寰耳目已然失了靈敏，兩人直逼身側七八尺處，仍是一無所覺。
那當先之人，唰的一聲抽出身上單刀，沉聲問道：「前面是甚麼人？」
楊夢寰內腑受傷甚重，再加上這一陣快行疾走，人已大感不支，體力和精神都已到了崩潰之境，聞得那喝叫之聲，陡然精神一振，緩緩轉過身子，失去神采的雙目中突然閃起一片神光，望了兩個大漢，冷冷喝道：「你們是陶玉的人？」
那當先手執單刀的大漢應道：「不錯，閣下定然是楊大俠了？」

楊夢寰哈哈一笑，道：「正是楊某。」

那站在後面的大漢伸手在腰中一探，鬆開扣把，解下了一條軟鞭，說道：「楊大俠受傷很重麼？」

楊夢寰冷冷說道：「楊某人雖然受傷不輕，但如要收拾兩位，那也不算什麼難事。」

一面說話，一面暗中提真氣，準備出手。

那手橫單刀大漢眼看楊夢寰神采飛揚，不像受傷的樣子，不禁心中有些害怕，平刀護身，緩緩說道：「在這片林木之中，至少有咱們二十多個人手埋伏，楊大俠如若輕舉妄動，只怕很少有得勝機會。」

那手握軟鞭的大漢接道：「如是楊大俠自知無望取勝，咱們這樹林中早已備有馬車，楊大俠只要登上馬車，咱們就先把楊大俠送往蕭神醫那裏去，先為你治好傷勢。」

楊夢寰心中一動，道：「哪個蕭神醫？」

那執刀大漢笑道：「妙手漁隱蕭天儀，蕭神醫，那是藥到病除，著手回春。」

楊夢寰暗暗吃驚，道：「王寒湘已為陶玉收用，想不到蕭天儀也被收服手下……」

只聽那執刀大漢說道：「看你受傷情形，似是已無再戰之能了。」

楊夢寰冷笑一聲，道：「兩位在陶玉手下，是何身分？」

那執刀大漢道：「在下等都是執法隊下的武士。」

楊夢寰一面強行運氣，壓制傷勢，一面暗中提聚功力，口中卻笑道：「那執法隊中共有幾人？是何人帶隊領導？」

那執刀大漢淡淡一笑，道：「楊大俠問得這般清楚，是何用心？」

那人笑道：「我等奉命追查你楊大俠的行蹤，一路行來，直到此處，以你楊大俠受傷之重，我等如若暗施算計，早已得手，不過……」

楊夢寰內功深厚，雖然受了重傷，但面對生死交關之時，仍能提住一股真氣，凝勁掌上。但他心中明白，這等勉強出手只有揮手之舉，危險異常，一擊之能，立時將功力消散，再無還手之力，如非有絕對把握，不能輕易出手。

這兩人相距有三尺左右，出手一擊，很難把兩人同時震倒，必得想個法子把兩人同置於一擊掌力之內。

心中念頭打轉，口裏應道：「不過什麼？」

那執刀大漢道：「咱們幫主的希望，最好能生擒你楊大俠……」

楊夢寰淡淡一笑，道：「就憑你們兩個人麼？」

那執刀大漢正待答話，突然林中有人接道：「自然是不止他們兩個人了。」緩步走出一個紫臉長衫，背插九環刀，腰掛鏢袋的老者。

楊夢寰呆了一呆，道：「勝一清。」

來人正是昔年李滄瀾領導天龍幫時五旗壇主之一的子母神膽勝一清。

勝一清微微欠身，笑道：「楊大俠久違了，令岳的身體可好？」

楊夢寰暗暗歎息一聲，心知此人武功高強，重傷之軀實難和他爲敵，緩緩鬆去掌上凝聚的功力，道：「家岳身體很好。」

勝一清歎道：「昔年在下追隨令岳之時，曾和楊大俠爲敵，想不到五年之後，仍然要和楊大俠敵對於江湖之上。」

楊夢寰冷冷說道：「昔年天龍幫五旗壇主，在下最敬服勝老前輩的爲人……」

勝一清歎口氣，接道：「往事已矣，不堪回首，咱們還是談談眼下的事吧！」

楊夢寰自知難以和此人抗拒之後，賴以支持重傷之軀的精神力量，立時散去，身軀已感不支。

勝一清目光何等銳利，已瞧出楊夢寰受傷極重，難再支撐，急急接道：「陶幫主重復天龍幫後，不但把在下和王壇主請了過去，而且連那妙手漁隱蕭天儀也已投效幫中，楊大俠既是受傷很重，何不隨在下一行，同去見過蕭神醫，先行療傷勢再說？」

楊夢寰心中谙道：此時既已失去了抗拒之能，不答應也要被他們生擒而去，倒不如答應下來。

心念一轉，肅然答道：「勝老前輩如是以禮相請，雖是龍潭虎穴，我楊夢寰也不在乎，如說是以武相逼，我楊某雖受重傷，但亦將拚盡最後元氣一戰。」

勝一清道：「自然是以禮相邀了。」

楊夢寰道：「如若勝老前輩是一番誠心，先要他們抬一張軟榻來。」

勝一清道：「楊大俠先請打坐調息，在下立刻吩咐他們去辦。」

楊夢寰道：「有勞了。」盤膝坐了下去，運氣調息。

他心知此去兇險萬端，但也是唯一的逃生之機，他雖不怕死，但卻明白此刻死非其時，憑仗自己的內功基礎，如能有上兩三個時辰的調息，還可能使神功恢復大部，那時既有可戰之能，自是有逃走的機會了。

片刻之後，兩個大漢抬著一個門板紮成的木榻走了過來，說道：「一時不易找得軟榻，只有暫用木板紮成，不知可否適用？」

勝一清望了那木榻一眼，只見上面舖著一層很厚的棉被，點點頭，道：「可以用了。」伸手托起楊夢寰的身子，放置在木榻之上，接道：「快些趕路。」

兩個大漢抬起板榻，奔行如風。

勝一清緊追在那板榻之後相隨。

楊夢寰並非神智無知，但他必須要盡最大的耐心，和冒著死亡的大險，爭取在未見到陶玉之前的一段時光，盡量使功力恢復。

因此暫把處境的險惡置於度外。

他內功基礎深厚，任、督二脈已通，別人需要數夜坐息，才可使真氣暢通，楊夢寰只需幾個時辰即可。

真氣漸漸的流轉，傷勢大減，不覺間進入了渾然忘我的禪定之境。

當他醒來之時，已然是日光滿窗，自己正坐在一張潔褥淨被的大床上，不遠一張木椅上，坐著子母神膽勝一清。

楊夢寰一抱拳，道：「多謝老前輩代為護持，救了楊某一命。」

勝一清一皺眉頭，道：「彼此是敵對相處，楊大俠也未免太過膽大了。」

楊夢寰微微一笑，道：「昔年天龍幫五旗壇主之中，要以勝壇主的爲人最爲光明磊落，在下相信勝壇主不會暗施算計。」

勝一清輕輕歎息一聲，道：「目下的天龍幫已非昔年李幫主領導的天龍幫了，陶幫主的性格，也和李幫主大不相同，做事只問目的，不擇手段、方法，日後還望楊大俠小心一些……」

他似是有很多話要說，但只說了一半，卻突然住口不言，起身而去。

楊夢寰似已瞧出他有難言之隱，既是人家不願說，自是不便多問，站起身來，暗中一提真氣，傷處雖然仍有些隱隱作痛，但真氣已可暢通全身，估計功力，該已恢復了六成以上，不禁膽氣一壯，緩步走出室門。

只見四個佩刀的黑衣大漢並肩而立，攔住了去路。

左首一人咧的一聲，拔出了背上單刀，冷冷說道：「楊大俠要到哪裏去？」

楊夢寰冷冷的望了四人一眼，道：「四位可是執法隊中人麼？」

仍由那左首大漢答道：「不錯。」

楊夢寰心中暗道：大約這四人還不知我已恢復了功力，我如出手點傷了四人，借機逃逸並非什麼難事，但只怕要替勝一清留下無窮麻煩，心中念頭轉動，口裏問道：「那勝一清勝老前輩，在你們天龍幫中，職司何位？」

那大漢道：「是咱們執法香主。」

楊夢寰道：「我要請你們勝香主說話……」屈指一彈，一縷指風疾射而出，擊在那大漢手中的單刀之上。

那大漢驟不及防，手中單刀脫手落地。

楊夢寰微微一笑，道：「就算你們四人合起手來，也非我楊某之敵，何況攔我去路了。」

這四人眼看楊夢寰功力已復，自知非敵，心中大驚，留下三人看住楊夢寰，一個疾奔而去。

片刻之後，勝一清帶了四個身著黃衣的老者，一齊趕來。

楊夢寰目光一轉，看四個黃衣老者，雙目中精光閃動，似都是內外兼修的高手，心中亦不禁暗暗驚道：這些人物，何以竟都肯歸附於陶玉手下，助他爲惡。

只見勝一清一抱拳，道：「楊大俠竟然在極短時刻中恢復神功，好叫老朽佩服。」

楊夢寰心中暗道：聽他口氣，似是有甚多礙難，不能和我多談，當下一拱手，道：「好說，好說。」

勝一清回顧了身側四個黃服老者一眼，四人立時散佈開去，布成了一座方陣，把楊夢寰圍在中間，然後才冷冷說道：「楊大俠要下屬找老朽來，不知有何見教？」

楊夢寰原想問明白自己去後，不知是否會影響到勝一清的安全，但見他的神態、語氣故意說得甚是陌生，只好改變語氣，道：「明人不做暗事，大丈夫來去光明，在下要離開此地，是以特遣人奉告一聲而已。」

勝一清緊張的神情，突鬆一鬆，冷冷說道：「在下和楊大俠雖然相識，但楊大俠乃敝幫主尋拿要犯，在下實難作主……」

楊夢寰冷笑一聲，接道：「勝香主不用誤會，在下並無意動之以昔年相識之情，求予釋放。」

勝一清道：「楊大俠之意，可是想憑藉武功闖出去麼？」

楊夢寰道：「不錯，在下正是此意。」

勝一清道：「楊大俠如自信有此能耐，那就不妨試試。」

目光一掠四個黃衣老人，四人立時舉起右掌，平胸待敵。

楊夢寰目光如電，緩緩由四個黃衣老者臉上掃過，借機打量了逃走之路。

但聞勝一清冷冷接道：「楊大俠是咱們幫主尋拿要犯，咱們原本不便相犯，但如楊大俠要想逃走，那就不能怪在下等出手阻攔了。」

楊夢寰淡淡一笑，道：「拳腳無眼，如是諸位定要動手，只怕是難免要有傷亡。」

勝一清道：「將軍難免陣上亡，楊大俠有什麼驚人之技，儘管出手，在下等如是傷在你楊大俠的手中，那也只有怨我等學藝不精了。」

楊夢寰暗自忖道：看將起來，他並無翼護屬下之意，我也可放手施為了。

他這數月來，連和陶玉重振的天龍幫數度交手，事後深思，常覺下手間，過於仁慈，立威不足，今日倒是得全力施為，好好的殺他們幾個。

心念一轉，冷冷說道：「諸位如若認為我楊某人是僅得虛名，那就不妨出手試試。」

說話之間，突然舉步而行，直向外衝去。

他的舉動瀟灑自如，看上去毫無防備。

正東方一個黃衣老人，似是四人中的首腦，當先發動，橫移一步，舉掌劈出。

楊夢寰冷笑一聲，左掌一伸，接過掌勢，右手緊隨著發出一掌。

那黃衣人久聞楊夢寰的大名，這一掌劈出，極力小心，那知一和楊夢寰掌勢相觸，覺出不過爾爾，正待運加勁力，撞擊過去，突覺一股強勁由旁側疾湧上身，不禁心頭大駭！

楊夢寰內力收發隨心，那正東方位上黃衣老者，吃那撞向身上的潛力一震，身不由己向後退了兩步，冷哼一聲，盡出全力，和那壓來的潛力抗拒。

那知楊夢寰劈出的掌勢突然一收，黃衣老者身不由己向前一栽，幾乎撞向楊夢寰的懷中。

原來那黃衣老者，運起全力抗拒，卻不料那壓向身上的力道，突然消失無蹤，一個收勢不住，向前撞了過去。

如楊夢寰及時趁勢一掌，立可把那黃衣老者傷在掌下，但他卻手下留情，未予施襲。

只見正西方位上的黃衣老者，右手一抬，一股暗勁湧了過去，穩住了他的衝擊之勢。

勝一清沉聲說道：「你們單獨出手，如何能是楊大俠的敵手。」

言外之意，乃是要四個合力出手了。

四個黃衣老者果然一齊發動，各出一掌，分由四個方位攻向了楊夢寰。

楊夢寰冷笑一聲，腳下移步，雙掌齊出，只聞蓬蓬四聲悶響，四個黃衣老者各自後退了一步。

原來楊夢寰以極快的絕倫手法，雙掌疾轉，有如四掌齊出一般，快速絕倫的接下了四人的掌勢。

四個黃衣老者各接一掌後，才知道碰上了生平未遇的勁敵，轉動身軀，繞著楊夢寰四周奔走起來。

這四人練有一種合搏之術，遇上楊夢寰這等強敵，自知單憑一人之力決難抵敵，只有四人合力出手，或可一戰。

楊夢寰冷笑一聲，雙掌疾快展開了反擊。

但見四個黃衣人影疾轉如輪，繞在楊夢寰四周奔走，楊夢寰卻站著不動，雙掌連環劈出，拒擋四人攻勢。

四個黃衣老人雖然全力搶攻，但均被楊夢寰強猛的掌力拒擋在數尺之外，難越雷池一步。

大約有一盞茶工夫，楊夢寰已然看清四人合搏之術的路道，左腳突然邁出一步，右手迅如電光石火一般，向右面劈了過去。

他已算準了四人陣勢變化、時間，掌力劈出時，還是空隙，但掌力擊到時，剛好一個黃衣老者已轉到掌力之下。

那人吃楊夢寰掌力一擋，全陣的旋轉受到了阻礙，立時停頓下來。

楊夢寰掌指齊出，展開了快攻，不到十招，四個黃衣老者盡都被點了穴道，摔倒地上，只見他一抱拳，對勝一清道：「得罪了。」大步向外行去。

勝一清大聲喝道：「站住！」一躍而上，揮掌拍去。

楊夢寰心中暗道：他有著很多的殺我機會，都輕輕放過，此刻卻似一步也不放鬆，難道是作給人看的麼？

心中忖思，右手卻迎了上去。

雙掌接實，如擊敗革，蓬然大震聲中，勝一清身子突然飛了起來，倒向後面躍去。

楊夢寰只覺那接觸的雙掌中，力道並不強猛，勝一清卻突然向後退去，心知是對方有意掩人耳目，心中暗自奇道：難道這等武林中第一流高手，也被陶玉施用什麼手段暗加控制了不成，雖然心生叛逆，卻是不敢形諸於外。

勝一清接下一掌之後，不再追趕。

這一來，似是都知道了楊夢寰的厲害，也無人再追趕於他。

楊夢寰放腿疾行，一口氣走出了十幾里，才放緩腳步，向前行去。

他雖是恢復了大部份武功，但心知內傷並未痊癒，如不及早設法醫治，早晚仍將發作。

突聽水聲瀑瀑，到了一處小溪旁邊，抬頭看去，只見小橋流水，垂柳飄風，頗有故居「水月山莊」的風情，不禁停下腳步。

轉目流顧，瞥見一個全身白衣的少女，傍溪偎柳坐在溪邊，望著兩隻戲水小燕，呆呆出神。

楊夢寰目光掃掠過那少女背影，立時認出是趙小蝶，心中暗暗忖道：她武功絕倫，耳目靈敏無比，想必知我到此，卻也不用避開她了。

這時，太陽已高高昇起，照射在溪水中，閃動一片金霞波光。

楊夢寰分辨了一下方向，大步向橋上行去。

他裝作未見到趙小蝶的神色，昂首挺胸，直登小橋。

突覺一陣香風掠頂而過，趙小蝶搶在了小橋前面，回首走了過來。

這座小橋也不過只可容一人通過，楊夢寰已行了大半，趙小蝶迎了上來，兩人在橋中相遇。

趙小蝶停下腳步，望了楊夢寰一眼，一語不發。

楊夢寰心中暗道：男子漢大丈夫，氣度豈能和女孩子家一樣，當下微微欠身一禮，道：「趙姑娘。」

趙小蝶淡淡一笑，道：「你還沒有死麼？」

楊夢寰一皺眉頭，道：「只不過受了一點內傷。」

趙小蝶道：「陶玉爲人心地太過慈善，如若他稍再加上一些氣力，你就死定了。」

楊夢寰笑道：「生死由命，強求不得，在下半生中經歷了無數兇險，卻僥倖留下了這條性命。」

趙小蝶道：「你不能一生一世，都在僥倖之中。」

楊夢寰道：「縱然是死去了，那也不算什麼大事，大丈夫生而何歡，死而何懼。」

趙小蝶怒道：「你如是不怕死，我就讓你求生不能，求死不得。」

楊夢寰淡淡一笑，道：「姑娘昔年對在下有過救命之恩，在下一直感懷難忘……」

趙小蝶接道：「我後悔死了，早知如此，當初不救你那就好了。」

楊夢寰仍是神態輕鬆的說道：「我楊夢寰並未得罪你趙姑娘，姑娘卻對在下恨之甚深。」

趙小蝶道：「我高興恨你，成不成？」

楊夢寰聽她愈說愈是不可理喻，也不禁動了怒意，轉過身子大步行去。

趙小蝶縱身一躍，呼的一聲又從楊夢寰頭上掠過去，回身攔住了去路。

楊夢寰冷笑一聲，道：「姑娘要爲善，爲惡，幫助別人，我楊夢寰是管不了，但這等攔我去路，那是未免欺人太甚了。」

趙小蝶看那楊夢寰有了怒意，忽然微微一笑，道：「鼎鼎大名的楊大俠，小女子豈可欺侮，豈不是言重了。」

楊夢寰暗中一提真氣，道：「在下自知非是姑娘之敵，但是姑娘這般苦苦相逼，那就別怪在下要……」想到她昔年數番相救之情，又自忍了下去，轉身行去。

只聽疾風掠頂而過，趙小蝶又自攔到了身前，冷冷說道：「你要怎樣？」

楊夢寰歎息一聲，道：「姑娘如若是必殺在下而後甘心，那就請動手吧！」

趙小蝶怒道：「你可是認爲我不敢麼，殺了你讓那沈霞琳和李瑤紅嘗嘗守寡的滋味。」緩緩舉起了右掌。

楊夢寰遙望著西天處一片雲彩，臉上一片鎮靜，毫無死亡前的驚怖之色。

只聽一個嬌脆的聲音傳了過來道：「寰哥哥。」

趙小蝶轉頭望去，只見沈霞琳飛一般的跑了過來，不禁心頭一震，緩緩放下右掌。

沈霞琳奔近兩人身前，嬌聲說道：「寰哥哥，找你不到，大家都急得要命，早知和趙家妹子在一起，我們也不用找了。」

趙小蝶一聳秀眉道：「沈姑娘，你這話什麼意思？」

沈霞琳看她臉上滿是激憤之容，不禁一呆，緩緩說道：「因為你的武功高強，有你和寰哥哥在一起，縱然是遇上陶玉這壞蛋，那也是不用怕了。」

她長長吁一口氣接道：「寰哥哥和兩個人在一起，我最是放心不過。」

趙小蝶臉上仍是一片肅穆道：「哪兩個人？」

沈霞琳道：「一個是朱若蘭朱姊姊，一個就是你趙家妹子了。」

趙小蝶輕輕歎息一聲，道：「朱姊姊是金枝玉葉，那氣度自是和常人不同，和她在一起，自是沒有關係，但我就不同了。」

沈霞琳奇道：「為什麼？」

趙小蝶道：「我如火了起來，不論是什麼人，我都可能殺了他。」

沈霞琳笑道：「你可是在說笑話嗎？」

趙小蝶道：「我說的千真萬確，不論什麼人，惹得我惱了火，我都可能殺了他。」

沈霞琳看她說得十分認真，不禁微微一怔，回顧了楊夢寰一眼，突然對趙小蝶欠身一禮，道：「如是寰哥哥得罪了賢妹，我這裏替他賠罪了。」

趙小蝶只覺心頭一陣傷感，幾乎落下淚來，轉過身子，向前行去。

沈霞琳緊緊追在身後，道：「唉！寰哥哥哪裏都好，就是生性太剛強一些，寧可吃苦頭，也不願說一句求人的話。」

趙小蝶行到橋頭一棵楊柳樹下，突然一轉身子，伏在柳樹上。

沈霞琳一直緊隨在趙小蝶身後而行，看她倚伏柳樹之上，也隨著停了下來接道：「寰哥哥雖是不肯講一句求人的話，他的用心卻是光明磊落，決不會……」

趙小蝶冷冷接道：「不要說了。」緩緩轉過身子，右手一揮，接道：「你們去吧！」

沈霞琳怔了一怔，牽著楊夢寰並肩而去。

趙小蝶望著兩人遠去的背影，說不出心中是一股什麼滋味，只待兩人走得蹤影不見，才惘惘而去。

十二　苦心傳薪

且說楊夢寰和沈霞琳一口氣行出了數里之遙，才放緩腳步，說道：「霞琳，我告訴你一件事，你要牢牢記住。」

沈霞琳道：「什麼事？」

楊夢寰道：「以後千萬不可一個人和趙小蝶相處在一起。」

沈霞琳奇道：「爲什麼？」

楊夢寰道：「因爲，因爲……」只覺其間情仇綜錯，如是據實而言，必將在沈霞琳心上留下一塊烙痕，當下改變了話題，道：「因爲那趙小蝶不再喜歡和咱們作朋友。」

沈霞琳長長歎息一聲：「唉，真是奇怪的，她一向不是對你很好麼？」

楊夢寰道：「她年歲一天天的長大，自是和過去不一樣。」

沈霞琳似懂非懂的說：「嗯！她不願和咱們作朋友，定然是有原因了。」

楊夢寰輕輕歎一聲，道：「那趙小蝶雖已非咱們之友，但目下還不致和咱們爲敵，日後你若見到她時，只要不單獨和她接近，那就不會有危險了。」

他心知沈霞琳心地純潔，胸無城府，這其間綜錯情仇，既非起因於名位之爭，又非厲害衝突，一時也無法說得清楚，只好含含糊糊的對付過去了。

那知飽經憂患的沈霞琳，已非昔年的吳下阿蒙，凝目沉思了一陣，道：「寰哥哥，如是那趙小蝶幫助陶玉和咱們作對，後果情勢如何？」

楊夢寰料不到她忽然談起了武林大局情勢，呆了一呆，道：「不過三月，他們可盡殲武林中各大門派高手。」

沈霞琳道：「如是趙小蝶置身事外呢？」

楊夢寰道：「如天下齊心，各大門派中人都能夠同舟共濟，必經過一陣苦拚惡戰，勝負之機，各佔一半。」

沈霞琳道：「如是趙小蝶幫助咱們呢？」

楊夢寰道：「那是百分之百的勝算了。」

沈霞琳緩緩轉過臉來，柔聲說道：「既然關係天下武林的安危，勝敗之機又是這樣的懸殊，那你為什麼不請趙小蝶幫助咱們呢？」

楊夢寰笑道：「我請她，她也未必肯聽呀！」

沈霞琳微微一笑，道：「那你就把她娶回來吧！」

楊夢寰怔了一怔，道：「什麼？」

沈霞琳道：「你如把她娶過來，她就變成了你的妻子，丈夫有了麻煩，作妻子豈能坐視不管麼？」

楊夢寰一皺眉頭道：「這話是誰說的？」

沈霞琳道：「我！我已經長大了，難道你還把我當不懂事的小孩看麼？」
楊夢寰道：「你怎麼會動了這樣的想法呢？趙小蝶多疑善變，豈是咱們可以預測……」
沈霞琳接道：「又不要你去向她求婚，自然會有人去爲你作媒。」
楊夢寰道：「誰去作媒？」
沈霞琳笑道：「我啊！」
楊夢寰搖搖頭道：「你越大越頑皮。」
沈霞琳臉色一整，道：「我說的都是真的，別人去都沒有我去的好……」
楊夢寰心中暗道：不知什麼人給她出的主意，非得追問個明白不可，當下接道：「爲什麼？」
沈霞琳道：「我要告訴她，我和紅姊姊的事，我們如姊妹，不分大小，我要告訴她婆婆是何等慈愛，如若她答應，我和紅姊姊都會讓她三分。」
楊夢寰道：「胡說八道。」
沈霞琳道：「是真的，我雖然未和紅姊姊商量，但以紅姊姊的謙和，聽到此訊，決然不會反對，而且將樂助其成。」
楊夢寰雙目中神光閃動，凝注在沈霞琳的身上，緩緩說道：「這當真是你的主意麼？」
沈霞琳道：「是啊，我想到你處境的險惡，連帶就想到了這件事情。」
楊夢寰見沈霞琳有勸趙小蝶嫁給自己之意，不由輕輕歎息一聲道：「這些話你可曾對別人說過？」

沈霞琳道：「沒有，第一次就對你說。」

楊夢寰微微一笑，道：「那很好，咱們夫妻之間就算說錯了什麼事，那也沒有關係，但如張揚出去，那就難辦了，如是傳入那趙小蝶的耳中，她興師問罪而來，當面質詢於你，你用何言答對呢？」

沈霞琳怔了一怔，道：「難道她一點也不喜歡你麼？」

楊夢寰道：「她喜怒難測，有誰能判斷出她心中所想的事，如是她借故變臉，堂堂正正的和咱們為敵作對，那時豈不是反為這幾句玩笑之言所害。」

沈霞琳道：「寰哥哥，我說的不是玩笑。」

楊夢寰臉色一整，道：「那就更不能胡說了。」

沈霞琳歎息一聲，道：「我知道你不是貪愛女色的人，可是這情形有些不同，這是為了挽救武林中的浩劫，你娶了趙小蝶，天下英雄仍然是對你敬重異常，決不會損到你一點英名。」

楊夢寰臉色一整，道：「不許再胡說。」拋開沈霞琳的手掌，大步向前行去。

沈霞琳大步追了上去，低聲說道：「寰哥哥，我一生都沒有違拗過你，這次……這次我想求求你，聽我一次。」她聲音柔媚，說來婉轉淒傷，顯然下了極大決心，才說出這樣幾句話來。

楊夢寰停下身來，輕聲歎道：「除了趙小蝶的事，不論你說什麼我都依你，你說吧。」

沈霞琳呆了一呆，道：「我就是要說趙小蝶的事，寰哥哥，那不是為你，也不是為我，是為天下武林同道。」

楊夢寰道：「唉！我縱然答應了你，但也是不可能的事，趙小蝶不會當真的喜歡我，她只是想讓我和別人一樣，拜倒在她石榴裙下，那時不但你希望破滅，我亦將受到從未有過的羞辱。」

沈霞琳怔了一怔道：「當真麼？」

楊夢寰道：「我幾時騙過你了。」

沈霞琳道：「可惜紅姊姊不在這裏，她如在此，那就好辦了。」

楊夢寰道：「趙小蝶雖然有些恨我，但那只是出於一時的氣憤，等她氣消了就會好轉。」

沈霞琳道：「那她可會幫助咱們？」

楊夢寰道：「很難說，但她不涉足其間，袖手旁觀，那是一定了。」

沈霞琳又問道：「數年後，那時陶玉還活在世上麼？」

楊夢寰道：「應該活著，那時能殺他的人更少了。」

沈霞琳歎息一聲，道：「寰哥哥，我是一直不管事的，你不論說什麼，我一向都是深信不疑，但你剛才的話……」

楊夢寰臉色一變，道：「怎麼了？」

沈霞琳道：「唉！你是在安慰我，你分明沒有把握勝那陶玉，是麼？」

楊夢寰想不到一向柔純的沈霞琳，似是突然間瞭解了很多事，一時無言可對，只有默不作聲。

沈霞琳長長歎息一聲，接道：「你明知趙小蝶很恨你，也明知她會幫助陶玉，但你卻不敢承認，數月，數年，說的是那麼不著邊際，你只是爲了英雄性格，明知不可爲，偏又要孤軍奮戰……」她緩緩轉過臉來，目光凝注在楊夢寰臉上，接道：「你受了很重的內傷，卻又強顏歡笑來騙我，我恨自己武功不如人，無能幫助你……」

楊夢寰一揮手道：「不要說下去了……」仰臉長長吁一口氣，接道：「不錯，咱們目前的處境很危險，陶玉一日不除我楊夢寰，他就不敢放手在武林之中爲惡，視我如眼中之釘，必欲殺之而後快。」

沈霞琳接道：「但他無能殺你，除非他和趙小蝶聯合在一起。」

楊夢寰道：「就目前形勢而論，咱們的確是處逆境，但這也未必就決定了咱們一定敗亡，只要不畏艱苦，奮發激勵，形勢總歸有好轉的一天，千百年來，武林中不知發生了多少次變亂，但最終結果，總歸是正義常存，邪不勝正，那陶玉不擇手段，也許能占得一時上風，但到最後決難逃出敗亡的命運。」

沈霞琳道：「這其間勝敗的關鍵，操諸在那趙小蝶的手中，但你卻寧可坐待敗亡，也不肯去求她一聲。」

楊夢寰臉色一整，道：「你要我和陶玉一般麼？只問目的，不擇手段。」突然放快了腳步向前行去。沈霞琳看他眉宇間隱現怒容，那裏還敢再說，緊緊追在他身後行去。

一陣急行，走出有五六里路，到了一處岔道口處。

只聽一聲沉重的佛號，道：「楊大俠。」

楊夢寰呆了一呆，停下腳步。
轉臉望去，只見一老一少兩個灰袍僧人，站在旁側岔道口處。
那老僧年近古稀，小的卻是個十三四歲的小沙彌，身上揹著一個大紅木魚。
楊夢寰目光掠過兩人，抱拳一揖，道：「老禪師可是招呼在下麼？」
那老僧笑道：「閣下可是『水月山莊』中的少莊主，譽滿天下的楊大俠麼？」
楊夢寰道：「不敢當，老禪師誇獎，正是區區在下。」
那老僧回顧了身側的小沙彌一眼，笑道：「咱們師徒跋涉數千里，終於未失所望。」
楊夢寰心中一動，暗道：「聽他口氣，倒似是故意來找我的了。」
那老僧轉過臉來，目光凝注到楊夢寰臉上，笑道：「我們師徒為尋找楊大俠，已然走了數千里路，想不到竟在此不期而遇，唉！如是再有五日，找你不到，老僧也撐不下了。」
楊夢寰只聽得疑竇重重，忍不住問道：「老禪師找在下不知有何見教？」
那老僧笑道：「自然是有事了。」
楊夢寰一抱拳，道：「在下洗耳恭聽。」
那老僧道：「此地不是講話所在，如是楊大俠沒有要事，不知可否借一步和老僧作次長談。」
楊夢寰道：「自當領教……」語音一頓又道：「在下失禮，還未請教老禪師法號。」
那老僧合掌當胸道：「貧僧苦心。」
楊夢寰暗暗忖道：好怪的名字！口中連連謙遜道：「原來是苦心大師，弟子失敬了。」

苦心微微一笑，道：「楊大俠可曾聽過老衲之名麼？」

楊夢寰怔了一怔，暗道：我只不過和你說幾句客氣之言，你怎可這般的追問呢。當下咳了兩聲，道：「不敢欺騙老禪師，在下實是未曾聽過老禪師的法號。」

苦心笑道：「這就對了，楊大俠果然是誠實君子……」

伸手指著正北方說道：「距此不遠，有一座無人瓜棚，不知楊大俠可否到那裏聽老衲說幾句話？」

楊夢寰道：「在下是恭敬不如從命。」

苦心道：「好，老衲帶路。」轉身向前走去。

四人行了一陣，果然到了一處荒涼的瓜棚所在。

苦心當先盤膝坐下，那小沙彌悄然退到了瓜棚之外。

楊夢寰在苦心對面盤膝坐下，回顧了站在身後的沈霞琳一眼，低聲的向苦心大師問道：「拙荊在此，不知礙不礙事？」

苦心道：「不妨事。」

雙手一按實地，原姿不變的陡然向前欺進了兩尺，落到楊夢寰的身前，伸出雙掌，道：「楊大俠，請伸出手來。」

楊夢寰心中雖然大感奇怪，但仍依言伸出了手去。

苦心雙掌一推，按在楊夢寰雙掌之上，笑道：「老衲先助楊大俠療好內傷，再談不遲。」

楊夢寰要待推辭，苦心大師雙掌的熱流，已然波波重重的湧了過來，只好運氣把那湧來熱流導入內腑。

他內功本甚深厚，再加這苦心大師的內力相助，很快的打通了受傷的經脈。

楊夢寰輕輕吁一口氣，道：「多謝老禪師的相助。」

苦心大師長長歎息一聲，道：「老僧已經是將要歸極樂之人，如是再晚幾日見著你楊大俠，老僧勢難再支撐下去了。」

緩緩收回雙手。

楊夢寰一皺眉頭，道：「大師此言從何說起，據在下觀察，大師神色很好，怎會忽然提出此事？」

苦心大師笑道：「老僧修的是大彌羅神功，雖然歸西在即，別人卻瞧不出來。」

楊夢寰道：「原來如此。」

心中卻是充滿著重重疑問，不知從何說起。

兩人相對沉默了一陣，仍由那苦心大師打破了沉默，說道：「楊大俠年紀輕輕，能受武林同道擁戴，果是有著異於常人之處，坦坦蕩蕩的胸懷，謙謙讓讓的氣度，和那清高樸厚的風標……」

楊夢寰接道：「老禪師過獎了。」

心中卻是大感奇怪，暗道：「我和他素不相識，初度見面，何以他竟然對我是讚不絕口，這其間只怕是別有緣故。」

只聽苦心大師說：「老僧圓寂在即，無法留戀這十丈紅塵，因此不借千里奔波，尋個可信可托的人，爲老僧處理身後的事。」

楊夢寰心中忖道：你自有著同門兄弟和承繼衣缽的弟子，不知對我說出此話，是何用心……？

儘管他心中疑問重重，口裏卻說道：「若是老禪師別無親人故舊，區區在下，亦願代爲效勞。」

苦心大師笑道：「老僧這身後之事，除了你楊大俠外，當今之世，只怕也沒有幾個能夠接受得下來了。」

楊夢寰道：「如若是十分重大，在下只怕是擔待不起。」

苦心大師道：「楊大俠如若也要推辭，當今之世有誰人還有此大勇，有此豪氣。」

楊夢寰被人一陣讚頌，不禁心中暗道：我暫不答應他，但問他什麼事，總是可以吧。當下說道：「不知老前輩要辦的什麼事？」

苦心大師道：「說來也是簡單得很，老僧想請楊大俠代老僧清理一個門戶。」

楊夢寰道：「不知老禪師那弟子，現在何處？」

苦心大師道：「萍蹤無定。」

楊夢寰道：「他可有個姓名？」

苦心大師道：「王寒湘。」

楊夢寰怔了一怔道：「什麼？王寒湘？」

苦心大師道：「不錯，怎麼？楊大俠可是認得他麼？」
楊夢寰道：「見過，見過……」
昔心大師道：「那是更好不過，日後楊大俠見著他時，替老僧把他殺了，也就是了。」
楊夢寰道：「那王寒湘的年歲……」
苦心大師從懷中摸出一本絹冊，道：「所有逆徒的惡跡，罪狀都在這絹冊之中，楊大俠日後慢慢再看不遲，此刻老僧先要傳你幾招武功，以便日後殺他之時施用，使他死在本門派武功之中，也好使他死得心服口服，也好使他知道師道人倫，不容輕侮。」
也不管楊夢寰答不答應，立時低吟口訣，雙手也開始比劃傳授。
凡習武之人，遇上了奇異的武功，就會不自覺的爲其吸引，楊夢寰亦不例外，不自覺的竟然隨著苦心大師吟誦口訣，伸手比劃。
片刻之後，楊夢寰已浸沉在那奇奧的掌勢之中，如醉如癡，渾然忘我。
那掌法共有七式，那老僧不停吟誦口訣，一面反覆傳授。
足足過去了兩個時辰之久，楊夢寰才算把七招掌勢學會。
苦心大師微微一笑，停下手來，道：「楊大俠記熟了麼？」
楊夢寰道：「記熟了……」
旋即，神志陡然一清，接道：「在下和大師毫無淵源，怎可學習大師的絕技……」
苦心大師道：「老僧要借重楊大俠爲我完成心願，老衲自是當效微勞。」
楊夢寰總是有著難以解去之疑，正待追問下去，那苦心大師又搶先說道：「老僧還有一事奉懇楊大俠。」

楊夢寰心中暗道：我既然學了他的武功，自是應該為他效勞，當下說道：「大師儘管吩咐。」

苦心大師趁著楊夢寰說話分神之時，右手陡然伸出，抓住了楊夢寰雙腕脈穴。

楊夢寰萬萬沒有料到，苦心大師竟然會突施毒手，雙腕脈穴被緊緊扣住。

苦心大師早已料到他武功高強，是以雙手之力，用得十分強猛，楊夢寰只覺腕間一麻，已無反抗餘地。

那沈霞琳雖是坐在楊夢寰的身後，但她目睹兩人在研學武功，也就閉上雙目，運氣調息起來，竟然不知楊夢寰穴道被扣一事。

楊夢寰雙腕被扣之後，情緒本甚激動，繼而一想，他在助自己療傷之時，實已有殺死自己的機會，何以棄易就難，先把自己傷療好之後，再來擒拿自己的雙脈？心念一轉，激動的心情逐漸的平復下來，淡淡一笑道：「老師父這是何意？」

苦心歎道：「老僧有一事要和你商量怕你不肯，只好用點手段了。」

楊夢寰道：「老師父有什麼吩咐只管請說，但得在下力所能及，決不推辭。」

苦心大師道：「老衲已登古稀之年，即將西歸我佛，個人縱有什麼恩怨，那還有放不開的道理，唉！老衲心中所思……」

楊夢寰接道：「莫非老師父身後，有什麼放心不下的事麼？」

苦心大師道：「老衲無牽無掛，只有一個追隨我甚久的徒兒，但他受了天資所限，十幾年，老衲只傳他一種武功，用來作防身之用，其人渾厚樸實，那也不用我為他擔心了。」

楊夢寰道：「這就叫在下想它不透了。」

苦心大師長長歎息一聲，道：「老衲遁身佛門，原本想獨善其身，以眼不見，心不煩的心情，不問江湖中事，數十年如一日，從未置身於江湖恩怨是非之中，直待將要西歸我佛之時，忽然大悟此生所行之非。」

楊夢寰奇道：「老師父置身江湖恩怨之外，不為名位利祿所動，超然物外，正是清高風標，何以竟有此憾？」

苦心大師道：「我佛普渡眾生，老衲卻獨善其身，數十年來有如草木一般，豈不是終身的大非麼？」

楊夢寰道：「老師父的用心呢？」

苦心道：「老衲突然間大悟之後，想到了一個贖罪之法，因此重踏入十丈紅塵中來，遍訪武林中人，以楊大俠的聲譽最好……」

楊夢寰道：「那是武林中人物的抬愛，老禪師過獎了。」

苦心大師道：「因此老偕才踏破芒鞋，遍尋楊大俠。」

楊夢寰道：「唉！道高一尺，魔高一丈，楊某雖然有救世之心，但卻無救世之能。」

苦心大師笑道：「這就是老衲尋找楊大俠的原因了，老衲武功雖然不及楊大俠，但卻是別走門徑，且願以數十年苦修禪力相贈，以助楊大俠早完心願。」

楊夢寰吃了一驚，道：「這如何能夠使得，何況內功修為全然在己，老禪師又有何能相助呢？」

苦心道：「佛門中有一種傳薪之術，左道中也有種化功大法，老衲當以佛門中傳薪之術把一身功力轉嫁於楊大俠。」

楊夢寰急急說道：「不成，老師父縱有此心，晚輩也是萬萬不能接受。」

苦心大師道：「老衲早已料到了楊大俠不肯接受，是以才出其不意扣住了楊大俠的雙腕脈穴，此時此情，楊大俠雖然無承受之心，那也是由不得你了。」

楊夢寰臉色一整，道：「據在下所知，一個修習內功之人，一旦功力全失，有如油盡之燈，無風自熄……」

苦心大師接道：「不錯。」

楊夢寰道：「如是不錯，在下是更不能接受了。」

苦心笑道：「可惜此刻楊大俠已無自主之能了，唉！老衲轉嫁數十年苦修的禪功，並非有意相助你楊大俠，旨在贖罪。」

楊夢寰冷笑說道：「如若在下以力相拒，只怕老禪師也很難把內功轉嫁到在下身上。」

苦心道：「楊大俠如不肯和老衲合作，只不過徒增事倍功半之煩。」

楊夢寰道：「任憑老禪師舌粲蓮花，在下亦是難爲所動。」

苦心大師道：「阿彌陀佛，老衲因循苟安，積非一生，這一次是萬萬不能再錯了。」右肘一抬，點中了楊夢寰的穴道。

楊夢寰一聲還未哼出，人已暈了過去。

動。

不知道過了多少時間，楊夢寰爲一種哭聲驚醒。

睜眼看去，只見沈霞琳和那小沙彌跪在地上，不停的揮淚低哭。

苦心大師安詳的仰臥在地上，嘴角間帶著微微的笑意。

楊夢寰陡然一躍而起，道：「老師父……」

那小沙彌說道：「我師父死了……」

楊夢寰伸出手去，一把抓住了苦心大師的雙手，只覺他雙手冰冷，再摸脈穴，亦停止了跳動。

伏下身子聽去，心臟早已靜止，氣息已絕，諸般顯明之徵，縱然有靈丹妙藥，亦難使苦心重生返魂了。

只見那小沙彌拭去了臉上的淚痕，緩緩說道：「我師父臨終之時，遺言要我好好的追隨楊大俠。」

他口齒木訥，說來一字一句，更使人有著淒涼、悲痛之感。

楊夢寰點頭應道：「在下自當好好照顧你。」

伸手抱起了苦心大師的屍體，右手揮動，連點了苦心大師幾處穴道。

他心中雖然明知無救，但仍然得盡心力。

但他失望了，他雖然連點了苦心大師要穴，但仍然無法使苦心大師清醒過來。

沈霞琳突然插口說道：「寰哥哥，這苦心大師臨終之時，曾對我說了兩句話，要我勸你立時去做。」

楊夢寰道：「勸我什麼事？」

沈霞琳道：「他要寰哥哥立刻找一處清靜地方，盤坐調息，把他轉嫁於你的功力，調息吸收，收爲己用，不要負了他一番苦心。」

楊夢寰心中一動，暗道：他取號苦心二字，已然早已下定了決心不成？回顧了那小沙彌一眼，說道：「令師的法號，可是真的叫苦心麼？」

那小沙彌搖搖頭，道：「我師父原來不叫苦心，還是兩年之前，改用了苦心的法名。」

楊夢寰道：「原來如此。」

整整衣冠，對著苦心的屍體拜了下去，道：「老禪師佛光普照，早已下了以身殉道之心，弟子得垂青，自當竭盡棉薄，完成老禪師的遺志。」

說話時，神態肅穆，一片虔誠。

原來他已瞭解苦心大師，確實早有存心救世，並非特別加惠於己，如果這世間沒有楊夢寰，他亦將選擇另一個人，來承繼他的心願。

拜完起身，心中頓覺坦蕩了甚多，但亦感覺到責任加重了很多。

他回過臉去，望了沈霞琳一眼，道：「把你的長劍借我一用。」

沈霞琳拔出長劍遞了過去，道：「作什麼？」

楊夢寰道：「老禪師心存救世，咱們不能辜負了他一片仁心，也不能替他選擇墓地了，就在此地掘一個坑埋了他的法體。」

沈霞琳心中暗道：寰哥哥一向待人仁厚，怎的今日卻如此冷漠。

只見楊夢寰揮劍掘土，臉上是一片凝重嚴肅的神情，沈霞琳要待勸說幾句，竟是不敢出口。

片刻工夫，楊夢寰已掘好了一個土坑，捧起苦心大師的法體，放入坑中，舉手一招，道：「你們都過來。」

沈霞琳和那小沙彌一齊行了過來。

楊夢寰道：「咱們最後拜別老禪師的法體。」當先拜了下去。

三人大拜三拜之後，楊夢寰才推土掩上屍體。

沈霞琳道：「寰哥哥，咱們未替老禪師備下棺木，那已是不大恭敬的事了，難道不替他立上一只碑麼？」

楊夢寰淡淡一笑，道：「老禪師以身殉道，立願是何等博大，他把一身功力和七招掌法轉嫁傳授於我，其用心又是何等高潔，咱們如以俗庸的眼光，看他的爲人，盛禮重槨，埋葬了他，豈不是沾污了他高潔的志行。」

沈霞琳聽得似懂非懂的說道：「寰哥哥說的是？……」她語聲微頓，又道：「如是不豎石碑，日後咱們找他墓地，豈不是很難找到了麼？」

楊夢寰道：「不會，這地方一草一木，一片沙土，我都會深記心中，就算是隔上十年二十年，我也會一樣記得。」

沈霞琳輕輕歎息一聲，欲言又止。

楊夢寰道：「你可是覺著我太刻薄麼？」

沈霞琳點點頭，默然不言。

楊夢寰歎道：「我如不能完成大師遺志，還有何顏來他墓前拜奠……」

沈霞琳臉上的憂鬱突然開朗，微微一笑，接道：「不錯啊！寰哥哥乃大英雄的氣度，心中所想之事，實非常人能及。」

楊夢寰道：「如是我能完成大師遺志心願，把此事公諸於武林，那時天下英雄豪傑齊集於此，共同來爲老禪師立碑建墓，使老禪師的俠骨佛心永傳後世，誦揚武林，豈不是強過我們今日替他立碑了。」

沈霞琳微微一笑，流下兩行清淚。

楊夢寰道：「唉！你已經好久沒有流過淚了，此刻何以又哭了起來，琳妹妹，這些日子裏，爲了武林中的紛擾，我脾氣也許變得壞了些，說話也許有傷害你的地方，但望你不要放在心上才好。」

沈霞琳緩緩把嬌軀偎入楊夢寰的懷中，伏在他的胸前說道：「寰哥哥，不是的，我是自疚自愧的流下淚的，我作了你的妻子，竟然還不能瞭解你……」

楊夢寰伸出強壯的手臂，摟著沈霞琳的柳腰，接道：「不用難過，只怪我事先沒有說清……」

沈霞琳伸手拭去臉上淚痕，接道：「寰哥哥，你也該找個地方運氣調息，不要有負苦心大師一片苦心。」

楊夢寰目光一轉，道：「就在這破舊瓜棚中也是一樣。」

沈霞琳心知這一陣調息，對楊夢寰武功成就十分重要，當下接道：「好，不論你聽到什麼，或是你自己發覺什麼，都請放心的去行功，讓我和這位小師父替你守衛。」

楊夢寰道：「好，就依高見。」起身行入瓜棚之中，盤膝而坐。

這時楊夢寰身上，接受那苦心大師的真氣，正覺無處流轉，楊夢寰這一運氣相引，立時蜂湧而去！

只見楊夢寰身子起了一陣巨大的震動，似是被一股浪滔衝擊一般，雙肩不停的搖動，臉上的汗水如雨。

沈霞琳心中暗暗祝福，道：「寰哥哥一生一世，作事，做人，無一不是光明正大，不該要他走火入魔才是。」

禱畢，緩緩站起身子，走到楊夢寰的身側，暗中提氣，運勁於掌，準備出手相助。

此時楊夢寰汗出如漿，全身震動也逐漸的厲害！

楊夢寰突然睜開雙目，望著沈霞琳道：「不要管我，動我……」話未說完，人似已支撐不住，身子搖了幾搖，但尚能支撐著未倒下來。

沈霞琳早已嚇得不知所措，一面不停的點頭，一面望著楊夢寰落淚。

但見楊夢寰那抖顫的身子，逐漸的平靜下來，雙目也緩緩閉上。

他似乎陡然間恢復了平靜，臉上的汗水也逐漸的消退下去。

沈霞琳長長吁一口氣，道：「謝天謝地！」

語聲甫落，瞥見楊夢寰雙臂一揮，突然仰臥在地上，全身顫動，劇烈異常，有如中了瘋魔一般。

只見他身下的沙土，隨著他顫動的身子，四下飛揚。

沈霞琳蹲在一側，驚得目瞪口呆。

她震驚過甚，但心中又牢牢記著楊夢寰的叮囑之言：「不要管我，動我！」只好望著楊夢寰茫然出神。

她想不出如何去幫助丈夫，也不知該如何去處理這驚心動魄的情勢。

大約延續了頓飯工夫之久，楊夢寰漸漸的安靜了下來。

這一陣工夫，直把個沈霞琳緊張的連呼吸也閉窒起來，脹得滿臉通紅。

楊夢寰靜了下來，她才吐出胸中一口悶氣，回顧了那小沙彌一眼道：「你師父傳的什麼武功給我寰哥哥？」

那小沙彌有些傻裏傻氣，搖搖頭，道：「我不知道，」

沈霞琳道：「你師父過去靜坐調息，可也是這般模樣麼？」

小沙彌道：「從來沒有，我師父有時禪定入息，一坐數日夜滴水不進，可是從來沒有在地上亂抓亂滾過。」

沈霞琳舉手理理頭上的亂髮，道：「唉！這就奇怪了，看來我得要上趟括蒼山了……」

語聲微微一頓，又長歎一聲，道：「可是括蒼山遙遙萬里，我來去一趟，只怕要一月之久，不知寰哥哥能否撐得那樣長久時日。」

那小沙彌似是很想答覆她的問題，但卻又不知從何說起，只是不停抓著光頭。
沈霞琳回顧了那小沙彌一眼道：「你叫什麼法號，以後咱們在一起，我要如何叫你？」
那小沙彌道：「我師父一向叫我六寶，你以後叫我六寶就是……」
低頭沉思了一陣，接口道：「以後我要如何叫你？」
沈霞琳望了楊夢寰一眼，道：「我是他的妻子，你以後叫我楊夫人好了。」
六寶和尚道：「楊夫人。」
心中卻是似懂非懂。
此人天生渾厚純樸，再加上常年和苦心大師居山靜修，對人間世態，實是知之不多。
沈霞琳眼看六寶和尚，滿臉茫然之情，心中暗暗忖道：「這小和尚既無心事，又不通人情世故，以後我倒得好好指教於他才是。」
心意一轉，緩緩說道：「你出去瞭望一下，看看是否有人來此。」
六寶和尚應了一聲，緩步行出瓜棚，行了一陣，重又轉了回來，道：「如是有人來了呢？」
沈霞琳道：「不許他們過來，如是有強行要來，你就出手攔阻於他。」
六寶和尚似是尚有很多疑問要問，但他卻強自忍了下去，未再多言。
沈霞琳呆呆的坐在楊夢寰的身側，茫然出神，不知過去了多少時間。
突然間傳過來六寶和尚的喝聲，道：「站住，楊夫人說了，不許再向前走。」

沈霞琳暗道：「這小和尚真是傻得厲害，對人說話，哪有這等說法。」轉臉望去，不禁吃了一驚。

只見一個黑衣大漢，正舉著手中單刀，向那六寶和尚砍下。

沈霞琳正待飛身趕往相救，忽見那小沙彌左臂一揮，巧妙異常的把那大漢手中單刀擋開，飛起一腳，踢了過去。

但聞一聲悶哼，那大漢連人帶刀，被那小沙彌踢得飛了起來，跌摔到七八丈外。

沈霞琳暗暗讚道：「這小和尚雖然有些傻氣，但武功倒是不弱。」

六寶和尚擊中敵人，卻不知該如何處置，急急跑了過來，道：「楊夫人，這……」

沈霞琳微微一笑，接道：「我都看到了，你的武功很好，唉！只怕連我也無法一招就把那人打倒地上呢。」

只見那黑衣大漢站起身子，拍拍身上的灰塵，轉身疾奔而去。

六寶和尚道：「那人跑了。」

沈霞琳道：「讓他去吧……」突然一躍而起，接道：「不行，咱們要捉住他。」

六寶和尚搖搖頭，道：「不行，我跑不快，師父說我生得太笨，不能學習輕功。」

沈霞琳想待追趕，又不放心楊夢寰，只好站起身來說道：「那咱們得快些走了。」

六寶和尚奇道：「為什麼？」

沈霞琳抱起了楊夢寰，道：「那人去找幫手了。」當先向前行去。

情形緊急之下，沈霞琳也只好暫時拋去了楊夢寰囑咐之言。

但她把楊夢寰抱入懷中之後，才驚覺到情形不對，只覺楊夢寰全身僵硬，手心冰冷，但心臟還在跳動，氣息未斷！

多年的江湖經驗，已使沈霞琳純潔的心中，稍解江湖險惡，心知愈早離開此地愈好，流目四顧，只見正東方山巒起伏，心中突然一動，暗道，山上林木茂密，峰壑縱橫，最容易找藏身之地，眼下情勢緊急，只有先到山上躲避一下再說。

面對著傻裏傻氣的六寶和尚，沈霞琳只好自作主意，轉身向東奔去。

六寶和尚也不多問，放開腿隨著沈霞琳身後疾奔。

六寶和尚雖是不會輕身縱躍之術，但長跑奔行，耐力卻有過人之處，緊追在沈霞琳的身後速度不相上下。

兩人一口氣奔行了十餘里路，沈霞琳突然放緩了腳步，道：「不要緊了，咱們可以停下來休息一下了。」

緩緩放下了楊夢寰。

低頭看去，只見楊夢寰仍和剛才一般，既未加重，亦未好轉。

兩人休息約頓飯工夫，忽見來路上塵土飛揚，一群黑衣人疾追而來。

原來沈霞琳忽略了行經之處，盡是沙土之地，足痕宛然，極易尋找。

沈霞琳一皺眉，抱起了楊夢寰，又向正東奔去。

這一次後有追兵，她用出了全力奔行，但那六寶和尚因受先天所限，未習輕功，只能放腿快跑，無法縱身飛躍，相形見拙，難以追上，沈霞琳心地仁善，不忍棄他不顧，只好放緩速度。

兩人奔近山邊時，那疾追不捨的黑衣人，已追到了身後兩丈左右，抬頭看橫山攔道，沈霞琳自知已難再逃脫，情形所迫，只有放手一戰，當下轉身奔向右側，就崖壁下，胡亂找了一個山洞放下楊夢寰，唰的一聲抽出長劍，擋在石洞前面。

六寶和尚眼看沈霞琳轉向洞外，也不多問，緊握拳頭，站在沈霞琳的身側。

那群追至的黑衣人也一齊停了下來，舉起手中兵刃，緩步向前迫進，直逼至沈霞琳等身前七八尺處，才停了下來。

這些年來，沈霞琳劍術大進，眼看群敵迫近，心中亦不驚慌，暗中運氣，橫劍待敵！

那逼近的黑衣人，一共九個，居中一人，身材高大，顎下短鬚如戟，手中橫著一把闊背開山刀，似是那樣黑衣人的首領。

只見那居中大漢揚了揚手中開山刀，冷冷說道：「你可是沈霞琳麼？」

沈霞琳道：「我是楊夢寰的妻子，叫我楊夫人。」

那大漢怔了一怔，笑道：「你既是楊夫人，那受傷的人定是楊夢寰了？」

沈霞琳道：「誰說他受了傷？」

那大漢微微一笑，道：「楊大俠名傳天下，縱然未曾見過之人，也曾聽人說過，以那楊大俠的武功，如是未曾受傷，何用你楊夫人抱著他趕路？」

沈霞琳為之語塞，只好反口問道：「你是什麼人？」

那大漢舉起手中闊背開山刀，笑道：「區區郭大川，承蒙江湖上朋友抬愛，送了在下一個無敵神刀的綽號。」

沈霞琳道：「沒有聽人說過。」

郭大川臉色一變，道：「楊夫人自是不會知道在下這等無名小卒——」

語聲微微一頓，又道：「在下對楊大俠聞名已久，只恨無緣一見，今日既然遇上了，自然是得拜領一點教益。」

沈霞琳冷笑一聲，道：「你不是我寰哥哥的敵手。」

郭大川開山刀輕輕一揮，左側兩個黑衣大漢欺身而上，直向石洞衝去。

六寶和尚右手一揮，擊出了一拳，緊隨著飛起一腳。

那黑衣大漢眼看他一拳擊來，揮刀掃了過去，卻不料他下面一腳，踢來的突兀之極，只覺膝間一疼，身不由己的向後退去，一跤跌在地上。

沈霞琳看他出手一擊，似是和那瓜棚外面，踢中強敵的招術一般模樣，心下好生奇怪，暗道：「這小和尚踢出的一腳好生厲害……」

忖思之間，另一個黑衣大漢已然欺身而到，手中單刀一揮，直劈而下。

但見六寶右手斜裏擊出，封住那刀勢，抬腿一腳，又把那黑衣大漢踢得翻了兩個跟斗。

郭大川一皺眉頭，左手向前一推。

隨著他推動的掌勢，又是兩個黑衣大漢，進身攻來。

這兩人不再分開出手，分由左右兩面，分向六寶和尚攻去。

六寶似是從未曾想到，有兩人來攻的打法，不知先迎擊哪面攻來之敵，剎時間呆在當地。

沈霞琳長劍探出，擋住左面一人。

六寶和尙一拳一腳同時攻出，先把右面那黑衣大漢打了一個跟斗。

郭大川怒道：「這小和尙如此可惡。」

一揮開山刀，正待率眾群攻，突然傳來一陣鶯聲燕語，轉眼望去，只見四個身背長劍的美貌少女，魚貫行了過來。

四女年紀相若，不過十六七歲，一路上談笑而來，似乎是根本未瞧到沈霞琳和那些黑衣大漢。

沈霞琳一皺眉頭，低聲對六寶和尙說道：「這些女孩子不知是友是敵，咱們不能不防備些。」

緩緩向後退了兩步，守在石洞口處。

六寶和尙從不多言，跟著沈霞琳向後退了兩步，到了石洞前面。

楊夢寰停身的石洞前面，是一個狹小的入口，兩面都是連接峭壁的石巖，這地方是塊死地，既不利攻，亦不利守，尤以不易避讓對方暗器施襲。

沈霞琳打量停身處一眼，接道：「六寶，你先退回石洞中休息吧！我如受傷不支時，你再來接替我。」

她退到兩巖對峙的洞口，已存了置之死地而後生的決心，任何人如想衝進石洞傷害楊夢寰，必先要把她重傷或殺死。

這時那四個美麗的少女，已然行近沈霞琳停身之處，排成一行，由那黑衣大漢和沈霞琳之間穿行。

這四個少女神態從容，言笑風生，旁若無人，使得雙方都無法瞭解她們的用心何在，是敵是友？雙方都不得不全心全意的戒備。

這時四女已行到石洞前面，在沈霞琳的身邊突然停了下來，一齊向左轉身，唰的一聲，抽出長劍，一字排開，擋住那些黑衣人。

這變化是那麼突然，只瞧得在場之人都不禁爲之一愕，只聽那走在最前，身著深綠衣裙的少女，冷冷說道：「你們哪一個是頭兒？」

郭大川一揮手中的開山刀，道：「姑娘有什麼話，儘管對在下說吧！」

那身著綠衣裙的少女冷笑一聲，道：「你如是識時務的，現在可以退回去了。」

郭大川已然親眼瞧到那六寶和尙的奇奧招術，竟是無人能接下他一拳一腳，此刻又來了四個綠衣少女幫手，頓使敵寡我眾的優勢，爲之一變，一時間倒是不敢造次，緩緩說道：「四位姑娘是何來歷？」

原來這四個女子全都穿的一身綠色衣裙，但卻從不同深淺的顏色上，分得十分顯明。

那深綠衣裙的爲首少女，似是四女中的領隊，詢敵答話，全由她一人出面，當下一揮長劍：「你可是陶玉的手下麼？」

郭大川怔了一怔，道：「那是敝幫幫主。」

深綠衣裙少女怒道：「那就不會錯了，快些給我滾開。」

郭大川揚起手中開山刀，指著沈霞琳，道：「咱們奉諭而來，不擒他們夫婦，如何交差……」

那深綠衣裙的少女不理會郭大川，卻對另外三個少女說道：「三位妹妹，他們既是不聽好言相勸，那就給他們點顏色瞧瞧了。」

三女齊聲應道：「全憑姐姐作主，咱們聽命行事。」

那深綠衣裙少女道：「好！」

長劍一振，閃起兩朵劍花，當先刺了過去。

她劍勢一出，另外三女也長劍隨著攻了出去。

但見寒芒流動，閃起一串劍花。

四女劍招，不但攻勢凌厲，而且還兼顧到花俏悅目。

郭大川怒喝一聲，手中闊背開山刀一招，「橫架金樑」，硬向劍上封去。

他自恃腕力渾厚，兵刃沉重，想在一擊之間，震飛對方長劍。

那知四女劍勢靈巧快速，竟是不肯硬拚，耀目劍花中，虛實難測。

郭大川心中怒火高漲，一把開山刀施得呼呼風生。

儘管他刀轉如輪，但卻始終無法觸到四女手中長劍。

激鬥中，突然響起了一聲慘呼，一個黑衣大漢傷在劍下，鮮血飛濺中，倒了下去。

四女劍花交織，也無法瞧出是何人所傷。

郭大川想不到這四個年輕姑娘，劍招竟是如此厲害，心中又急又怒，只氣得連聲大喝。

但聞慘叫連續傳來，又一個黑衣大漢被斬斷了一條手臂。

四女劍招，愈來愈見兇辣，片刻工夫，追隨郭大川而來的黑衣人，全都傷在劍下，只餘下郭大川一人還在揮刀苦戰。

郭大川隨來之人，傷亡殆盡，自己亦累得大汗淋漓，如若再打下去，力量用盡，再想脫身就非易事了。

心念一轉，戰志頓消，大喝一聲，開山刀疾施一招「去霧金光」，化成一片刀幕護住身子，衝了出去。

四女看他刀勢強勁，也不敢硬擋。

郭大川破圍而出，立時轉身向前奔去。

剛剛行得數丈，突然長嘯傳來。

抬頭看去，只見遠處煙塵滾滾中，十數匹馬疾馳而來。

郭大川心知是援手趕到，不禁膽氣一壯，停下腳步，回身橫刀，冷冷喝道：「臭丫頭，傷了我的屬下，快償命來。」

縱身一躍，重又撲了上去，手中開山刀一招「風掃落葉」，橫裏削去。

四個綠衣少女，劍術雖然高強，但對敵的經驗不足，眼看郭大川手中刀勢削到，竟然一齊避開。

郭大川耳聞馬嘶之聲，傳了過來，更是振起精神，直把手中一把闊背開山刀施得疾如風輪，刀影千重，分向四人攻去。

四個綠衣少女雖然不敢硬接他的刀勢，但郭大川也無法傷得四女。

只見那快馬愈來愈近，直逼到幾人動手之處兩丈開外，才停了下來。

十幾匹長程健馬上，坐的是清一色的二十左右的年輕人，每人背後，都揹著一把長劍。血紅的劍穗，隨風飄蕩。

只見那快馬迅快的分向兩側，兩個身材奇高的赤膊大漢，抬著一頂軟轎緩步走來。

那軟轎四周垂著黑幔，無法看清楚轎中之人。

只聽一個冰冷的聲音喝道：「住手！」

四女毫無江湖經驗，聽得呼喝之聲，果然停下手來。

郭大川急急收了開山刀，向後退去。

目光轉處，看到了那頂黑幔垂遮的小轎，一語不發的退向旁側。

四個綠衣少女似是亦知來了強敵，聚在一起，低聲商議，只是幾人說話聲音很小，別人無法聽得清楚。

沈霞琳眼看敵人愈來愈多，心中大是不安，忖道：這四位姑娘和我們素不相識，如何能讓人家爲我們拚命。

心念轉動，長長歎道：「四位姑娘無緣無故的助了我們一陣，我心中感激得很。」

那深綠衣裙的姑娘回頭望了沈霞琳一眼，道：「你是……」

沈霞琳道：「姑娘是問我麼？」

那少女道：「你是楊夢寰的妻子麼？」

沈霞琳道：「不錯啊，你們識得我寰哥哥麼？」

那深綠衣裙的少女說道：「咱們不認識楊夢寰，但洞中只要是楊夢寰，那就不會錯了。」

沈霞琳道：「什麼事啊？你越說我是越不明白了。」

那少女道：「我也說不明白，這中間情形好像很複雜，不過，我們是奉命來此保護你們的，所以用不著感激我們。」

沈霞琳道：「誰要你們來的？」

那少女沉吟了一陣，道：「這你就不用問了，反正我們是奉命助拳而來。」

沈霞琳看她既不肯說明來歷，也不肯撒手而退，只好一皺眉頭，說道：「四位姑娘的大名如何稱呼呢？」

那深綠衣裙的少女低頭想一陣，道：「好吧，告訴你也不妨事，我叫綠春，乃春花之首，這三位都是我春花中的姊妹……」

沈霞琳恍然大悟，道：「我明白了，你們都是趙家妹妹手下的十二花娥。」

綠春道：「不錯，我這三個妹妹，都是十二花娥中人。」

沈霞琳道：「怎麼，你不是麼？」

綠春道：「我不是。」

只聽綠春身邊一個身穿淡綠的衣裙的少女，接道：「綠春姊姊是我們春花之首，名雖不在十二花娥之中，但卻是春花的首領。」

沈霞琳心中仍是有些不明白，但卻隨口啊了一聲，道：「原來如此！」

綠春道：「你既是知道了，那也不用再欺瞞你，我們姊妹都是奉姑娘之命而來。」

沈霞琳道：「趙家妹妹現在何處，又怎知我們被困此地？」

綠春道：「哼！我家姑娘之能，天下不作第二人想，這點事情自然是容易解決了！」

這些綠衣少女，人人都是純潔，談起話來，竟然忘記了強敵環伺。

顯然是這些人都沒有經驗過江湖上險惡奸詐。

如若此刻有人要對這幾人暗施襲擊，幾人之中至少有一半要受傷害。

只聽一個冰涼的聲音說道：「臭丫頭，口氣好大。」

綠春怒道：「你是誰？」

目光轉動，發覺那聲音似是由那黑幔垂遮的軟轎中傳出來的。

但聞軟轎中那冰冷的聲音說道：「趙小蝶可就是那多情仙子麼？」

綠春道：「不錯，你是誰啊？」

那聲音道：「你這黃毛丫頭，還不配問我姓名。」

綠春怒道：「你這人好大的口氣。」

沈霞琳歎道：「要是能打開轎簾瞧瞧，我也許認識他。」

那六寶和尚一直站在沈霞琳的身後，聽幾人談話嘰哩呱啦，自己一句也接不上口，沈霞琳這兩句話，卻是聽得甚是清楚，當下應道：「好！我去掀開轎簾，給你瞧瞧。」急步奔了過去。

沈霞琳要待阻止已來不及。

只見六寶和尙奔近那軟轎四五尺處，軟轎垂簾突然微微啓動，六寶和尙向前奔行的身子像是遇上了一股莫可抗拒的力道，倒翻了兩個跟斗。

沈霞琳急急奔了過去，問道：「你受了傷麼？」

六寶和尙挺身坐了起來，伸手摸著光光的小腦袋，滿臉茫然的說道：「沒有。」

沈霞琳心中奇道：「摔得如此厲害，怎會不受傷呢？」當下說道：「你運氣試試看是否受了內傷？」

六寶和尙站起身子，道：「我很好，不用運氣試了。」轉身向後退去。

沈霞琳看他舉步落足間，毫無受傷之象，才算放下了心。

但聞那軟轎中又傳出冰冷的聲音，道：「那小和尙膽大妄爲，我不過略施薄懲，還不快放下兵刃，難道真要我出手麼？」

綠春低聲對三女說道：「咱們過去瞧瞧吧！」

三女齊應了一聲，迅快的散佈開來，每人相距兩尺，並肩向軟轎行去。

奇怪的是，那隨行而來的騎馬武士，以及郭大川和那兩個抬轎的赤膊大漢，都退到軟轎之後，似乎是在袖手旁觀。

四女逼近那軟轎六七尺處，停了下來，綠春揚了揚手中的長劍，道：「你出來，我們領教領教你的武功。」

她一連呼叫數聲，竟是不聞應答之聲，似是軟轎中人突然間睡熟過去一般。

綠春一皺柳眉，低聲說道：「水仙妹妹，你過去挑開那轎簾……」
最右首一個綠衣少女應聲而出，直向軟轎行去。
她一直逼近軟轎旁側，仍然不見那軟轎中有何動靜。
轎中人意外的沉著，反使人感到一種沉寂的恐懼。
只見水仙一振手中長劍，疾向那轎簾挑去。
沈霞琳和綠春等人所有的目光，一齊投注在那垂簾之上。
這軟轎中的神秘人物還未露面，各人的心中，都已經各自猜測，只要水仙的劍勢挑起了軟簾之後，立時可以證實心中的想像。
就在水仙伸出劍勢，將要觸及軟簾之際，那軟簾卻無風自動，一條紅索疾飛而出。
但聞水仙驚叫一聲，整個嬌軀突然間投入軟轎之中。
這意外的變化只驚得綠春呆在當地，望著那軟轎出神。
軟轎上垂簾依然，恢復了適才的平靜，水仙卻像投入在大海中的沙石一般，不聞一點聲息。
沒有人看清那轎中是何等模樣的人物，只在幾人心中留下了凜然的震駭，山風吹來，飄起沈霞琳等的裙角，山谷中一片沉寂。
忽聽左首一個綠衣少衣說道：「春姊姊，我去瞧瞧。」
縱身一躍，直向軟轎衝去。
綠春要待阻止，已自不及。

那綠衣少女疾快的衝近軟轎，手中長劍一揮，刺了過去。
當她長劍刺出一半時，突然想到一位姊妹尚在轎中，立時收了劍勢。
但覺長劍似是被一個強有力的鐵鉗鉗住，硬向轎中拖去。
同時似是有一股強大的吸力，竟使那綠衣少女不自主投入軟轎之中。
區區一頂小轎，有若無邊無際的大海，投進那轎中的綠衣女竟也無一點聲息。
這等驚人的變化，只把綠春和沈霞琳同時驚呆在當地，半晌說不出一句話來。
六寶和尙舉手拍拍光腦袋，自言自語的說道：「咱們再進去幾個人，他那小轎就裝不下了。」
他想不出對敵之策，覺著多幾個人進入那小轎之中，也算是對敵辦法之一。
沈霞琳突然一振手中的長劍，回頭對綠春等說道：「姑娘等相助之情，我和寰哥哥都感激不盡。」
綠春突然橫行兩步攔在沈霞琳的身前，說道：「咱們奉了姑娘之命而來，如是保護不周，回去惹姑娘生氣，那還不如戰死此地的好。」
沈霞琳歎道：「那你就退到山洞入口之處，保護我寰哥哥吧！我要去瞧瞧那軟轎中究竟是何許人物！」舉劍向前行去。
這當兒突聞身後傳來一個清亮的聲音，道：「不可涉險！」
這聲音沈霞琳熟悉至極，不用回頭看，已然失聲叫道：「寰哥哥，你好了麼？」
轉臉望去，只見楊夢寰臉上一片肅穆，站在石洞口處。

楊夢寰似是重病初癒，雙腿乏力，還無法支撐身體的重量，手扶著石壁，緩緩向前行了兩步，說道：「你們都退回來。」

他神態威嚴，字字句句都有著莫可抗拒的力量，沈霞琳和綠春等人都不禁向後退來。

楊夢寰伸出右手，沉聲對沈霞琳道：「把劍給我。」

沈霞琳緩緩遞過長劍，道：「你要幹什麼？」

楊夢寰接過長劍，道：「我要救那兩位姑娘出來——」

沈霞琳吃了一驚，道：「可是你身體不成啊！連路都走不好，如何能和人動手？」

楊夢寰淡淡一笑，道：「不要緊……」

以劍代杖，撐地而行，走了幾步，突然又回頭接道：「不管情勢如何，你們不要出手參與，以免礙我手腳。」

沈霞琳道：「那小轎中人古怪得很，寰哥哥要多多小心了。」

楊夢寰點點頭道：「不妨事。」右手長劍點在地上，緩步向前行去。

他的雙腿似是陡然癱瘓了一般，移步行走之間大為艱苦。

綠春低聲問沈霞琳道：「聽我家姑娘說，楊大俠的武功很高，是麼？」

沈霞琳笑道：「不錯，連陶玉也不是寰哥哥的敵手。」

綠春一顰柳眉兒，道：「他走起路來一跛一跛的，如何還能和人動手呢？」

沈霞琳怔了一怔，忖道：是啊！寰哥哥連走路都走不成，那裏還能夠和人動手？一時間無言可答，只好默不作聲。

綠春道：「我瞧你還是把他叫回來算了。」
沈霞琳搖搖頭，道：「他雙腿雖然有些不舒服，但那也不致影響他的武功。」
綠春道：「要是被那人拉入小轎中殺死了，你就變成了小寡婦啦！」
沈霞琳搖搖頭，笑道：「不會的。」
綠春奇道：「爲什麼？」
沈霞琳道：「寰哥哥要是死了，我也不要活了，那裏會成小寡婦呢！」
綠春道：「原來如此。」

十三　奇峰迭起

且說楊夢寰行到那小轎前面四五尺處，停了下來，橫劍而立，高聲說道：「在下楊夢寰，請朋友出轎一會。」

但聞那小轎中傳出來一聲冷笑，道：「楊夢寰，你不過浪得虛名，也配見本座的真面目麼？」

楊夢寰暗中運氣，只覺真氣已可在全身流動，就算立時動手，也可應付，當下縱聲大笑，道：「閣下好大的口氣，就是那陶玉見了在下，也要稱叫一聲楊兄。」

小轎中又傳出一聲冷笑，道：「但你在本座眼中，不過是一個欺世盜名之輩。」

楊夢寰淡淡一笑，道：「好，只要閣下能夠數說出我楊某人的劣跡，在下當面領罪。」

轎中人道：「你霸佔師妹為妻，橫刀奪人之愛，難道還不算罪大惡極麼？」

楊夢寰一皺眉，道：「還有麼？」

轎中人冷笑一聲：「難道這還不夠麼？」

楊夢寰道：「此中是非，江湖自有公論，在下也懶得和你辯駁了……」語音微頓，接道：「閣下能夠身隱轎中，出手擄人，這武功實叫在下佩服得很，在下亦想領教領教。」

轎中人道：「你如心中不服，何妨試試！」

楊夢寰暗運內力，貫注於劍身之上，又向前欺進兩步，陡然伸出長劍，緩向簾上挑去。

但聞轎中傳出一聲冷笑，一股強大的暗勁直推過來。

這強猛的一擊，勢道威猛之極。

楊夢寰一面施展千金墜的身法，穩住了身子，內勁再貫注於劍上。

果然，那長劍屹立不動，未被擋開。

楊夢寰覺出對方這一擊的力道，無法把自己震退，當下一咬牙，長劍又向前探出數寸，劍尖已然觸及小轎垂簾。

只要他這一劍挑開垂簾，立時可以瞧清楚那轎中人的模樣。

這當兒突見那轎簾一角啓動，一道紅光，直點過來。

楊夢寰吃了一驚，揮劍擋去。

只覺那紅光和長劍一觸，竟是無聲無息。

楊夢寰仔細看去，那紅光竟是一道軟索。

只見那軟索忽點忽掃，竟然是變化繁多，甚難防守，逼得楊夢寰只好全心運劍。

軟索長劍，各出奇招，鬥得十分激烈。

那紅索只從轎簾一角伸了出來，但遇上了楊夢寰這等勁敵，那一角活動的範圍，顯然已不能適應，逐漸的擴大。

這時如若有人肯伏下身子瞧去，定可瞧見轎中人雙腿，雙足。

楊夢寰以劍封索，惡鬥了數十招，仍是不能取勝，心中暗暗吃驚道：這是什麼人物，武功如此高強，他在轎中出索，我卻全心對敵，這運轉之間的靈活相差甚大，縱然是陶玉親自到來，也難有此等上乘武功……只覺重重疑雲，泛上心頭。

沈霞琳初時見楊夢寰一跛一跛，很是代他擔心，但見和那人動上手後，不但腿不再跛，而且運轉也十分靈便，這才放下心來，回顧綠春一眼，笑道：「我知他本領很大，咱們是萬萬及不上的。」

綠春道：「哼！他本領再大一些，也不是我們姑娘的敵手。」

言語之間，顯示對主人崇敬無比。

沈霞琳沉吟了一陣，道：「不錯，那趙妹妹的武功，是要比寰哥哥強一點。」

綠春道：「豈只是強一點，簡直是強得多了。」

沈霞琳微微一笑，道：「就算強很多，也不要緊啊！」

她忽然覺到自己已經是大人了，豈能再和這小姑娘們爭那口舌之勝。

這時楊夢寰已和那轎中人，打到緊要關頭，劍勢軟索，盤旋飛舞，極盡變化之能，激鬥之間，楊夢寰覺手中長劍一緊，竟被那軟索緊緊纏住。

小轎中垂簾微啓，三點寒芒電奔而來，分取楊夢寰前胸小腹。

這暗器不但腕勁奇足，來勢很快，而且又和軟索配合的恰到好處，顯然要迫楊夢寰棄去手中兵刃。

楊夢寰心中大急，潛運內力，突然一甩，想以劍上鋒口削斷那軟索。

那知軟索未斷，一支精鋼長劍，卻是應手而折。

楊夢寰人卻隨那揮臂一甩之勢，閃開數尺，避開那三點寒芒。

只聽轎中傳出一聲冷笑，道：「接著斷劍。」

軟索突然一振，半截斷劍突向楊夢寰飛了過來！

楊夢寰手中仍然握有著另半截斷劍，揮手擊出！

但聞噹的金鐵交鳴，那飛向楊夢寰的半截斷劍，吃那楊夢寰揮手一擊，反向那小轎中飛了過去。

兩人這一來一往之勢，看似簡單，實則乃武功中極為艱難的手法，要有深厚的內力，準確的手法巧勁，才能隨手揮去，皆成文章。

但見那半截斷劍，直向小轎之中飛去，破簾而入。

大出意外的，是那小轎中不聞一點反應的聲息，連那軟索也很快的縮入轎中。

楊夢寰心中暗道：此人武功之強，當世武林高人，也許只有趙小蝶和朱若蘭可以和他比美，那半截斷劍決難傷得了他，這半晌不聞聲息，不知又在想的什麼鬼計？

那排列在小轎後的黑衣劍手，和兩個身體奇高的赤膊大漢，仍是靜靜的站著不動，並沒有群攻楊夢寰的跡象。

暫時間恢復了一片寧靜！

綠春突然舉起手中長劍，高呼叫道：「接著。」揮手向楊夢寰投了過去。

楊夢寰疾快的把右手半截斷劍交到左手，右手一伸，接過綠春拋過來的長劍，頷首微笑，表示謝意。

綠春突然喃喃自語，道：「我明白了，明白了。」

沈霞琳奇道：「你明白了什麼？可是已知那轎中人的來歷了？」

綠春道：「不是，我明白了我家姑娘爲人，爲什麼心中對你們有此……」突然住口不言。

沈霞琳卻凝神觀戰，對綠春所說之話未曾注意。

這時楊夢寰已舉起了右手長劍，緩緩向前刺去。

他出劍很慢，但推出的劍招上卻含蘊了很強烈的內力。

只覺寒芒一閃，一道冷虹，耀眼生花，楊夢寰霍然向後退了兩步。

凝目望去，只見手中那柄長劍，又被人用寶刃削去了一部份。

轎中人還不知是誰，但卻知他有著一把削鐵如泥的寶刃。

楊夢寰收住了攻勢，霍然向後退了兩步，道：「閣下武功高強，身懷寶刃，那自非普通的武林中無名之輩，還望現身一見。」

轎中傳出一聲冷笑道：「楊夢寰，你可是很想見見我麼？」

楊夢寰道：「在下只是佩服你的武功，希望能一見，別無用心。」

轎中人道：「好！如若我決定見你時，再告訴你不遲。」

楊夢寰心中暗暗忖道：他手中既有寶刃，那是更難對付了，我必得想個應敵之策才是。

激烈的搏鬥，暫時靜了下來，雙方形成一個對峙之局。

楊夢寰舉著半截斷劍，心中愁苦千種，想不出拒敵之策。

他必得仗著一支不畏寶刃削斷的兵刃，至低限度兵刃要沉重厚大一些，使他削起來無所顧慮。

這當兒突聽綠春嬌聲喝道：「好啦！咱們的救兵來了！」轉眼望去，只見正東方又來了四個全身白衣的背劍少女。

四少女看上去走得不快，但來勢卻是迅速至極，片刻間已到了幾人停身之處。

只見當先一個白衣少女行到綠春身邊，低聲問道：「姊姊的人呢？」

綠春道：「別提了，你瞧到那小轎麼？都被那轎中人給搶去了。」

那白衣女奇道：「有這等事？」

綠春道：「是我親眼所見，那自是真的了。」

白衣女指著楊夢寰道：「那人是誰？」

綠春道：「大名鼎鼎的楊夢寰，你就不認識麼？」

沈霞琳心中暗笑道：你也不過剛剛認識，就這般賣起老來。

那白衣少女道：「原來他就是楊夢寰……」語聲微微一頓，接道：「奇怪呀，他怎麼手中拿著半截斷劍？」

沈霞琳道：「那轎中強敵不知用的什麼兵刃，能夠削去寰哥哥的長劍。」

白衣少女道：「好！那我去助他一臂之力。」

沈霞琳急急叫道：「不可，你打不過那轎中人。」

白衣女道：「我偏要去試試！」直向那小轎奔了過去。

楊夢寰雖然和那轎中人暫時罷手，但事實上雙方都在暗中準備一次更猛烈拚鬥。

卻不料這白衣女突然插手進來。

楊夢寰要待喝止已自不及。

那白衣女疾如飄風一般，直衝到小轎前面，振腕一劍刺了過去。

閃動的劍芒，剛剛觸及到垂簾，小轎中突然閃出一道青芒，嗆的一聲，削斷了那白衣少女長劍。

就在那青芒閃出的同時，一道紅索由轎中飛了出來，有如靈蛇舒尾一般，疾快的纏在那白衣少女的腰間。

楊夢寰大喝一聲，飛步躍上，伸手向那紅索抓去。

可惜仍是晚了一步，那白衣女已被拖入了小轎中去。

楊夢寰默查內情，心中突然一動，倒躍而退。

另外三個白衣女眼看爲首之人被人擒去，不禁心中大急，齊齊抽出長劍，向前衝去。

楊夢寰回身攔住三人，道：「三位姑娘，暫請退回。」

三個白衣女雖然依言停下腳步，人卻是不肯退回。

楊夢寰低聲說道：「三位姑娘武功雖然高強，但缺乏對敵經驗，實非那轎中之人敵手，那位姑娘的遭遇，三位都是親目所見，當可知在下所言不是信口開河。」

綠春也趕了過來，說道：「三位妹妹，快請退下，這位楊大俠的武功，比咱們高得多了……」長長歎息一聲，接道：「我有兩位妹妹已被轎中人拖了進去。」

這些女孩子們一個個天真率直，同伴被人擄去，也不過略帶愁苦，似是心中甚有把握，覺著那轎中之人不敢傷害她們一般。

居中一位穿白衣的姑娘，說道：「白夏姊姊被人擒去，我們豈能不管，如是一個人打他不過，我們三個人一齊出手就是。」

楊夢寰道：「姑娘請看對方有好多人手，如是三位一齊出手，引起群戰，只怕咱們還得吃虧。」

三女抬頭看去，果見那小轎後面，有數十餘名佩劍的黑衣武士。

綠春接道：「三位妹妹，還是聽楊大俠的勸告吧！那人知道咱們是趙姑娘的屬下，諒他也不敢隨便加害白夏姊姊的，」

三個白衣女無可奈何，只好點頭答允，緩步向後退去。

楊夢寰拋去手中半截斷劍，低聲說道：「哪位願把長劍借在下一用？」

三位白衣女齊齊伸手，遞去手中長劍。

楊夢寰伸手把三支長劍一齊接下來，說道：「那轎中之人，武功高不可測，在下實無把握能夠救出三位被擒的姑娘，如若諸位能夠設法傳報趙姑娘，那是最好不過了。」

說完後，轉身行近那小轎四五尺處停下。

他手中執著三柄長劍，除左右手各執一劍之外，卻把另一支長劍插在停身之處的土地上。

凝目望去，只見那小轎軟簾低垂，山風中微微飄動，轎中卻不見一點動靜。

那排站在小轎後面的黑衣武士，一個個肅然而立，似是泥塑木雕一般，對眼下的惡戰，漠不關心。

楊夢寰輕輕咳了一聲，揚劍指著小轎喝道：「閣下武功如此之高，自非無名之輩，何以不肯現露出真正面目？」

他一連呼叫數聲，那轎中人一直是恍如不聞，置之不理。

楊夢寰心中暗忖道：這一頂區區小轎，裏面已有四人之多，我縱然能想法子攻入那轎中一劍，只怕將誤傷別人，怎生想個法子，激他出轎才好。

儘管那轎中人聲勢駭人，武功詭奇，但楊夢寰心中卻無畏懼之感，他和那人動手數招，雖然覺出他武功高強，但自己也並非無能抗拒。

楊夢寰等候了良久，仍不聞那轎中人相應之聲，怒聲喝道：「閣下這般藏頭露尾，算得什麼好漢。」突然向前欺進一步，左手長劍一揮，疾向那軟簾上挑去。

雖然隔著一重轎簾，但那轎中人目光卻似敏銳得很，楊夢寰長劍探出，他似已然瞧到，寒光一閃，迎了出來。

楊夢寰早已有備，看他劍勢，右手長劍卻疾如閃電刺出。

他無法瞧見那小轎中是何等模樣的人物，也不便強行揮劍攻入轎中，但可從他伸出的劍勢，判斷出那執劍手腕。

楊夢寰左手劍招，旨在誘敵，立時向下一沉腕勢，避開對方的劍招，但右手刺出的劍勢，卻是奇快絕倫。

那人雖然深藏在轎中，但對楊夢寰劍的變化，卻是有如目睹一般，寒光一閃，反向楊夢寰右劍削來。

楊夢寰暗贊一聲，好快的變化，疾快刺出的右劍，突然向上翻起，左手的虛招，卻突然化虛爲實，點了過去。

兩人電光石火般連變數招，兵刃未曾觸接，全都憑藉手快，眼明，隨機變化，不但是在比鬥劍招，而且包括了鬥智，反應。

那轎中人無法削得楊夢寰手中之劍，楊夢寰也無法攻入轎中一招。

驚心動魄的快速幾招過後，雙方幾乎是同時收了劍勢。

但聞轎中似出一個冷漠的聲音道：「看將起來，你倒非浪得虛名……」

楊夢寰接道：「誇獎，誇獎，閣下雖然是憑仗手中短劍鋒利，有著削鐵如泥之能，但變招之快，亦叫在下佩服。」

語聲微微一頓，又道：「此等身手，武林中極是罕見，不知閣下何以要藏身轎中，故作神秘，不肯和楊某面對面的比試一陣？」

轎中人沉吟了一陣，道：「你當真想和我一較劍招，比個勝敗出來麼？」

楊夢寰道：「當世武林中，似閣下這般身手，除了有數的三兩個人之外，實難叫在下想得出來還有何人……」

轎中人冷笑一聲，接道：「你倒說說看，你那心目中三兩高人，都是些什麼人物？」

楊夢寰心中一動，暗道：機會來了，切不可放過激他現身的機會。

心念轉動，緩緩答道：「有一位世人欽敬的趙老前輩，趙海萍，不知閣下識是不識？」

轎中人道：「好！那趙海萍算一個，除他之外，還有何人？」
楊夢寰道：「多情仙子趙小蝶，該有閣下這般身手吧？」
轎中人道：「不錯，趙小蝶全身武學都得自『歸無秘笈』，也算她一份就是，這父女兩人之外，還有何人？」
楊夢寰道：「天機石府朱若蘭，朱姑娘，不知閣下知是不知？」
轎中人道：「那朱若蘭也算一份，還有麼？」
楊夢寰道：「就在下所知，也只有這幾個人了。」
轎中人道：「還有一人，你卻忘記講了。」
楊夢寰心中暗道：莫非他說的是陶玉麼？口中故意說道：「兄弟想它不出，不知那人是誰？」
轎中人道：「還有你楊大俠！」
楊夢寰微微一笑，道：「閣下過獎了。」
轎中人冷笑一聲，道：「如若我能夠勝得你楊大俠，那就一舉成名了。」
楊夢寰道：「大概是不錯吧！」
轎中人冷冷說道：「可惜我沒有揚名立萬，哄傳天下的用心，有人喜愛名利，立威天下，但有人卻喜愛幕後的權勢，我……就是屬於後一種人。」
楊夢寰道：「所以閣下才用了這頂黑布幔遮的小轎，以掩飾本來面目。」
轎中人道：「你如是真想和我在武功上分個勝敗出來，請於今夜二鼓後，在你身後那高峰之頂，各憑武功拚個勝敗出來。」
楊夢寰回顧一下身後高峰，道：「好！咱們就此一言爲定，今宵二更，在下在峰頂相候。」
轎中人冷然說道：「不過，我要事先說明，搏鬥時，只許你我在場，不得帶人觀戰。」
楊夢寰暗道：故作神秘。口中卻應道：「在下一切從命……」語聲微微一頓，接道：「在下有一個不情之請……」
轎中人接道：「可是要我放了被擒的三位姑娘？」
楊夢寰道：「不錯，閣下可知她們的來歷麼？」
轎中人道：「都是那趙小蝶的侍婢。」
楊夢寰心中一驚，暗道：看將起來，他對江湖上的情勢倒是熟悉得很。輕輕咳了一聲，道：「閣下武功如此之高，如果傷害幾個侍婢，那未免有失身分。」
轎中人道：「今夜之戰，你如能夠勝我，三婢毫髮無損的奉交於你，如是敗在我的手中，連你的性命也要操諸我手，替人求情，豈不是笑話麼。」
語聲微頓高聲接道：「我們走！」
走字出口，兩個赤膊大漢已然如飛奔至，抬起小轎飛奔而去。
那騎馬佩劍的少年，齊齊帶轉馬頭，緊隨轎後而去，轉眼間消失不見。
綠春和三個白衣少女，欲待追趕，卻被楊夢寰勸阻，要她們等到次日再說。

是夜二更，楊夢寰帶了兩支長劍，悄然獨登峰頂。

峰頂上是一片半畝大小的平坦之地，四周寂然，了無聲息，月掛中天，銀照匝地，楊夢寰放下長劍，盤膝坐在峰頂，閉目運氣調息。

表面上楊夢寰似已進入禪定之境，其實是勁氣內斂，神凝五中，以他此時功力，三五丈內，可辨出落葉聲息。

足足過了一頓飯工夫之久，仍不聞有人到來，楊夢寰不禁心中焦急起來，暗道：難道他不來了麼？正自疑慮橫生，突然西方暗影處，傳過來一聲冷笑道：「有勞久候了。」

楊夢寰抬頭看去，月光下，只見一個全身黑衣，長袍掩腕，黑裙曳地，遮去雙足，臉上戴著一個黑色面具的怪人，緩步走了過來。

這人一身裝束怪模怪樣，靜夜中瞧去，有著一種陰森恐怖之感，楊夢寰心中暗道：你這身衣服和躲在小轎中有何不同？

口中卻淡然一笑，道：「閣下來得並不算晚，天色仍在三更之前。」

那黑衣人道：「其實咱們比試武功，有得半個時辰，那已是足夠了。」

他聲音並不怪異，只是有一股冰冷的味道，有如從陰冰地窖中吹來的寒風。

楊夢寰淡淡一笑，道：「在下自知半個時辰之內沒有勝得閣下之能。」

那黑衣人冷冷說道：「我有。」

楊夢寰霍然站起，握著雙劍，道：「閣下不覺著口氣太大些麼？」

那黑衣人冷笑一聲，道：「你不信，那也是無可奈何。」

楊夢寰精神一振，暗中運氣貫注雙臂，直達於雙劍之上，緩緩說道：「閣下手中短劍，鋒利異常，直可切金斷玉，還請亮出兵刃來吧！」

那黑衣人突然一揮右手，長袖飛動，流現出一道寒芒。

凝目望去，只見那短劍不過一尺餘長，劍柄深隱袖中無法瞧見，只見寒芒流動，卻無法辨識那短劍來歷。

楊夢寰四下瞧了一眼，緩緩說道：「三位姑娘，都很好麼？」

黑衣人道：「很好，只要楊大俠能勝得我手中之劍，她們立時可以自由。」

楊夢寰道：「還有一件事，在下亦得先行說明。」

黑衣人道：「好！你說，只要你能勝我，不論何事，只要我力能所及，無不應允。」

楊夢寰道：「在下和閣下相約於此，除了比試劍招武功之外，還想藉此機會，一睹閣下的真正面目。」

那黑衣人沉吟了一陣，道：「就在下記憶所及，相約之時並未說明，楊大俠想瞧瞧我，那也不是什麼困難的事。」

楊夢寰心中忖道：這人對答老練，軟硬不吃，實在是太難對付的人物。

心念一轉，欲擒故縱，淡然一笑，道：「在下希望能瞧瞧閣下的廬山真面，也不過是基於好奇之心，其實見與不見都於事無補。」

那黑衣人由面具之中發出一聲清冷的笑聲，道：「一切事情都好辦得很，但重要的是，楊大俠必須先要勝得我手中的兵刃。」

只見他一幌手中的短劍，冷月下，立時閃動一片光輝，接道：「楊大俠自負淵博，可識得此劍來歷麼？」

楊夢寰凝目望去，只見那短劍在冷月之下，閃動起片片的寒芒。他已知此劍鋒芒絕世，削鐵如泥，但卻無法認出其來歷，心中一急，突然急出了一個主意來，淡淡一笑：「如若閣下肯放心把手中兵刃交付於我，在下倒要仔細瞧瞧那短劍出自何處……」

那黑衣人冷冷說道：「我不放心。」右手一振，寒芒暴閃，突然掃來一劍。

楊夢寰料不到他想打就突然出手，這一劍突如其來，又快如閃電，只迫得楊夢寰倒躍數尺，才把一劍避開。

那黑衣人身隨劍進，口中冷冷的說道：「今夜你楊大俠只帶兩隻劍來，只怕是不夠用吧！」

說話之中，連攻八劍。

這八劍招招如雷奔電閃，迫得楊夢寰連連後退。

他手中兵刃鋒利，楊夢寰手中雖有雙劍，卻是不敢硬行封架他的兵刃，一時竟是無法扳回先機，節節敗退，直待那黑衣人綿連的劍招一緩，楊夢寰才有反擊之能。

楊夢寰雙手各執一劍，左手長劍疾攻而出，點向那黑衣人的面門，右手長劍平胸橫立護身。

那黑衣人劍勢一轉，斜向楊夢寰左手長劍之上撩去。

如是被他削中，楊夢寰手中長劍非成兩截不可，只見楊夢寰右手揚起，那平護胸前的長劍突然刺出，掃向那黑衣人手中肘間關節。

如若那黑衣人劍勢不停，一舉之間，固可把楊夢寰左手長劍削斷，但右手肘間關節勢非被楊夢寰長劍點中不可。

如若他回手對付楊夢寰右手長劍，楊夢寰左手長劍，勢將點中他面門之上。

這一招看來平易簡單，實是雙劍招術一記絕學，名叫「星月並輝」。

那黑衣人被逼得向後一躍，倒退五尺。

楊夢寰雙劍一振，連環攻出，雙劍各攻一路。

那黑衣人手中空有削鐵如泥的寶刃，卻是無法削得楊夢寰手中之劍。

原來楊夢寰本不善使用雙劍，但情勢所迫，和這黑衣人定約之後，就利用其間一段空閒時間，思索演練雙劍招術，他天資過人，又有著深博的武功基礎，竟被他想出一路以雙劍克制對方利器的打法，以快速的變招攻勢，使對方無法應用利器，削去自己手中之劍。

纏鬥數十合，仍是不勝不敗之局。

那黑衣人打得火起，突然長嘯一聲，劍勢忽變。

只見他長袖與劍光齊飛，全身都籠罩在一層劍氣之中。

楊夢寰雙劍揮轉，不但無能進一招，反而有些逐漸被對方所制。

原來適才動手之時，那黑衣人一心想憑藉手中的利器，削去楊夢寰手中兵刃，完全陷入了被動之中，處處受制，此刻戰法一變，寶劍威力發揮，楊夢寰不敢和他利劍相觸，由主攻變成防守之勢。激鬥之中，突聞得一陣金鐵相交之聲，楊夢寰左手中的長劍被那黑衣人一劍削斷。

只聽那黑衣人冷笑一聲，停下手道：「楊夢寰你可要再換一支劍？」
楊夢寰棄去左手中半截斷劍，道：「那倒不用，在下用單劍也是一樣。」
黑衣人道：「如是我再削去你右手中的兵刃呢？」
楊夢寰肅然說道：「在下還有雙手和你周旋。」
黑衣人怒道：「你可是覺得我不敢殺你麼？」
楊夢寰道：「勝負未分之前，閣下這些話未免說得太早了一點。」
黑衣人怒聲喝道：「不信你就試試。」唰的一劍刺了過來。
楊夢寰只餘右手之劍，對敵之間，不得不小心從事，一閃避開，拍出一掌。
那黑衣人劍勢一撩，橫向他手腕削來。
楊夢寰左手引開對方劍勢，右手長劍才突然攻出一劍，刺向那黑衣人的臉上。
那黑衣人門戶大開，楊夢寰劍勢遂乘虛而入。
如若那黑衣人，要想避開一劍，只要向後一躍即可。
那知事情竟是大出意料之外，那黑衣人竟是不理楊夢寰刺向臉上的劍勢。
但聞錚然一聲，刺個正著。
那知劍勢如刺在堅石之上，那黑衣人竟是渾如不覺。
原來那黑衣人戴的面具，竟然是金鐵作成之物。
就在楊夢寰略一怔之間，那黑衣人短劍疾起，掃了過來，嗆的一聲，削斷了楊夢寰手中的長劍。

黑衣人冷笑一聲，道：「你雙劍已然盡遭削斷，我要領教你的掌勢了。」

楊夢寰雙掌一錯，道：「自當奉陪。」

黑衣人緩緩把手中寶刃收了起來，道：「我如用兵刃勝了你，只怕你心中不服，但我赤手空拳勝了你，你總該心服口服吧。」

楊夢寰冷冷說道：「閣下勝了之後，再行誇口不遲。」

黑衣人道：「你是不見棺材不掉淚，敗在眼前，還這般大言不慚。」揮手一掌，拍了過來。

楊夢寰舉手相迎，立時展開了一場惡鬥。

兩人掌來足往，各盡所能，變化萬端，極盡奇幻。

楊夢寰初動手時，還不覺得什麼，動手數十招後，突然發覺了不對。

原來他發覺那黑衣人出手拳招，竟然是處處搶制了先機，是以，楊夢寰雖然全力搶攻，始終無法搶得一招先機。

眼下的情勢很明顯，如若兩人再這般打了下去，楊夢寰非敗不可。

但情勢逼迫，卻不敢稍有鬆怠之心。

他發覺了這黑衣人的武功，出人意外的高強，最使楊夢寰驚奇的是，這黑衣人出手的招術，竟似是先就料到了楊夢寰拳勢變化，自然處處盡占先機。

正激鬥中，突聞一聲嬌叱傳了過來，道：「住手。」

這聲嬌叱聲音不大，但卻如洩地水銀一般，鑽入了二人的耳中。

兩人一齊停下手來，轉臉望去，只見一個丰神絕世的白衣女，衣袂飄飄的站在山崖邊緣。

楊夢寰一眼下，已認出來人是趙小蝶，高聲說道：「趙姑娘。」

趙小蝶飄身而下，緩步走了過來，兩道清澈的目光，盯注在黑衣人的臉上，冷冷說道：「你是什麼人？」

黑衣人也冷冰冰的答道：「你是趙小蝶麼？」

趙小蝶道：「不錯。」

那黑衣人緩緩取出短劍，道：「你要和楊夢寰聯手齊上呢？還是要和我單打獨鬥？」

趙小蝶款步行來，本想質問他擒去三婢的事，但卻未料到這黑衣人竟是先發制人，拔劍挑戰。

那黑衣人不聞趙小蝶相應之聲，立時冷笑一聲，道：「趙小蝶，你怎麼不答話呢？」

趙小蝶嬌艷的粉臉之上，神情屢變，一語不發，緩步直向那黑衣人行了過去。

那黑衣人見她愈逼愈近，突然舉手一劍，刺了過去。

這一劍快速至極，但見寒光一閃，劍尖已然逼近趙小蝶前胸之上。

趙小蝶身子突然一側，打了一個轉身，巧妙無比的讓過一劍，仍是一語不發。

那黑衣人手中短劍一揮，突然幻出了一片劍花。

當頭罩落了下來，但見趙小蝶打了一個轉身，又靈巧絕倫的避開一團劍花。

那黑衣人似是料不到她身法如此之快，呆了一呆，道：「好身法。」唰的又是一劍刺來。

趙小蝶身子一側，又把一劍避過，冷冷說道：「該停手了。」

那黑衣人一連三劍，均未刺中趙小蝶，自己似是亦有些不好意思，果然停下手來。

趙小蝶緩緩舉起右手，纖巧玉指，理一下鬢邊長髮，冷冷說道：「想打架，我一定奉陪，不過先把話說個清楚，再打不遲。」

那黑衣人道：「什麼話，但請快說。」

趙小蝶道：「我手下三個女婢，可是被你擄去了麼？」

黑衣人道：「我捉了三個丫頭倒是不錯，但她們是誰的丫頭，那我就不清楚了。」

趙小蝶道：「那就是了，不知她們現在何處？」

黑衣人道：「這個暫難奉告……」目光一掠楊夢寰，接道：「我和他相約在先，在這山峰之上比武，如是他能勝得了我，我就把那三個丫頭放了。」

趙小蝶道：「如是他敗在你手中呢？」

黑衣人道：「那三個丫頭生得聰明伶俐，我就把她們留在身側自己使喚了。」

趙小蝶道：「這比試不公平。」

黑衣人道：「哪裏不公平了？」

趙小蝶道：「那些丫頭都是我的屬下，他如何能夠作得主？」

黑衣人目光轉注到楊夢寰的臉上，道：「你即是做不得主，爲什麼要和我訂約？」

楊夢寰被問得目瞪口呆，半晌說不出話來，一臉尷尬之色。

黑衣人冷笑一聲，道：「你怎麼不說話了，哼！你的英雄氣概哪裏去了？」

趙小蝶眼看楊夢寰窘迫之情，忍不住微微一笑，道：「他爲什麼不能做主？」

那黑衣人兩道冷峻的目光，轉注到趙小蝶的臉上，道：「他做得了主麼？」
趙小蝶臉色一整，說道：「自然做得了主。」
那黑衣人道：「好！那他已敗在我的手中了，那三個丫頭，你也不用想討回去了。」
趙小蝶冷冷說道：「三個丫頭事小，你卻忘了一件大事。」
黑衣人道：「什麼大事？」
趙小蝶道：「楊夢寰和你賭那三個女婢的自由，我要賭你永遠沒有使喚那三個丫頭的命！」
黑衣人道：「此言何意？」
趙小蝶道：「再也明白不過，你今宵難道還想離開此地麼？」
黑衣人縱聲而笑道：「趙小蝶，你這幾句話不覺得口氣太大麼？」
趙小蝶道：「我言出衷誠，句句實言。」
黑衣人冷笑一聲道：「別人怕你由『歸元秘笈』上學得的武功，但我卻不怕。」
趙小蝶微微一怔，暗道：他怎知我武功得自「歸元秘笈」。
但繼而一想，此事天下皆聞，這黑衣人知悉內情，實也算不得大忌的事。心念一轉，微笑說道：「那你就試試看上面記載的功夫如何。」
突然揮了長袖，掃了過去。
那黑衣人似早有備，右手一揮，一道寒光，直向趙小蝶長袖上斬去。
趙小蝶一挫腕，生生把長袖收了回來。

但左袖收回的同時，右袖卻擊了出去。

剎那間雙袖飛轉，快如風輪，一陣迫攻，逼得那黑衣人連退三步。

楊夢寰一側旁觀，只看得暗暗忖道：她身具當世上乘內功而不自知，五年前還是不解武功的小姑娘，五年後，卻成了當今武林第一高手……

心中念頭還未轉完，瞥見那黑衣人揮劍反擊過來。

他劍招怪異，竟把趙小蝶逼退了數步。

楊夢寰仔細瞧去，不禁爲之心頭震動。

原來那黑衣人的劍招，竟是走的反向劍路，這一劍該攻左側，他卻偏偏攻向右側。

趙小蝶雖是胸懷絕世武功，但從未料到武林之中竟然有人會用反道武功路數。

一時間竟然是想不出拒敵之策，被那黑衣人凌厲的反道劍勢，迫得直向後退。

楊夢寰只看得大爲焦急，但卻又想不出克敵之策。

眼看趙小蝶已然退到一處懸崖邊緣，再向後退，勢必要跌下懸崖不可。

就在這萬分危急的情勢中，趙小蝶似是突然想起了克敵之法，雙袖揮舞，展開了反擊之勢。

這一路反擊之勢，果然是黑衣人劍勢的剋星，登時把那黑衣人凌厲的劍勢壓了下去。

趙小蝶身形緩緩轉動，竟然把那黑衣人迫轉向懸崖一邊。

她雖是雙袖當作兵刃，看起來有如揮袖曼舞，但長袖上卻是蘊蓄了很強的內力，如被她擊中，受傷之重，不下於刀劍所傷。

那黑衣人劍勢已完全被趙小蝶雙袖反擊之勢迫得沒有了還手之力，幾度要跌下懸崖。

趙小蝶突然停下手來，說道：「你臉上雖然戴著面具，但身子總不能全穿著鐵衣，如是跌下這懸崖中去，不知會不會把你摔死？」

那黑衣人突然收了長劍，道：「你雙袖之中帶著一股強大的潛力，逼得我劍招無法施展，今日之敗……」

趙小蝶冷笑一聲，接道：「怎麼？你敗得不服氣麼？」

黑衣人道：「自然是不服氣了，如若你能給我三個月的時間，咱們再比一場，那時我如仍然敗在你的手中，才心服口服。」

趙小蝶道：「別說三個月，就是給你半年，那也無關緊要，你仍然不是我的對手。」

那黑衣人冷笑一聲，道：「你一身武功，都是得自『歸元秘笈』麼？」

趙小蝶道：「天下武林有誰不知，這也不算隱秘的事。」

那黑衣人道：「如是我用那『歸元秘笈』未曾記載的武功和你動手，你就無所展其技了。」

趙小蝶笑道：「嗯！你剛才用的反道劍招，『歸元秘笈』上確實未曾載過，但我還不是勝了你？」

那黑衣人道：「不管如何，我今日已爲你所制，如你怕和我訂下後會之約，儘管出手就是。」

趙小蝶道：「哪個怕你了，三月之後，咱們重在此地相見就是，不過……」

黑衣人道：「不過什麼？」

趙小蝶道：「不過我要你取下臉上的面具，瞧瞧你的真面目，還有釋放回我的三個女婢。」

那黑衣人道：「我只取下面具……」

趙小蝶道：「不錯，只要你取下臉上的面具，就可以走了。」

那黑衣人緩緩取下臉上的鐵面具，說道：「趙小蝶，你要瞧清楚了。」

原來他那鐵面內，竟仍是帶著面具。

趙小蝶正待追問，那黑衣人已然搶先接道：「趙小蝶，你說過的話是否還要更改？」

趙小蝶心中暗道：他說的不錯，我只說過取開所戴的鐵面具，當下一揮手，道：「好，算你勝了這一陣。」

那黑衣人突然轉過臉去，大步向山下行去，隱失於夜色之中。

趙小蝶突然想起那三個婢女還未被放，當下高聲叫道：「喂！那三個姑娘現在何處？」

遙聞那黑衣人應道：「但請放心，我下山之後，立刻就放了她們。」

高聳的山峰頂上，只餘下楊夢寰和趙小蝶。

兩人相對站了片刻，楊夢寰長歎一聲，道：「又勞姑娘相助。」

趙小蝶道：「不用客氣。」

楊夢寰沉吟了一陣，抱拳說道：「姑娘多多保重，在下就此別過。」

趙小蝶柳眉聳動，緩緩說道：「這黑衣人很多武功確非那『歸元秘笈』上記載的武學，你以後遇上他時，要多多當心才好。」

楊夢寰拱手道：「多謝關照。」

趙小蝶口齒啓動，幽幽說道：「咱們越來越陌生了。」緩緩轉過身子，漫步而去。

楊夢寰突然轉過身子，奔向山下而去。

趙小蝶聞得腳步聲回過頭來時，那楊夢寰已經奔下了山峰。

她望著楊夢寰的背影，默然良久，突然一咬牙，自言自語的說道：「你就是不肯求我一句話。」

且說楊夢寰一口氣奔到沈霞琳坐息之處，那綠春正在和沈霞琳談論著他。

綠春主張去找，沈霞琳卻是充滿著信心，主張不如在原地等待。

楊夢寰抱拳對綠春一禮，道：「令東主已經趕到……」

綠春急急接道：「她和那黑衣人動手了麼？」

楊夢寰道：「那黑衣人敗在趙姑娘的手中，已答應釋放擒去之人，諸位請在附近尋找一下，在下等先告別了。」

說完話，帶著沈霞琳和六寶和尚送行離去。

沈霞琳被他牽著手，急急奔行，心中大是奇怪，忍不住問道：「寰哥哥，你急什麼？」

楊夢寰道：「咱們得快些走，別讓她改了主意。」
沈霞琳道：「什麼人改變主意？」
楊夢寰道：「趙小蝶。」
沈霞琳奇道：「趙姑娘改變什麼主意？」
楊夢寰道：「也許她會和那黑衣人聯手同心不讓咱們走了。」
沈霞琳若有所悟的啊了一聲，道：「你是說那黑衣人幫助陶玉，趙姑娘也幫助陶玉，是麼？」
楊夢寰道：「看上去似是如此，事實上又非如此，這其間複雜得很，一時間我也無法給你說得清楚了。」
沈霞琳道：「這我就想不明白了，不過既然有這麼多人和咱們作對，咱們也該去請些幫手才是。」
楊夢寰道：「找人相助並非困難，難的是對手一個個武功高強，一般的武林同道非是他們的對手，豈不是徒自傷害人命。」
沈霞琳道：「那爲什麼不去請武功高強的朋友相助呢？」
楊夢寰道：「要找到能和陶玉、王寒湘等高手相抗的人物，當今武林實難找出幾個。」
沈霞琳道：「唉！這有什麼困難，我已想好了很多可請的人。」
楊夢寰道：「你是說朱姑娘？」
沈霞琳道：「不錯啊！蘭姊姊那天機石府中，現有彭秀葦、玉簫仙子等人，她們這些年來，個個都用心於武功之上，進境很多。」
楊夢寰沉吟了一陣，道：「玉簫仙子和彭秀葦，武功雖然高強，但也難是趙小蝶和陶玉之敵。」
沈霞琳道：「趙姑娘對蘭姊姊最是敬愛，咱們讓蘭姊姊勸勸她也就是了，那陶玉只有一人，你足以和他對抗，那也不用憂愁了。」
楊夢寰正待答話，突然一個悠長的笛聲專了過來。
楊夢寰素解音律，凝神聽了一陣，突然說道：「咱們得快些走了！」
牽起沈霞琳和六寶和尙大步向前奔去。
三人這一口氣奔行了十幾里路，楊夢寰才放緩了腳步。
沈霞琳道：「跑什麼？」
楊夢寰道：「你剛才可曾聽到那笛聲麼？」
沈霞琳道：「聽到了，怎麼樣？」
楊夢寰道：「你可知那笛聲是何人吹出的麼？」
沈霞琳道：「又瞧不到那吹笛的人，自然不知道是何人所吹了。」
楊夢寰道：「我知道。」
沈霞琳道：「什麼人？」
楊夢寰道：「趙小蝶。」

沈霞琳道：「她在笛聲中吹些什麼？」

楊夢寰道：「她似是借那笛聲發洩出心中的怨憤，而且直對咱們的方向行來，她正在激憤之下，如是和咱們撞在一起，實有很多不便之處，因此咱們得快些走開。」

沈霞琳道：「原來如此。」

突聞笛聲飄渺，又傳過來！

沈霞琳道：「她似是追著咱們來了？」

楊夢寰道：「不錯，咱們得轉個方向。」

六寶和尚口齒拙笨，素無心機，想到師父已死，從此之後，只有跟著楊夢寰夫婦，才能吃飽肚子，那就得忠心耿耿的跟著兩人，至於兩人談些什麼，他是漠不關心。

三人轉向而行，繞過一片雜林，只見兩個勁裝大漢迎面奔了過來。

沈霞琳低聲說道：「寰哥哥，鄧少堡主和柳遠來了。」

楊夢寰點頭笑道：「正是他們兩人，師妹已能留心到身外物了。」

鄧開宇似是亦認出了楊夢寰，帶著柳遠，大步奔了過來，抱拳一禮，道：「楊大俠，害兄弟找得好苦啊！」

楊夢寰微微一笑，道：「這些時日中，遇上幾個強敵，交手數陣，互有勝負，一時無法脫身趕回，有勞少堡主跋涉尋找，我等實是抱歉得很。」

鄧開宇笑道：「楊大俠駕臨敝堡，使敝堡蓬革生輝不少，眼下已有幾位江湖高手，和幾位門派的掌門人趕到寒舍，求見楊大俠……」

楊夢寰輕輕歎息一聲，道：「只怕我要讓他們失望了。」

鄧開宇道：「據兄弟聽得消息，除了已到寒舍的幾位武林高人之外，還有九大門派中人都將趕到，兄弟已經離開了寒舍一日夜，只怕此刻又另有很多人到達了。」

楊夢寰略一沉吟，道：「只怕陶玉也已知道這些消息了，咱們得快些趕回貴堡中去。」

鄧開宇道：「目下寒舍高手甚多，那陶玉縱然是親自找上門去，也不要緊。」

楊林寰心中暗道：除非有幾位武林中第一流的高手，能夠放下面子聯手拒擋陶玉一人，如是單打獨鬥，以那陶玉手段之辣，縱然是武林高手和他過招，只怕也難支撐過二十回合。這些話如若說出口來，未免太過狂妄，他為人謙恭有禮，不願口舌之上輕蔑他人，只好悶在心中。

他心有所思，愈行愈快，鄧開宇等被迫得全力疾追。

幾人一路急趕，日落前已回到鄧家堡。

鄧開宇低聲道：「楊大俠請先洗個臉休息一會，在下去通知一聲。」

楊夢寰回到室中，剛剛洗過臉，鄧開宇已來相請，道：「家父和群豪都已在廳中等候楊大俠。」

楊夢寰道：「鄧兄請把六寶和尚安排一下，他不善言詞，不解險惡，處處需人照顧才行。」

鄧開宇道：「不勞楊大俠費心，在下早已替他安排好食宿之地。」

談話之間，沈霞琳和童淑貞雙雙走了進來。

楊夢寰急抱拳一禮，道：「見過師姊。」

童淑貞還了一禮，歎道：「我都已聽師妹講過了，師弟為盛名所累，妒忌之人甚多，看來你是無法擺脫這江湖上的是非了。」

楊夢寰苦笑一下，道：「這次江湖大劫過後，小弟必將尋一處人跡罕至之地，摒絕武林恩怨，不再身擔是非。」

童淑貞道：「這談何容易啊……」語聲微微一頓，接道：「這些年來，我已習慣獨處，不喜人多，廳中宴會，我不想去了。」

鄧開宇道：「這個，如何……」

楊夢寰接道：「我師姊素喜清靜，少堡主也不用勉強她了，咱們走吧！」

鄧開宇帶著楊夢寰和沈霞琳直奔大廳。

楊夢寰當先而行，緩步入廳，只見廳中群豪濟濟，不下數十人，有男有女，有僧有道。

老堡主鄧固疆大步迎上來，笑道：「楊大俠幸得及時趕回，唉！如是你再晚回來一些時間，老朽就無法應付天下英雄的質問了。」

楊夢寰抱拳一個羅圈揖，道：「楊某人因事晚歸，有勞諸位等候，在下這裏先行謝罪了。」

但聞廳中群豪齊聲應道：「楊大俠言重了。」

就在群豪話聲甫落之際，大廳一角，突然傳來一個冰冷的聲音道：「楊夢寰，你還記得老衲麼？」

此人直呼楊夢寰的姓名，只聽得廳中群豪齊齊為之一呆。

轉臉望去，只見一個身著大紅袈裟的枯瘦和尚，獨坐廳上一張木椅之上。

沈霞琳看清來人，不禁吃了一驚，幾乎失聲而叫，總算她這些年來，定力大進，勉強忍了下去。

楊夢寰淡淡一笑，道：「如若在下記憶不錯，老禪師該是大覺寺的高僧枯佛靈空。」

那枯瘦老僧哈哈一笑，道：「想不到楊大俠還能記得老衲的法號。」

楊夢寰道：「老禪師言重了。」

那靈空大師突然一閉雙目，雙手合掌當胸，道：「阿彌陀佛，善哉，善哉。」

楊夢寰想到這靈空昔年在大覺寺中的作為，只覺那一聲佛號特別刺耳。

這時鄧固疆已讓楊夢寰入座，吩咐廳中僕從開上酒宴。片刻之間，已然擺上了豐盛的酒席。

廳中群豪輪番向楊夢寰敬酒，口中都是些久慕大名，至為敬仰的頌贊之詞。

楊夢寰留心群豪，發覺其中有四個人深藏不露。

他們從楊夢寰進入廳中，始終是一付微帶笑容的臉色，既未說一句歌頌之言，亦未向楊夢寰敬過一杯酒。

一席酒宴，匆匆而畢，楊夢寰帶著沈霞琳退席之後，低聲說道：「你瞧到那枯佛靈空了麼？」

沈霞琳道：「瞧到了，那和尚壞死啦！」

楊夢寰道：「但他武功卻是高強得很……」

語聲微微一頓，接道：「如是他武功仍和昔年一般，沒有什麼大進，你一人就可以對付他了。」

沈霞琳道：「如是他有什麼輕舉妄動，我今晚借機會宰了他。」

楊夢寰笑道：「告訴童師姊，要她小心一些。」言罷，自行轉回臥室，脫去外衣，登上木榻，暗暗忖道：靈空何以陡然在鄧家堡中出現，而且混入了群豪之中，難道他也投入了陶玉門下不成？

廳中群豪，人數雖然不少，但九大門派未來一人，唯一使楊夢寰念念不忘的，是那四個冷傲不群的年輕人。

他們未向楊夢寰敬過一次酒，楊夢寰心煩意亂，也未來得及和四人打個招呼，就匆匆退了回來。

他胡思亂想了一陣，陡然覺得一陣睏倦湧來，趕忙運氣調息，澄清雜念，漸入忘我之境。

這時突然由榻下躍出一人，手中舉著一把匕首，直向楊夢寰前胸刺去。

楊夢寰已生警覺，一仰身，倒臥在木榻之上，順勢飛起一腳，踢向那人手腕。

那人似是自知非敵，一擊不中，立時轉身向室外衝去。

楊夢寰一提氣，突然由木榻上飛躍而起，直向門口搶去。
兩人幾乎是同一時刻到了門口。
那人匕首一揮，疾攻兩招，寒光閃動，分擊向楊夢寰兩處大穴。
楊夢寰暗道：好快的手法！一吸氣，未落實地的身子，陡然向後退了兩尺，避開刀勢。
那人一擊之下，逼退了楊夢寰，身子一側，又向室外衝去。
楊夢寰揚手一掌劈了過去，一股奇大的潛力暗勁封住了門戶。

十四　毒龍夫人

那人被那股潛力暗勁擊中，生生被擋了回來。

楊夢寰大邁一步，欺到那人身側，低聲說道：「咱們素不相識，為什麼要對我動刀子，這其間定有原因，在下很希望能夠知道內情。」

那人似是自知無法走脫，忽的揮刀向楊夢寰連攻四招。

楊夢寰沉聲說道：「朋友這般不識抬舉，那也別怪我楊某人失禮了。」掌勢一緊，反擊過去，登時迫得那人連連向後退避。

楊夢寰處處手下留情，不肯傷他，旨在設法生擒於他。

那人在楊夢寰掌力逼迫之下，突然躍飛而起，直向楊夢寰撞了過來。手中匕首隨著衝過去的身子，刺向楊夢寰的前胸。

楊夢寰凝立不動，左手一揮，封開匕首，右手一探，抓住了那執刀人的手腕，微一加力，冷冷說道：「朋友貴姓啊？」

那人只覺手腕一麻，手中匕首跌落在地上。

楊夢寰輕輕歎息一聲，道：「閣下是何人物，和我楊某人何仇何恨，為何要隱身在床下行刺？」

那人似是自知無反抗之能，也不掙扎，只是閉起雙目，一語不答。

楊夢寰看他包頭黑巾，直壓眉際，心中大感奇怪，伸手一推，推脫那人頭上黑巾。

只聽那人啊喲一聲，露出一頭秀髮。

原來這人竟是一個女孩子。

楊夢寰見行刺自己之人，原來是一個女孩子，不禁吃了一驚，急急放手道：「在下不知你是位姑娘，還望多多原諒。」

言罷，向後退了兩步。

那女子輕輕歎息一聲，道：「你很君子。」

楊夢寰淡淡一笑，道：「如若姑娘覺著在下還有一點可取之處，那就請姑娘把何以要行刺在下的事，說個明白。」

那女子凝目沉思了一陣，道：「楊相公一定要知道？」

楊夢寰道：「自是要知道的。」

那女子索性除去頭巾，說道：「楊相公認識我麼？」

楊夢寰仔細瞧了她一眼道：「也許從前見過，只是記不得了。」

那女子道：「這也難怪，楊夢寰是何等身分的人，如何還會識得我這麼一個丫頭。」

楊夢寰又仔細打量了她一陣，道：「在下確實想不起來，姑娘還請明說了吧！」

那女子突然一挺胸，道：「你忘義負情，爲人薄倖，但求眼前歡笑，不憶昔年情義……」

楊夢寰伸手摸出了火摺子，一幌而燃，點起了桌上的火燭。

仔細打量那姑娘一陣，突然說道：「你是銀瓶姑娘？」

銀瓶黯然說道：「你還認識小婢？」

楊夢寰長歎一聲，道：「你離開『水月山莊』，算起來該有六年了？」

銀瓶道：「自從玉娟姑娘死了之後，小婢不想再留『水月山莊』，睹景思人，倍感傷情，這時正好家兄去『水月山莊』看我，夫人就還我自由之身，讓我離開了『水月山莊』，可惜家兄不務正業，臨行時夫人相贈的銀兩，都被他嫖賭花光，無奈何，又把我賣入鄧家堡中為婢。」（事見本書前傳《飛燕驚龍》正冊。）

楊夢寰道：「你這身武功，可是學自鄧家堡中的麼？」

銀瓶點點頭道：「老堡主說我骨格清奇，很適合練武的條件，因此指明要我習練武功，又承少堡主親自傳授，才使小婢有此成就。」

楊夢寰道：「這就是了，你該回去休息啦！」

銀瓶突然歎息一聲，道：「小婢看公子和那沈霞琳親密異常，似是早已把玉娟姑娘棄置腦後，心中一時氣憤，才藏在榻下行刺相公。」

楊夢寰道：「你們主婢情深，這也不能怪你。」

銀瓶欠身一禮，出室而去。

楊夢寰熄去案上燭火，登上木榻，心中煩亂，和衣躺下，剛剛閉上雙目，突聞一聲冷笑傳了過來。

楊夢寰吃了一驚，一躍而起。

但聞窗外一個冷冷的聲音，說道：「好一個愚蠢的人。」

楊夢寰躍飛而起，一掌推開了窗門。

一式「巧燕穿簾」緊隨著拍出的掌勢飛躍而出。

流目望去，只見一個人影飛上屋面，疾奔而去。

楊夢寰一提真氣，放腿疾追。

那人身法快速，疾如閃電奔雷，楊夢寰亦施展出全力追趕，兩條人影疾如流星趕月。片刻工夫，已離開鄧家堡到了荒涼的郊野之中。

那奔行的黑衣人陡然停下腳步，冷冷說道：「楊夢寰，你這般苦苦追我，是何用心？」

楊夢寰只覺耳音甚熟，但一時卻想不起他是何人，當下喝道：「閣下什麼人？」

那人緩緩轉過身來，赫然竟是前日所遇那小轎中戴著鐵面具的黑衣人。

楊夢寰呆了一呆，道：「原來是你！」

那黑衣人冷冷說道：「怎麼樣？你很怕我？」

楊夢寰道：「怕倒未必，只是覺著有些奇怪而已。」

那黑衣人仍戴著黑色的鐵面具，裝束和前日所見一般，雙目中暴射出冷電一般的眼神，道：「有什麼好奇怪的？」

楊夢寰道：「閣下武功驚人，不在那陶玉之下，何以竟甘爲陶玉手下之臣？」

那黑衣人冷漠的說道：「誰說我甘爲陶玉手下之臣？」

楊夢寰道：「閣下既不甘爲陶玉所用，又和我楊夢寰無怨無仇，不知爲何要處處和我作對？」

那黑衣人笑道：「你和陶玉似乎代表著江湖上兩種勢力，如是在下亦有野心的話，我必先行設法消滅你們其中之一，我不助陶玉對付你楊夢寰，那就只有幫助你對付陶玉了。」

楊夢寰哈哈一笑，道：「果真如此，那就難怪了，不過閣下應該知道，目下中原武林除了我楊夢寰和陶玉之外，還有一位趙小蝶，閣下縱能助陶玉先敗在下，只怕也難如你之願。」

那黑衣人道：「我不過有此用心而已，成與不成，倒不用放在心上。」

楊夢寰呆了一呆，道：「怎麼？這等大事，也可開玩笑的麼？」

那黑衣人道：「這等大事，不但要武功高強機智過人，而且還要有幾分運氣，我們暫時不談……」

語聲微微一頓，左手取下鐵面具，笑道：「楊夢寰，你不是很想瞧瞧我的真面目麼？」

楊夢寰凝目望去，只見他面上一片血紅，難看至極，當下說道：「這就是閣下的真面目麼？」

那黑衣人說道：「自然不是了。」右手舉起，又取下那血紅色的面具，笑道：「楊夢寰，這便是我的真面目，你可要仔細瞧了。」

楊夢寰凝目望去，只見他柳眉鳳目，雙頰如雪，不禁怔了一怔，道：「你是……」

黑衣人笑道：「嗯，是一個女人。」

楊夢寰歎息一聲，道：「姑娘如非自願暴露身分，在下實是難以想得出來。」

那黑衣人嬌聲笑道：「楊夢寰，你瞧瞧我比你那沈霞琳如何？」

楊夢寰道：「姑娘貌美如花，霞琳如何能夠及得。」

那黑衣人笑道：「好一頂高帽子，你瞧都沒有瞧清，怎知我勝過那沈霞琳呢？」

楊夢寰道：「姑娘女扮男裝的事，那陶玉可曾知道麼？」

黑衣人搖搖頭，道：「我如不想現露本來面目，誰也無法知道。」

楊夢寰道：「這麼說來，在下倒是有幸得很。」

黑衣人道：「嗯！不錯，你見了我廬山真面目，難道就這樣白白的瞧瞧麼？」

楊夢衰道：「在下已經瞧過了，姑娘貌羞花月，在下有幸一睹玉容。」

那黑衣女格格一笑，道：「那陶玉雖然生得面貌秀俊，但卻要輸你楊夢寰三分俠氣……」

楊夢寰道：「我楊某人堂堂男子，豈容人評頭論足。」

黑衣女笑道：「愈有英雄氣概，愈叫女人傾心，老實說那一天我並非無能殺你，只不過手下留情罷了！」

楊夢寰冷冷笑一聲，道：「這個在下倒是有些不信。」

黑衣女淡淡一笑道：「信不信由你了，反正我已不再存殺你之心。」

楊夢寰怒道：「憑姑娘之能，說這樣的話，未免口氣太大了。」

黑衣女笑道：「你如是當真的不信，眼下就可以試試。」

楊夢寰道：「自當奉陪。」

黑衣女道：「咱們各出全力，以命相搏，如是不賭上一點東道，那未免有些不值得了。」

楊夢寰道：「生與死的賭注，難道不夠大麼？」

黑衣女道：「閣下謙謙君子，說這些充滿殺氣之言，不覺著有些太過粗蠻了麼？」

楊夢寰呆了一呆，道：「那要賭什麼？」

黑衣女笑道：「我的武功你已經見識過了，我還有十八個黑衣侍衛，說一句托大的話，他們的武功決不在你們中原武林一流高手之下，如是我敗在你的手中，連我和一十八個侍衛，全都聽你之命，爲你效力。」

楊夢寰一皺眉頭，道：「這賭注大大了，在下沒有這樣大的本錢。」

黑衣女子笑道：「你自己出個賭注如何？」

楊夢寰道：「如若一定要在下下注，我只有人一個、命一條，如若我敗了，殺刮任憑姑娘。」

黑衣女子笑道：「已經夠了，我要的就是一個人。」

楊夢寰怔了一怔，道：「什麼？」

黑衣女子道：「楊大俠自負盛譽，量也不肯先行出手，我這裏有僭了。」呼的一掌劈了過來。

楊夢寰封開來掌，疾攻五招。

這五招，凌厲異常，掌掌帶起了嘯風之聲。

那黑衣女子擋開五招格格一笑，道：「這等打法，不知要到何時才能分出勝負，欲求早分勝負，只有以內功相拚了。」

右手一揮，硬接下楊夢寰的掌勢。

楊夢寰一和她掌勢相觸，立時覺出一股強勁潛力，直逼過來，趕快運力抗拒。

兩人各出右掌，抵觸一起，運功反擊，形成了一個對峙之局。

這時雙方都有著強烈的求勝之心，不自覺間逐漸增加功力。

僵持了大約有一炷香的時光，楊夢寰和那黑衣女都呈不支之狀。

那黑衣女嬌喘不停，楊夢寰汗出如漿，滾滾而下。

雙方經過了這一陣苦拚之後，心中明白，誰也無法用內功壓倒對方，兩人的內力也是半斤八兩。

僵持中，那黑衣女陡然加上一成功力，迫使楊夢寰的手掌向後退了一寸，喘息著說道：

「楊夢寰，你認不認輸？」

楊夢寰臉上汗水有如水淋一般的直滴下來，口中卻說道：「今日之局，至多是個同歸於盡，想要我楊夢寰認輸，只怕是沒有那麼容易！」

說完話，默運內力，又把那黑衣女的掌勢，迫得向後退了一寸。

心中卻是暗自忖道：這女子不知練的什麼武功，竟有著如此深厚的內力，我楊夢寰任、督二脈已通，內力輸送甚快，雖未如那趙小蝶一般，達到了生生不息之境，但和常人相較，卻是有所不同，何況近日之中，又得那苦心大師轉嫁內力，一般習武之人，縱然有三五十年之火候，但沒有我楊夢寰這等奇遇，也不易達此境界，此女看上去不過是二十幾歲，何以有此等深厚的內力。……

忖思之間，忽聽那黑衣女說道：「楊夢寰，此刻我如想置你死地，只不過是一轉心念而已。」

楊夢寰道：「姑娘有何辦法置我死地，在下洗耳恭聽。」

黑衣女道：「你已經騎上虎背，欲罷不能，勢必全力苦撐下去——」

楊夢寰接道：「如若在下的看法不錯，姑娘只怕是也已經到了力盡筋疲之境。」

黑衣女道：「你不信我能殺你？」

楊夢寰道：「不信，姑娘如是真有置我於死地的手段，只管出手就是。」

黑衣女道：「你可知道，世間有一種武功，可以吸化敵人內力……」

楊夢寰道：「這個在下倒是聽人說過，那是一種至陰、至毒的外門武功。但在下卻是不信姑娘也會施展。」

黑衣女道：「我會的，只是我不願施展而已！」

楊夢寰道：「為何這般慈悲起來了？」

那黑衣女道：「此時你已無能使功力收發隨心，我如施展出那陰毒的『破元神功』，片刻之間你即將氣絕而死。」

楊夢寰道：「如是姑娘當真有此等能耐，在下是死而無怨。」

那黑衣女子道：「可是我不願殺死你！」

楊夢寰道：「彼此敵對，各下毒手，不是敵死，就是我亡，用不著存什麼慈悲心腸。」

黑衣女道：「不要激怒我，一個人只有一條命，如是當真殺死你，那沈霞琳、李瑤紅豈不都要作了小寡婦。」

楊夢寰道：「你好像對我的一切，都很熟悉啊！」

黑衣女道：「不錯，我聽人說你盜名欺世迫姦師妹，被崑崙派逐出門牆……」

楊夢寰眉頭縱動，道：「這些話都是陶玉說的麼？」

黑衣女道：「不是，你橫刀奪愛，借用藥物，誘使那李瑤紅失身，使陶玉青梅竹馬一起長大的女友，離他而去，他自然要恨你有如刺骨椎心了。」

楊夢寰只覺氣血翻湧，張嘴吐出一大口血來，道：「這些話你是聽何人所言？」

他心躁氣浮，內力上也大減許多，吃那黑衣女把掌勢迫退了半尺。

但他極快的警覺到處境的險惡，趕忙澄清雜念，默運內力抗拒，但劣勢已成，在筋疲力盡之時，已無反擊之能。

那黑衣女亦似用出全力，楊夢寰澄清雜念，全力反擊之後，那黑衣女再也無能越雷池半步。

這個當兒突聞一陣衣袂飄風之聲，童淑貞身背長劍，疾奔至兩人身前，唰的一聲抽出長劍，道：「師弟不要驚慌，我來助你一臂之力。」

那黑衣女望了童淑貞一眼，緩緩閉上雙目。

要知她此時已經是全力和楊夢寰苦拚內功，再無餘力抗拒童淑貞，只要童淑貞舉劍一揮，立時可把她傷在劍下。

楊夢寰回顧了童淑貞一眼，道：「師姊不可造次。」

童淑貞已然揚起劍勢，準備出手，聽得楊夢寰喝叫之言，只好停下手來道：「這女人武功不弱，留著終是禍患，師弟何以不讓我借此機會，取她性命？」

楊夢寰歎道：「咱們若是這般殺了她，她死得難以瞑目。」

童淑貞道：「敵勢強大，雙方實力不均，師弟還存君子氣度，豈不是要自取敗亡麼？」

楊夢寰道：「她是受人欺騙，才甘心和咱們爲敵，這情形又得另當別論了。」

只聽那黑衣女子冷笑一聲，道：「我如想取他之命，此刻他早已橫屍當地，還等到你趕來救他麼？」

童淑貞眨動了一下圓圓的大眼睛，望著楊夢寰道：「師弟，此言可是當真麼？」

楊夢寰心中暗道：我如說她胡說八道，童淑貞必將一劍把她殺死，此女雖然裝束詭異，不似正道人物，但她如此武功練來不易，如若把她一劍殺死，那是未免太過可惜，何況她乃受人煽動而來，是非皂白未分清楚，縱然要殺她也該讓她明白內情之後再殺她不遲。

但此刻形勢不同，實無法解說清楚，只好說道：「不錯，她如想殺我，小弟只怕難以支撐得如此之久。」

童淑貞眉頭聳動，輕輕歎息一聲，道：「如是她真有如此能耐，那是更該殺她了，但師弟一生中正大光明，君子行徑，我如殺了她，只怕師弟心中難安。」

那黑衣女子突然歎息一聲，陡然一收內力。

雙方正在相持不下的當兒，那黑衣女於陡然收了內力，楊夢寰收勢不及，內力排山倒海一般的直撞過去。

只見那黑衣女子整個身體飛了起來，憑空打了幾個跟斗，摔到一丈開外。

楊夢寰長長吁一口氣，拂拭一下臉上的汗水，站起身子，行到那黑衣女身前。

只見她雙目緊閉，蜷伏在地上，口鼻間，鮮血淚淚，傷勢十分慘重。

楊夢寰長長歎息一聲，道：「如是她不冒險收回內力，我們這般相持下去，定要個玉石俱焚之局，她決然不會受到如此重傷……」

語聲微微一頓，道：「有勞師姊，看看她的傷勢如何？」

童淑貞應聲走了過來，還劍入鞘，蹲下身子伸出右手，按在那黑衣女前胸之上。

只覺她心胸跳動甚慢，內腑顯是受了極重的內傷。

足足有一盞熟茶工夫之久，童淑貞才緩緩收回左手道：「她傷得雖然很重，但氣息尚未全絕。」

楊夢寰流目四顧一眼，道：「那就再勞師姊把她背回鄧家堡去……」

童淑貞道：「師弟一定要救她麼？」

楊夢寰道：「她如不突然收回內力，豈會受到如此重傷……」

童淑貞接道：「那是她因爲怕我出手傷她之故。」

楊夢寰道：「唉！無論如何，她不是敗在小弟手中，咱們自是應該救她。」

童淑貞道：「師弟一定要救她，也不該帶回鄧家堡去。」

楊夢寰道：「爲什麼？」

童淑貞道：「師弟為人，雖然坦坦蕩蕩，君子胸懷，但樹大招風，名大招謗，武林中忌你之人，日夜都在想法子破壞你的名譽，他們不能殺了你，卻可以在口頭上傷你，你如把這位姑娘帶回鄧家堡去，豈不是予人口實麼？」

楊夢寰輕輕歎息一聲，道：「唉！師姊說得不錯。」

童淑貞道：「你現在究竟準備如何安置她？」

楊夢寰道：「只要使她傷勢轉好一些，能夠自行調息，咱們就可以不用管了。」

童淑貞道：「如果她以後仍然和你為敵，你豈不是自找煩惱？」

楊夢寰微微一笑，道：「殺了她也許更將激起她數十個屬下的拚命之心。」

童淑貞道：「好吧！離此不遠處，有一座荒涼的土地廟，咱們到那廟裏去吧！」抱起了那黑衣女，大步向前行去。

楊夢寰隨身後而行。

行約五六里，果然到了一座荒涼的土地廟中。

這是一座很小的廟，似已久年沒有香火，神案上積塵盈寸，神像亦都殘缺不辨。

童淑貞當先進入廟中，放下了那黑衣女，道：「師弟要怎麼為她療傷？」

楊夢寰道：「還得師姊相助，快扶她盤膝而坐。」

童淑貞道：「你要用內力助她打通經脈要穴？」

楊夢寰道：「正是如此。」當先盤膝坐了下去，運氣調息。

童淑貞扶正那黑衣女的身子，使她盤膝坐好。

這時那黑衣女仍在錯迷狀態之下，已無自主之能，必得童淑貞雙手扶著她的肩頭，才能坐穩。

楊夢寰經過一陣調息，精神大見好轉，伸出右掌，頂在黑衣女背心之上，默運內力，一股熱流攻入黑衣女的命門穴中。

那黑衣女將要靜止的行血，吃楊夢寰內力的推動，又開始循行流動，啓動櫻口，連連吐出了幾口淤血，才清醒過來。

她啓動雙目，望了童淑貞一眼，似想說話，但卻又似乏力啓齒，一語未發，又緩緩閉上雙目。

過有頓飯工夫之久，那黑衣女重又睜開眼睛，緩緩說道：「有勞姑娘相助。」

童淑貞緩緩鬆開雙手，道：「現在好些了麼？」

那黑衣女點點頭道：「行血已暢。」

楊夢寰突然取開按在那黑衣女背上的手掌，站起身子，拭去臉上的汗水，道：「姑娘多保重，在下等就此別過了。」

那黑衣女子急急說道：「不要慌。」

楊夢寰人已經出了廟門，聞言停了下來，說道：「姑娘還有什麼見教？」

黑衣女道：「你信不信我會『破元神功』？」

楊夢寰心中暗道：「此女已到如此境地，仍是這般的好強。」當下微微一笑，道：「半信半疑。」

黑衣女怒道：「信就信，不信就不信，爲什麼要半信半疑？」

楊夢寰道：「在下相信姑娘的話不是虛空之言，但姑娘在生死之間，仍是不肯施用出『破元神功』，在下又有些不信了。」

黑衣女道：「那你是不信了。」

楊夢寰還未來得及答話，童淑貞已搶先說道：「我楊師弟爲人太過善良，你大傷未癒，不忍刺傷姑娘之心，還是我來告訴姑娘吧，他不信。」

黑衣女臉色一變，掙扎而起，道：「不信，咱們再來試試。」

楊夢寰道：「你此刻身體虛弱，如何還能比試內功，就算在下相信如何！」

黑衣女道：「不行，我一定要證明一件事。」

楊夢寰道：「什麼事？」

黑衣女道：「證實我說的是實話，沒有騙你。」

楊夢寰道：「在下相信也就是了，何用再來證明。」

黑衣女道：「你口是心非，如何不要證明？」

童淑貞道：「我師弟功力深厚，你是早已領教，以他的身分，自是不願和你這個大傷未癒的人動手，你如一定要試，我來奉陪如何？」

黑衣女道：「好！不論你們兩人那個來，都是一樣，我只要證實自己說的話。」

童淑貞回顧了楊夢寰一眼，笑道：「如是咱們堅持不肯相試，只怕她心中難過得很，只好由我試試她那『破元神功』了。」

楊夢寰眉頭聳動，道：「師姊要多加小心。」

童淑貞應了一聲，緩步走回那黑衣女的身前，盤膝坐了下去，緩緩伸出右掌，沉聲說道：「姑娘此刻傷勢未癒，體能未復，這比拚內功的事又非同小可，還望姑娘三思。」

黑衣女冷冷說道：「你只管全力施爲，不用手下留情。」伸出右手，和童淑貞掌心抵觸一起。

楊夢寰心中暗道：這女子武功、內力雖都在童師姊之上，但她大傷之後，如何能抗拒童師姊的內力呢。

正待暗中招呼童淑貞一聲，不可施下辣手傷了對方，忽見童淑貞臉上的笑容突然消失不見，代之而起是一片肅穆之色。

再看那黑衣女時，卻是她神氣平靜，毫無不支之狀。

楊夢寰只瞧得心中大是奇怪，暗道：「難道她當真會什麼『破元神功』不成？」

突然間傳過來一陣急促的喘息之聲，而且似起自童淑貞的一側。

這時，楊夢寰心中不得不動疑了，正待摸出火折仔細查看，忽聽童淑貞大叫一聲，仰身摔倒地上。

聲音清晰異常，已是再無懷疑，何況又眼看是童淑貞倒了下去。

楊夢寰一提真氣，運勁於右掌之上，準備出手，口中卻冷冷喝道：「你傷了她？」

那黑衣女緩緩站起身子，道：「她不信我的話，讓她親自嘗試一下，看看我是否信口開河，有什麼不對呢？」
楊夢寰道：「她本可殺了你，但她卻反而救了你，你的報答卻是要了她的性命。」
那黑衣女道：「誰說我要了她的命，她只不過一時昏倒，片刻之後，即可清醒過來。」
楊夢寰道：「當真麼？」
那黑衣女道：「我爲什麼要騙你？」
楊夢寰突然一伏身，撿起童淑貞身旁的長劍，道：「如若她死了，咱們兩人之中，必將有一個奉陪於她。」
黑衣女道：「她不會死，至多在一頓飯工夫之內，她就可清醒過來。」
楊夢寰道：「請姑娘屈駕留此，等她清醒之後，你再走不遲。」
那黑衣女這次倒是聽話得很，退後兩步，依言坐了下去。
楊夢寰守在童淑貞的身側，幾度想出手相助，但均爲那黑衣女出言喝止。
大約一頓飯工夫之後，童淑貞突然挺身坐了起來。
楊夢寰蹲下身去，問道：「師姊怎麼了？」
童淑貞道：「她沒有騙你，她確然有殺你之能，但她卻手下留情。」
楊夢寰輕輕歎息一聲，道：「咱們也救了她一命。」
那黑衣女緩緩站起身子，道：「我現在可以走了？」
楊夢寰閃身讓到一側，道：「姑娘請便。」

那黑衣女舉步向前行去，出了廟門，突然又回過身來冷漠的說道：「楊夢寰，咱們這一場比試，還未分出勝敗，可要再來一場決戰？」

楊夢寰道：「姑娘如有興致，在下自然奉陪。」

那黑衣女道：「好！明夜二更，我在這小廟之前候駕……」目光一掠童淑貞道：「最好不要有人相助。」

楊夢寰道：「就此一言為定。」

那黑衣女身軀一閃，出了廟門，眨眼間，消失在夜色之中。

童淑貞緩緩站起身，歎道：「無毒不丈夫，師弟，你這婦人之仁，為自己又樹下一個強敵。」

楊夢寰緩緩說道：「如是小弟的聲譽很壞，也許她在出手之時，就用出『破元神功』取了小弟的性命。」

童淑貞聽得呆了一呆，歎道：「也許你對了……」

突然格格一笑，道：「她不肯對你施展那吸化內力的『破元神功』，卻拿我來作試驗，也許師弟的忠厚之名，君子之風，當真使你在不知不覺中，逃過了無數的危難。」

楊夢寰歎道：「小弟一生所行，但求心之所安，行仁義之事，存忠厚之心，成敗就非我所計較了。」

童淑貞歎息一聲道：「咱們回堡去吧。」

楊夢寰道：「可要小弟扶你回去？」

童淑貞道：「不用了，也許看在師弟的面上，她對我已經手下留情，我還可以走得。」

兩人不再談話，垂首疾行，直待行近了鄧家堡外，童淑貞才突然停了下來，道：「師弟，你和她相約明夜決戰的事如何？」

楊夢寰道：「小弟準備依時赴約。」

童淑貞道：「可要告訴沈師妹一聲？」

楊夢寰道：「如若告訴她，她定然十分擔心，我瞧還是不用告訴她了。」

童淑貞道：「你如是一人赴約，決無勝算機會，單打獨鬥，你也未必是她的敵手。」

楊夢寰道：「如若我不和她比試內功，她無法施展『破元神功』，可以維持半斤八兩之局。」

童淑貞輕輕歎息道：「師弟，坐下來我有話對你說。」當先席地而坐。

楊夢寰依言坐了下去，道：「什麼事？」

童淑貞道：「你赴她之約，用心何在？」

楊夢寰道：「她只是被陶玉謊言蒙騙，才苦苦和我作對，如是她了然內情，也許可以倒戈相助我們，此女不但本身武功高強，而且數十名手下，個個都有著很好的武功。」

童淑貞笑道：「我相信你有能力使她叛離陶玉，相助於你。」

楊夢寰道：「這個小弟是毫無把握。」

童淑貞道：「江湖險詐，處處要講求手段。」

楊夢寰道：「小弟只有一片誠心。」
童淑貞道：「那不行，愚姊倒有一計。」
楊夢寰道：「什麼計啊！」
童淑貞笑道：「美男計……」
楊夢寰道：「師姊怎的和小弟開起玩笑來。」
童淑貞輕輕歎息一聲，道：「我說的千真萬確，師弟可是有些不信麼？」
她舉起手來，理了理鬢邊散亂的長髮，接道：「師弟武功才智，都強過師姊甚多，唯對女人的心思，卻所知不多。」
她轉過臉來，兩道清澈的目光，凝注在楊夢寰的臉上，道：「你不能把所有的女人，都看作朱若蘭，也不能把她看作沈霞琳，她冒著身受重傷之危，不肯施展那『破元神功』傷你，難道這也是人情之常麼？」
楊夢寰微微一怔，道：「師姊說得是。」
童淑貞道：「你如想征服她只有一個方法，一個情字。」言罷，起身而行。
楊夢寰緊隨在童淑貞身後，直回鄧家堡。
他悄然回到了自己臥室，登榻安息，但心中卻是憂苦重重，鄧家堡目下雖有很多高手趕到，但大家都是來歷不明的人物，最擔心的是那大覺寺枯佛靈空，竟然也趕了來。
昔年那枯佛靈空等師兄弟三人，曾爲海天一叟李滄瀾生擒，囚禁於天龍幫黔北總壇，以後九大門派聯手大破天龍幫時，三人乘機逃脫，此番突然出現鄧家堡，不知用心何在。

還有那明宵之約的黑衣女子，無論如何也得在明夜和她作個了斷，然後再集中精神對付靈空。

此刻既未鬧出事端，只好暫時囑咐童淑貞和沈霞琳暗中監視他。

心轉意決，反易成眠，半宵好睡，精神盡復。

第二天，楊夢寰閉門未出，只召來童淑貞和沈霞琳，要她們暗中注意靈空，楊夢寰抽空運息打坐，把苦心大師轉賜功力導引入內。

天色不足二更，楊夢寰起身赴約，一口氣趕到那小廟前面。

天上雲氣濛濛，月色淒迷，四顧荒野，一片冷寂。

楊夢寰看看天色，似乎是自己到得早了一些，負手望著迷濛月色，呆呆出神。但覺心中事端紛至沓來，都是那般重大沉重，難以解決，不禁暗然一歎。

餘音未絕，突然身後啼的一聲嬌笑，道：「什麼事英雄如此氣短？」

楊夢寰急急回頭望去，只見一個白衣白裙的美艷女子，緩步從那小廟中走了出來。

她今宵裝束大變，髮挽宮髻，淡掃娥眉，長裙曳地，白衣如雪。

楊夢寰輕輕咳了一聲，道：「你來了很久麼？」

那美艷女子笑道：「嗯！來了很久，看賤妾這般裝束，比起那沈霞琳，遜上幾分顏色？」

楊夢寰上下打量那白衣女子一陣，只覺她穿著這身白衣之後，減去了不少詭異神秘的氣氛，增加了嬌艷嫵媚之感。
當下說道：「姑娘美艷，勝過拙荊甚多。」
白衣女子道：「楊夢寰你貴姓啊？」
楊夢寰先是一呆，繼而歉然一笑，道：「在下失禮，還未請教姑娘的姓名？」
白衣女子道：「嗯！你還算聰明，不過你又看走了眼。」
楊夢寰這一下是真的被說糊塗了，呆了一呆，道：「在下怎麼看走眼了？」
白衣女道：「你看我這般穿著，哪裏還像位姑娘。」
楊夢寰道：「姑娘適人了麼？」
白衣女笑道：「早已嫁過人了，不過我那夫君在我們洞房花燭時，突罹急症而死。」
楊夢寰道：「夫人如此際遇，可算得紅顏薄命……」
黯然一歎，接道：「夫人夫家大姓？」
白衣女道：「他姓車，不過提他的姓，知者不多，但他有一個外號，倒是人盡皆知。」
楊夢寰道：「怎麼稱呼？」
白衣女道：「毒龍島主。」
楊夢寰道：「在下素不善謊言，倒是未聽人說過這名字。」
白衣女道：「他到中原來用的什麼名字，賤妾就不清楚了，你若要稱呼我，叫我毒龍夫人好了。」
楊夢寰默查她的神情，輕鬆自如，毫無悲傷之情，心中暗道：「她述說亡夫之事，毫無悲苦之容，顯見他們夫婦之間，情意並不深厚……」

毒龍夫人道：「怎麼不說話了，可是覺得這稱呼很難聽麼？」

楊夢寰道：「夫人言重，在下並無此意……」

語聲微頓，接道：「夫人這次可是自毒龍島來麼？」

毒龍夫人道：「不錯，先夫故世之後，留下了很多屬下和無數的財富，他無兒無女，我不得不替他照看了。」

楊夢寰心中暗道：那無數的財富都已成你之物，你替那個照看？口中卻說道：「夫人此次帶人來到中原，不知有何貴幹？」

毒龍夫人笑道：「受人之邀，助陣而來。」

楊夢寰道：「請恕在下多問，夫人可是受陶玉所邀麼？」

毒龍夫人搖頭笑道：「不是，我和陶玉還是此次重來中原之後相識。」

楊夢寰心中大為奇怪，道：「不是受陶玉之邀，是受何人所請？」

毒龍夫人道：「王寒湘，先夫在世之日，和他本有過一面之交，年前他突訪毒龍島，原來是想邀先夫重來中原，但因我那夫君已逝，只好請我了。」

楊夢寰道：「你就輕易的答應了他？」

毒龍夫人道：「一則我遠嫁毒龍島，離開中原已久，也想回來瞧瞧，二則想見識一下陶玉和你楊夢寰，還有一件最為重要的事，是想見見我一位多年不見的師妹。」

楊夢寰道：「你師妹在中原？」

毒龍夫人道：「她在中原武林道上大有名氣，只是這幾年卻失去了蹤跡。」

楊夢寰道：「什麼人？」

毒龍夫人道：「玉簫仙子。」

楊夢寰接道：「玉簫仙子？」

毒龍夫人道：「不錯，那玉簫仙子，你認識她？」

楊夢寰道：「陶玉也認識，他就沒有告訴過你麼？」

毒龍夫人道：「沒有，我也未對他提過。」

楊夢寰道：「五年之前，在下和玉簫仙子曾經比試過武功，也曾經合作過，聯手拒敵……」

毒龍夫人接道：「現在她人在何處？」

楊夢寰心中暗道：這毒龍夫人性格和那玉簫仙子頗有類似之處，但那玉簫仙子的野性，已為朱若蘭馴服化去，隨同朱若蘭長住天機石府，但這毒龍夫人卻似那玉簫仙子野性未除以前的性格一般，我如說出天機石府她也許會找上門去，那朱若蘭此刻正在閉門練奇功，她如率眾尋找上門，鬧一個天翻地覆，那可是大憾之事。

心念一轉，緩緩說道：「這數年沒有見她……」

他不善謊言，說了一半，竟自接不下去。

毒龍夫人微微一笑，道：「怎麼不說了？可是不願意告訴我麼？」

楊夢寰輕輕咳了一聲，道：「在下不善謊言，這玉簫仙子現居之地，在下實是知道。」

毒龍夫人道：「那你爲何不說？」
楊夢寰道：「在未得那裏主人同意之前，在下不便擅自說出。」
毒龍夫人一皺眉頭道：「她生性好強，尤過於我，如何肯寄人籬下？」
楊夢寰道：「那人不但武功高強，氣度、胸懷尤非常人能及，玉簫仙子早已被她德能感化，和昔日相比，已判若兩人。」
毒龍夫人奇道：「有這等事……」微微一頓，接道：「你說那人是女人，還是男人？」
楊夢寰道：「女人！」
毒龍夫人道：「我有些不相信。」
楊夢寰心中暗道：我如再說下去，只怕要洩漏秘密，當下微微一笑，不再答話。
毒龍夫人道：「我到中原之後，聞聽人言，你和我那師妹玉簫仙子有過一段纏綿往事，不知是真是假？」
楊夢寰只覺一股怒火衝了上來，怒聲喝道：「誰說的？」
毒龍夫人笑道：「有就有，沒有也就算了，難道問問也不可以麼？」
楊夢寰輕輕歎息一聲，緩緩說道：「夫人定是聽那陶玉所言。」
毒龍夫人搖搖頭，道：「我不是告訴過你麼，我和陶玉從未提過玉簫仙子的事，因那陶玉對我別具用心，自然不肯提到別的女人頭上。」
楊夢寰道：「既非陶玉所言，那是何人所說？」
毒龍夫人道：「爲什麼要問得這樣清楚，說了你又能如何？」

語聲微微一頓，接道：「自咱們幾度比武之後，我雖確信你是一個正派君子，不過你在武林的聲名，卻是個艷聞最多，風流韻事頻傳不休的人物。」

楊夢寰劍眉聳動，肅然說道：「夫人千萬不要相信那些中傷之言。」

毒龍夫人笑道：「其實這也沒有什麼，英雄美人，情有所鍾，鬧一點風流韻事，那也是情理之中的事。」

楊夢寰怔了一怔，道：「這個，在下不敢苟同夫人之見。」

毒龍夫人笑道：「嗯！這得要請教閣下的高見如何了？」

楊夢寰道：「男女之情，貴在節操貞德，豈可等閒視之，如是情及於亂，那就等而之下，形同……」

毒龍夫人揮手說道：「好啦，好啦，別再說下去了，難聽死啦……」

語聲微微一停之後，又道：「你這般撇清解說，只不過是……」

楊夢寰接道：「在下是由衷之言，發自肺腑。」

毒龍夫人道：「就算是吧，其用心也不過說明你和我玉簫師妹，仍是玉潔冰清，沒有不可告人的事罷了。」

楊夢寰一皺眉頭，道：「在下用心，並非如此。」

毒龍夫人笑道：「請問你用心何在？」

她這般節節逼問，楊夢寰卻有著難言之隱，沉吟了一陣，肅然說道：「在下之意，只是說明在下的爲人性格。」

毒龍夫人突然格格大笑，舉步直對楊夢寰行了過來。

楊夢寰看她放浪形骸之情，頗有當年玉簫仙子之風，不禁駭然向後退了兩步，道：「夫人有何指教，先請站好再說。」

毒龍夫人恍如不聞，柳腰輕擺，春風俏步的直行過來，一面仍不停的格格大笑。

楊夢寰忙運功力，凝神戒備，冷冷說道：「夫人請放尊重些，再要如此，在下就要走了。」

毒龍夫人雖然仍在格格大笑，但卻依言停下了腳步，說道：「你能到哪裏去，我知道你住在鄧家堡，鄧家堡離這裏並不遠啊。」

楊夢寰道：「夫人武功高強，在下對夫人是十分敬重。」

毒龍夫人似是陡然間被針刺了一下，突的停住了大笑之聲，冷冷說道：「楊夢寰你可知此刻的處境麼？」

楊夢寰道：「在下知道。」

毒龍夫人道：「你知道，只怕也是有限得很，三日之內，鄧家堡即將慘遭滅堡屠殺，全堡雞犬不留了。」

楊夢寰吃了一驚，但卻故作平靜的緩緩說道：「陶玉處處算計我，這也不算什麼稀奇的事。」

毒龍夫人道：「但這次情形不同，不但有周密的計劃，而且還有著足夠的武林高手，我不過只是四路攻堡的一路主將而已。」

楊夢寰心中暗道：如若人人都和她一般武功，單是四路率隊主腦，就非鄧家堡中人所能拒擋！心中大急之下，不禁問道：「除你之外，還有三隊人馬，又是何人領隊？」

毒龍夫人道：「除我之外，陶玉親率一隊。」

楊夢寰道：「其餘兩人，想是那王寒湘和勝一清了？」

毒龍夫人繼續說道：「不是，王寒湘和勝一清只不過是負責四路的聯絡，還未有資格擔任一路領隊的重責大任。」

楊夢寰大吃一驚，暗道：陶玉這人當真是非凡人物，他既然請來這毒龍夫人，自是亦可能請來一些退出江湖的老魔頭，看將起來，這一戰當真險惡萬端。

心中驚恐不已，口中卻淡然問道：「夫人可知另外兩路領隊，是什麼人物麼？」

毒龍夫人道：「陶玉對此，守口如瓶，妾身只聽一個叫陰叟的老人，名字怪裏怪氣，我也懶得記他了。」

楊夢寰道：「陰叟老人，倒是從未聽過。」

毒龍夫人道：「也許我記錯了全名，但陰叟二字，大概不錯，只是不知加上些什麼字，配在一起罷了。」

楊夢寰道：「他們幾時發動？」

毒龍夫人微微一笑：道：「你可是想要我很詳細的告訴你麼？」

楊夢寰道：「夫人如若感覺有不便之處，在下自是不能相強。」

毒龍夫人笑道：「我既然說了，多說少說有何分別？說上一句被那陶玉知道了，恨我洩漏了機密，十句、百句也是一樣。」

楊夢寰雖已不願再問，但想到此事關係著數百人的生死，豈可為一點意氣，而貽誤大事，當下凝立不語。

毒龍夫人不聞楊夢寰回答之言，長歎一聲，接道：「你的武功，我已領教，那也不見得比我高明，如若憑你一人之力，想獨自支撐大局，只怕是力難從心。」

楊夢寰暗道：這話不錯，憑我楊夢寰一人之力，至多能抗拒一個陶玉，或是毒龍夫人，鄧家堡數百人口，就算個個不畏死亡，那也是只有慘被屠殺的份兒。

但聽毒龍夫人緩緩接道：「假如你今夜不來赴約，那也罷了，鄧家堡數百人的死亡，和我毒龍夫人扯不上一點關係，自不用同情和憐憫他們……」

楊夢寰道：「夫人這話……」

毒龍夫人接道：「聽我把話說完，但今夜你來了，情勢就大不相同……」

她仰起臉來，望著天上閃爍的星光，接道：「還有兩天一夜時間，你可盡此時限去約請高手前來助陣。」

楊夢寰苦笑一下，道：「夫人肯如此坦然相告，在下也不願騙夫人，別說時限短促，無法找得到人，就算加我十日限期，在下亦無法請得到能拒擋你們四路圍攻的高手人物。」

毒龍夫人凝目沉思了片刻道：「既是自知難擋銳鋒，那也不用逞一時意氣，妾為君借箸代籌，不如連夜撤出鄧家堡吧。」

楊夢寰道：「夫人盛情可感，容在下回堡計議後再作決定。」

毒龍夫人略一沉吟，道：「依據那陶玉計劃，賤妾是主西，萬一你仍留堡中，屆時可由此處逃走。」

楊夢寰道：「不論在下是戰是退，夫人這番盛情，在下都一樣感激……」

抬頭望望天色，接道：「此刻時光，寸陰寸金，在下亦該早些去準備一下了，陶玉疑心深重，鬼計多端，夫人連連和在下相見，說不定早已在他監視之中，還望多多珍重，在下就此別過。」抱拳一禮，轉身而去。

毒龍夫人道：「別忘了我主持正西方位。」

但聞楊夢寰遙遙應道：「記下了。」

毒龍夫人望著楊夢寰遠去的背影，長長歎息一聲，緩緩轉身而去。

就在楊夢寰和毒龍夫人離開不久，那荒涼的小廟中，突然閃出了一條人影。

青帕包頭，玄色勁裝，打量了一下四周的形勢，疾向正北奔去。

十五　雙雄決鬥

且說楊夢寰滿懷焦慮，一口氣奔回鄧家堡。

只見室中紅燭高燒，沈霞琳正在呆呆的望著燭光出神。

一見楊夢寰無恙歸來，沉重的臉色上，立時綻開了溫柔的笑容，道：「你回來了。」

楊夢寰正待答話，突聞室外傳來鄧開宇的聲音，道：「楊大俠回來了？」

楊夢寰道：「是鄧兄麼，快請進來。」

鄧開宇緩步而入，拱手笑道：「楊大俠眾望所歸，今夜初更，又有一批武林同道，慕名趕來鄧家堡了……」

楊夢寰輕輕歎息一聲，道：「鄧兄，在下有幾句話，如硬在喉，不吐不快。」

鄧開宇道：「楊大俠有何見教，只管請說。」

楊夢寰略一沉吟，道：「鄧家堡佈置太過鬆懈，以致很多人輕易混了進來。」

鄧開宇道：「那些人都是心慕你楊大俠之名而來，讓他們進入堡中，有何不可？」

楊夢寰輕輕歎息一聲，道：「現在時間不多，寸陰寸金，不宜再浪費它了，鄧兄快去請老堡主，選一處防守森嚴的安全所在，在下有重要大事相商……」

目光轉到沈霞琳身上，道：「你去請童師姊。」
沈霞琳應了一聲，急步出室而去。
鄧開宇自和楊夢寰相識以來，從未見過他這般惶急的神色，也不再多問，立時起身而去。
不久，鄧開宇重又回來，說道：「家父已在地下密室等候。」
這時沈霞琳已將童淑貞請來，四人魚貫出室直奔地下密室。

密室中一張紅漆圓桌上，高燃著兩支紅燭，鄧固疆早已在室中相候。
楊夢寰當先步入密室，鄧固疆立時起身相讓，楊夢寰也不客氣，帶著沈霞琳坐下，說道：「深夜驚擾老堡主的好夢，在下心中不安得很。」
鄧固疆道：「楊大俠深夜相召，必有要事指教。」
楊夢寰道：「目下鄧家堡正面臨玉石俱焚的大難，兄弟不得不召請兩位來早作計議了。」
鄧固疆吃了一驚，道：「願聞其詳。」
楊夢寰略一沉吟，當下把聽得毒龍夫人之言，刪繁從簡的說了一遍。
鄧固疆訝然說道：「有這等事？」
楊夢寰道：「此事確然非假，不知老堡主有何良策？」
鄧固疆道：「這個還是請楊大俠籌思拒敵之策，老朽是悉憑吩咐。」
楊夢寰輕輕歎息一聲，道：「就事而論，敵勢的強大，似已非是我們能夠抵禦，在三日後敵人的四路總攻中，鄧家堡多留一個人，就會多一個屈死的冤魂。」

鄧固疆一皺眉頭，道：「照楊大俠這等說法，咱們是毫無取勝的機會了？」

楊夢寰淡淡一笑，道：「敵勢如泰山壓頂，別說取勝的機會，就是想抗拒一兩個時辰，亦是有所不能。」

鄧固疆道：「楊大俠的意思呢？」

楊夢寰道：「陶玉邀請高手，總攻鄧家堡，用心是為我楊夢寰，慘屠鄧家堡只不過是為了遷怒。」

童淑貞接道：「除了遷怒之外，他還為了權威，想借屠殺鄧家堡一舉震驚武林。」

楊夢寰微笑接道：「不錯，因此咱們不能讓數百口無辜的男女陪葬……」目光轉注到鄧固疆的身上，接道：「在下之意，是希望老堡主能立刻傳諭，著令堡中的人，連夜出走，避劫他方，暫時躲避一些日子，等待大劫過後，再行回堡，重整家園。」

鄧固疆道：「楊大俠呢？」

楊夢寰道：「事因在下而起，我自然要留在堡中了。」

鄧固疆道：「好吧，老朽立時傳諭，堡中老幼婦孺，一律撤出，二十歲以上，四十歲以下的男子，各憑志願……」

楊夢寰歎息一聲，接道：「要他們一起走吧，多留一個，就多一個無辜的冤魂。」

鄧固疆道：「老朽生於斯，長於斯，今日得能埋骨於斯，死而何憾，楊大俠正值有為之年，武林正義繫於你一人身上，既知已不可為，留此何益，不如今宵帶你的人員一併撤走，鄧某人憑這一把老骨頭，要為武林留下一點浩然之氣……」

楊夢寰接道：「老堡主把話說到哪裏去了，我楊夢寰如不留在鄧家堡，激怒了陶玉，只怕這方圓二十里，都將在他一怒之下，盡化劫灰……」

他緩緩站起身子接道：「此刻並非是研商拒敵之策，老堡主先請遣散堡中居民，至於如何拒擋來犯之敵，容在下稍作思考再作主意。」

鄧固疆道：「楊大俠既然這般堅決，老朽是恭敬不如從命了。」

楊夢寰站起身子，道：「急不如快，老堡主就請立刻傳諭……」目光轉到沈霞琳和童淑貞臉上，道：「你二人去監視那靈空舉動，待我趕到之後，再行動手，先把他生擒活捉，以防除心腹之患。」站起身，離開密室，直奔臥房。

他心有所思，急急奔回臥室之中，正待伸手去床頭拿取兵刃，瞥見一個全身黑衣頭罩黑紗的不速之客，盤膝坐在木榻之上。

楊夢寰奔入室中的步履之聲很重，那木榻上的黑衣人分明已經聽到，但卻是一副恍若未聞的神情，仍然端坐不動。

楊夢寰鎮靜了一下心神，暗道：這鄧家堡的防衛，實在是鬆懈得很，竟是任人自由來去！心念轉動，人卻向後退了一步，緩緩說道：「閣下是什麼人？」

那人明明聽到，但卻是置若罔聞，不予答理。

楊夢寰冷笑一聲，道：「閣下也未免太大膽了。」右手一揮，直拍過去。

那人端坐不動，直待楊夢寰的右掌將要觸及他的前胸，才突然一揚右掌，指尖疾向楊夢寰的右腕脈穴上掃去。
楊夢寰疾快的縮回右腕，退後了兩步，那人一舉手間，楊夢寰已知遇上了勁敵。
只見那黑衣人舉手取下頭上的黑紗，緩緩說道：「不用怕，我不是毒龍夫人。」
楊夢寰心頭一震，道：「趙姑娘！」
黑衣人緩緩站起身子，道：「趙小蝶。」
雙肩微晃，人已躍下木榻。
楊夢寰道：「趙姑娘稍坐片刻，容我點上燭火。」
趙小蝶微微一笑，道：「不用了，你和那毒龍夫人在小廟之前的約會，夜暗談心，就不怕她吃了你，難道還怕我趙小蝶麼？」
楊夢寰道：「你都知道了？」
趙小蝶道：「哼，那毒龍夫人武功有什麼好，我一直追在她身後，她就不知道。」
楊夢寰道：「那陶玉四路總攻鄧家堡的事，你也知道了？」
趙小蝶道：「早知道啦。」
楊夢寰歎息一聲，道：「鄧家堡雖然來了很多武林同道，但據我觀察，都不是名列武林高手的人，憑鄧家堡這點實力，要想拒擋那陶玉四路總攻，實在比登天還難。」
趙小蝶道：「咱們坐下談吧！」當下坐了下去，接道：「你準備怎麼辦？」
楊夢寰道：「撤走鄧家堡中無辜居民，在下留此和陶玉決一死戰。」
趙小蝶道：「螳臂擋車，飛蛾撲火，你要自取敗亡。」

楊夢寰道：「敗亡雖在意料中，但總得要有一戰，我如在這一戰，撲殺陶玉，縱然一死，也算償了心願。」

趙小蝶道：「匹夫之勇不足取……」

突聞步履之聲傳了過來，沈霞琳手持長劍，急奔而入，道：「寰哥哥……」

楊夢寰急急接道：「快來見過趙姑娘。」隨手燃火折子，點起了案上燭火。

燈光下只見沈霞琳滿臉焦急之情，目睹趙小蝶後，不禁微微一怔，道：「啊！你來得好極了，我們處境險惡，正在無法可想之時，有你幫助，我們不用發愁了。」

她臉上的歡笑是那麼誠摯，純潔，毫無一點懷疑和不安之情。

趙小蝶突然打從內心泛起一縷慚愧之感，嫣然一笑，道：「事情太緊急，來得太匆忙，忘記先通知姊姊一聲了。」

沈霞琳笑道：「你見到寰哥哥，和他討論拒敵大計，那自是不用再見我了。」

趙小蝶道：「姊姊說得是……」

轉臉望著楊夢寰接道：「你如一定要留鄧家堡和陶玉決一死戰，也得有個準備才是。」

楊夢寰道：「彼此實力懸殊甚大，準備也無從作起。」

趙小蝶略一沉吟，道：「我幫助你。」

楊夢寰星目中神光一閃，道：「趙姑娘說的當真麼？」

趙小蝶道：「我一直在幫助你，不過明暗不同罷了……」

嗤的一笑，接道：「有時我和你故意鬧些彆扭，那不過開玩笑的罷了。」

沈霞琳突然說道：「哎呀，我忘了一件事。」

楊夢寰道：「什麼事？」

沈霞琳道：「靈空跑了，童師姊已經暗中追蹤而去，我來告訴你，但看到趙家妹子，心裏高興，就把事情忘了。」

楊夢寰一皺眉頭，道：「你陪趙姑娘在這裏談談，我去追她回來。」

趙小蝶道：「不用去追她，她自己會回來。」

楊夢寰道：「那枯佛靈空，武功十分高強，童師姊一人只怕非他之敵。」

趙小蝶笑道：「如若只談劍術，童淑貞決不會在你之下，這一點你儘管放心就是，何況那靈空和尚也不會和童淑貞動手。」

楊夢寰奇道：「你好像很清楚。」

趙小蝶道：「不錯，陶玉請我主持正北方攻擊，被我婉言謝絕，他的計劃，我比那毒龍夫人還要清楚得多。」

楊夢寰道：「原來如此。」

趙小蝶道：「遣走鄧家堡老幼婦孺，減少無辜傷亡，辦法不錯，但你要想法子把留在鄧家堡的人組合起來，使他們進退有據，可以號令，明晚三更時我再來見你，咱們詳細的研究出個拒敵之策來。」緩緩站起身子，握住沈霞琳一隻手，道：「姊姊請放寬心不用憂慮，小妹先去了。」轉身向外行去。

沈霞琳輕輕歎息一聲，道：「妹妹武功高強，人又和氣，如是能夠常和我們在一起，不但可以幫助寰哥哥，我和紅姊姊也可以時常討教。」

趙小蝶回眸一笑，答非所問的道：「咱們明晚再見。」嬌軀一晃，行蹤頓失。

楊夢寰目注趙小蝶身形消失後，低聲對沈霞琳道：「咱們得快些追尋童師姊的下落了。」

只聽身後傳過來童淑貞的聲音，道：「不用找我了。」

一陣衣袂飄風之聲，童淑貞飛躍而至。

沈霞琳急急的間道：「那靈空和尙哪裏去了？」

童淑貞道：「這賊和尙不知打的什麼算盤，跑出堡外，轉了一圈，重又走了回來。」

楊夢寰道：「他也許是受了陶玉的脅迫而來，此人在鄧家堡中出現，除了使咱們分出部份高手監視於他，分散一些實力之外，還有一個大大的作用，那就是要咱們懷疑鄧家堡中所有的武林同道，不敢重用他們。」

童淑貞道：「這般說來，留下其人總是禍害，何不早些下手把他剪除掉？」

楊夢寰略一沉吟，道：「此刻形勢，彼眾我寡，非出奇謀，實不足以抗敵勢，靈空雖爲強敵，但亦可加以利用……」

童淑貞低聲說道：「我明白了，師弟可是想借那靈空之口，傳出假情報……」

楊夢寰道：「正是此意，但其間必得佈置得真假混雜，使那陶玉無法捉摸。」

童淑貞道：「師弟說得是，咱們此刻處境，必須置之死地而後生，點點滴滴的力量，都得發揮盡致，陶玉可用靈空來此臥底，咱們亦可利用靈空以拒陶玉。」

楊夢寰道：「此事還得先佈置。」附在童淑貞的耳邊，低聲數語。

童淑貞點頭應道：「師弟高見。」轉身一躍，人又消失在夜色中不見。

楊夢寰回頭對沈霞琳說道：「你也該去休息一下，此刻情勢隨時可能爆發一場大戰，能助我克敵的只有你和童師妹兩人……」

沈霞琳歎道：「如是那蘭姊姊不在坐關期間，一定會趕來相助的。」

楊夢寰道：「就算上六寶和尚，也不過三個人而已。」

沈霞琳接道：「還有六寶和尚，他那一拳一腳連環攻勢，很少人能夠躲過。」

次日，二更時分，鄧固疆下令堡中婦孺老弱，連夜撤走。

鄧家堡中，訓練有素，深夜令下，毫無慌亂哭喊之事。

楊夢寰站在堡門旁，望著絡繹不絕的老弱婦孺，魚貫相隨，趁夜色離堡而去，心中感慨萬千，黯然忖道：我楊夢寰如有能力保護這鄧家堡，也不用他們扶老攜幼，背井離鄉，逃難他處了……

忖思之間，瞥見鄧固疆行了過來。

這位一生謹慎，但臨老卻闖下了大禍的老堡主，此刻倒是精神振作，毫無頹喪不安之感。

楊夢寰當先抱拳一禮，道：「老堡主……在下……」

鄧固疆接道：「鄧家堡年輕子弟，志願留下了八十二人，連同我的家丁有一百二十九名可以供調度之用。」

楊夢寰心中暗道：我要他們都走你卻不肯，偏多留下八十二人，口中卻接道：「他們可都是志願留下麼？」

鄧固疆道：「他們堅持要留在堡中，保衛家園，老夫也不便硬性強迫他們。」

楊夢寰道：「既是如此，還望老堡主珍重使用他們。」

鄧固疆笑道：「我鄧家堡有數十個連珠箭匣，還有十幾具更歹毒的梅花針筒，和那宮天健調配的三桶毒液，老朽已下令取出針筒、毒液分發他們施用。」

楊夢寰道：「好！陶玉既有血洗鄧家堡之心，咱們也只好以牙還牙，以毒攻毒，不擇手段了。」

鄧固疆接道：「犬子已在廳中設筵，盡請堡中群豪，說明內情，要他們自決去留。」

楊夢寰道：「做得好，老堡主請在此照顧一下，在下還有事要先回宅中一趟。」

鄧固疆道：「楊大俠請便。」

楊夢寰回到臥室，沈霞琳早在室中等候，說道：「二更過了，那趙家妹子快要來了……」

晃燃了火摺子，點起火燭，接道：「咱們坐下等她吧。」

楊夢寰今宵穿著一身深藍勁裝，沈霞琳也換了一身白衣白裙。

兩人對面而坐，桌案上紅燭高燒，四色水果，整齊的擺在木案上。

靜夜深閨，夫婦相對，這該是一幅動人的畫面，但被兩人愁鎖的雙眉，破壞了室中的氣氛。

案上的紅燭已經燒去了一半，蕊花處，結了一個很大的花影。

沈霞琳輕輕歎息一聲，道：「現在已經是三更過後了，那趙家妹子，不知會不會忘記了今宵的約會呢？」

楊夢寰道：「如果她真的忘了，那也罷了，怕的是她不是忘去，而是故意不來。」

沈霞琳問道：「爲什麼？趙家妹子不是那等言而無信的人。」

楊夢寰道：「唉！我怕她中了那陶玉的暗算。」

沈霞琳一下子急了起來，道：「不錯，咱們去找他吧。」

楊夢寰道：「到哪裏找她？」

沈霞琳緩緩坐了下去，道：「唉！咱們不知她的居住之處，也是沒有辦法的事。」

熊熊的火燭，已然燒去了大半，楊夢寰卻呆呆的望著那火燭出神！

沈霞琳伸手從頭上拔出一支玉簪，撥去了燒殘的燭蕊。

燭光大盛，室中更爲明亮。

楊夢寰心中思緒雜亂，暗自忖道：「難道那趙小蝶又被陶玉說服，改變了主意不成……」

忖思之間，突聞一陣輕微的衣袂飄風之聲傳了過來。

楊夢寰心中一動，暗道：來了！精神一振，轉臉望去。

只見一個黑裙曳地，髮挽宮髻，手執玉簫的女子，緩緩走入室中，笑道：「小兩口秉燭對坐，桌上鮮果未動，定是在等客人了？……」

沈霞琳突然站起，道：「啊！玉簫姊姊。」

來人正是追隨朱若蘭留居天機石府，野性盡馴的玉簫仙子。
楊夢寰起身抱拳一禮，道：「玉簫姑娘，久違了。」
玉簫仙子道：「三年多了，楊兄別來無恙。」
楊夢寰輕輕歎息一聲，道：「陶玉重出江湖，掀起了滔大風波，此刻江湖形勢，較諸五年前更爲險惡。」
玉簫仙子道：「賤妾奉了朱姑娘之命，正是爲此而來。」
目光轉動，望了望桌上水果和沈霞琳一眼，笑道：「水果未動，紅燭已殘，什麼客人，竟是這樣的不守信約。」
楊夢寰道：「玉簫姑娘先請坐下，吃杯茶，休息片刻，咱們再談不遲。」
玉簫仙子道：「不速之客，不知是否方便？」
沈霞琳道：「唉！她恐怕不會來了。」
玉簫仙子道：「什麼人？」
沈霞琳道：「趙小蝶，昨宵她親口對寰哥哥說，今夜來此和寰哥哥共商拒敵之策，唉！料不到她竟然失約未到。」
玉簫仙子充滿歡笑的臉上，突然間變得一片嚴肅，緩緩說道：「妾身奉命來此，首要之務，是要瞭解兩位目下的處境如何！」
楊夢寰道：「險惡無比。」
玉簫仙子道：「楊兄能不能說清楚些？」

楊夢寰輕輕歎息一聲，把目下處境，以及陶玉約請高手，四路總攻鄧家堡的經過，很仔細的說了一遍。

玉簫仙子略一沉吟，道：「賤妾本擬立時動身趕回天機石府覆命，但就目下情勢而論，楊兄似是已陷孤立無援之境，賤妾留此，或可相助一臂之力……」

沈霞琳道：「蘭姊姊在天機石府中等你覆命，你如不回去，豈不要她懸念不安？」

玉簫仙子笑道：「不妨事，朱姑娘來時，曾經指示過賤妾，如是情勢需要，賤妾亦可暫時留下相助，只要楊兄寫封覆函就是。」

楊夢寰道：「我未見來函，如何覆信？」

玉簫仙子道：「信在賤妾身上。」放下手中玉簫，緩緩取出一封素箇，遞向楊夢寰。

楊夢寰接過素箇一瞧，只見上面寫著：書奉楊夢寰親拆，七個娟秀的大字。

沈霞琳輕輕歎息一聲，道：「不論什麼事，蘭姊姊都能夠先有安排。」

玉簫仙子道：「不錯，朱姑娘天縱英明，豈是常人能夠及得。」言詞之間，流露出無限敬佩。

楊夢寰拆開素箇，只見函首分寫著自己，沈霞琳和李瑤紅的名字，這封信從外面瞧去，若有無限私情，但拆封一看，卻是一片坦蕩。但見寫道：

霞琳月前來此，正值我內功交關之時，致未能迎賓深閨，握手談心，開關時，霞琳已去月餘了。

近日間江湖上兇訊頻傳，趙小蝶遊戲風塵，自號多情仙子，陶玉再出江湖，重振天龍幫聲威，不論變化如何，夢寰都將是此中受累之人。

茲遣玉簫仙子，奉上一函，盼把近日江湖情勢，詳函說明。

下面署著朱若蘭的名字。

楊夢寰合上素箋，道：「我修回書一封，但姑娘留在此地，回書何人送去呢？」

玉簫仙子笑道：「這就不勞你多費心了，你只管寫信就是。」

楊夢寰取來文房四寶，即席揮毫，細陳江湖近日情勢演變，套上封套，交給玉蕭仙子道：「那就有勞姑娘了。」

玉簫仙子接過覆信，折疊之後，藏入懷中，笑道：「此刻天尚未亮，明日再發不遲。」

楊夢寰忍了又忍，還是忍耐不住，問道：「姑娘如何送走此信？」

玉簫仙子答非所問的道：「陶玉兩日之後，要分兵四路，總攻鄧家堡，楊兄可知他請的什麼人物麼？」

楊夢寰道：「就在下所知，除了陶玉本人主持一路之外，還有位毒龍夫人……」

玉簫仙子失聲叫道：「毒龍夫人，這話當真麼？」

楊夢寰暗道：該死，那毒龍夫人是她師姊，再三探問她的下落，我竟然忘記告訴她了，當下輕輕咳了一聲，道：「她是你同門師姊麼？」

玉簫仙子點點頭，道：「不錯，你如何知道？」

楊夢寰道：「在下曾和那毒龍夫人見過兩次面……」

玉簫仙子接道：「她約你見面，告訴了我們的出身，是麼？」

楊夢寰道：「不錯啊。」

玉簫仙子道：「聽說那毒龍島主早已去世，她那毒龍夫人之名，早已有名無實的了。」

楊夢寰道：「不錯。」

玉簫仙子奇道：「她能在荒島上一住十幾年，不履中土一步，這份耐性，倒是難得，陶玉能把她請出毒龍島來助拳，這人的神通，顯是大了許多，我們師姊妹長久不見，我也該去找她談談才是。」伸手取過玉簫，轉身一躍，破空而去，消失在夜色之中。

楊夢寰望著玉簫仙子飛躍出室的身法，低聲對沈霞琳說道：「這幾年她居留在天機石府，武功似是又有進境。」

沈霞琳道：「如是咱們也搬到天機石府去住，那就不會有這些煩惱了。」

楊夢寰緩步走出臥室，望望天色，道：「已是四更過後時分，趙姑娘大約是不會來了。」

沈霞琳道：「小蝶妹妹不是言而無信的人，今宵失約，必有原因。」伸手收起桌上水果，接道：「這些日子你日夜忙碌，勞心勞力，也該好好的休息一下了。」

楊夢寰仰望著滿天星斗，接道：「那陶玉勞師動眾，約請了無數高手，名在總攻鄧家堡，其實志在我楊夢寰。」

沈霞琳道：「寰哥哥吉人天相，那陶玉算計了你很多年，都無法得手，這一次定也是白費心機。」

楊夢寰道：「這一次情勢有些不同，他以鄧家堡千百人命作注，迫我決戰，我既不能逃，只有全力迎戰，但咱們這一戰卻是毫無勝算。」

沈霞琳緩緩走到楊夢寰的身側，柔聲說道：「有趙家妹子和玉簫姊姊相助，陶玉人手雖多，也難得逞。」

楊夢寰苦笑一下，道：「趙小蝶今宵失約未來，顯是事情有了變化，不是改變了心意，就是爲陶玉所算……」

他長長歎息一聲，接道：「玉簫仙子一人之力，也難有多大幫助……」

沈霞琳伸出手去，輕輕握住了楊夢寰的手腕，柔聲說道：「寰哥哥，我有一件事情問你，要是問錯了，你不要生氣才好。」

楊夢寰奇道：「你問吧。」

沈霞琳道：「趙小蝶可是很喜歡你麼？」

楊夢寰料不到她會問到這上面來，呆了一呆，道：「趙小蝶性格多變，難以測度，這個我就不知道了。」

沈霞琳笑道：「我知道，她心裏喜歡你，口裏卻不肯說出來，所以有時幫助你，有時卻又給你來搗亂。」

楊夢寰道：「誰告訴你的？」

沈霞琳道：「我自己瞧出來的，唉！我現在很大了，也懂得很多事，你怎麼還把我當作小孩子看呢？」

楊夢寰道：「趙小蝶喜怒無常，她心裏如何打算，別人哪裏能夠知道。」

沈霞琳歎道：「使君有婦，趙小蝶又和我同紅姊姊是很要好的姊妹，就算她心裏真的喜歡你，既不能啓齒示情，又不能橫刀奪愛，只有悶在心裏了，所以才變得鬱鬱寡歡，性情失常。」

楊夢寰對沈霞琳這番話，似是大感意外，楞了半晌，道：「這都是你心裏想到的麼？」

沈霞琳道：「不錯啊……」微微一笑，接道：「我和紅姊姊同你成親之日，都不肯爲正室，堅持居爲偏房，你可知道爲什麼？」

楊夢寰輕輕歎息一聲，道：「不知道。」

沈霞琳道：「這方面你就沒有我聰明了，我和紅姊姊曾經仔細商量過，覺著應把那正室之位，留給蘭姊姊……」

楊夢寰吃了一驚，道：「胡說什麼，朱姑娘人間威風，天上仙子，我楊夢寰憑什麼……」

沈霞琳嗤的一笑，接道：「不錯啊！蘭姊姊是人間威風，天上仙子，但是鳳心有凰，仙子多情，你如娶了她們爲妻，不但是你的福氣，我和紅姊姊都要跟你沾光了。」

楊夢寰歎息一聲，道：「不許胡說了。」

沈霞琳道：「寰哥哥，讓我把話說完吧……」

語聲微微一頓，接道：「紅姊姊不會妒忌，蘭姊姊大度如海，我更是希望你娶上十個八個好姊妹，我們也好結伴去遊山玩水，如是趙小蝶喜歡你，爲什麼你不娶了她，要知合則情侶，分則冤家，難道你連這點都瞧不出來麼？」

楊夢寰笑道：「古往今來，從未聽到一個作妻子的苦口婆心勸丈夫，去愛別人，多納妻妾的。」

沈霞琳嫣然一笑，道：「我說的都是真心話，只要你心中喜愛我，我就很滿足了，你知道紅姊姊不會說話，蘭姊姊那面有我去解說，你就娶了她吧！」

楊夢寰道：「蘭姊姊才無暇管這等閒事，別胡扯了。」牽著霞琳，步入室中。

時光匆匆，轉眼間兩天過去，趙小蝶既未再來，玉簫仙子也是一去不回。

這夜，正是陶玉總攻鄧家堡的限期。

天約二更時分，月明如畫，鄧家堡一片靜寂，四周毫無防守，所有之人都集聚在鄧府之中。

楊夢寰勁裝佩劍，站在鄧府大門的廣場中，四周插著八支巨大的火把。

火光，月色，交織成一片不調和的緊張氣氛，楊夢寰負著雙手孤獨的站在月色火把交織的光華中。

突然間響起幾聲尖厲的長嘯，劃破了夜的沉寂。

緊接著幾聲尖厲的長嘯過後，四周湧現出無數的人影。

爲了避免無謂的死亡，楊夢寰撤除了四周的防衛，他想這樣能解除這一場近乎屠殺的大戰。

四周出現的人影，迅快的集結到鄧府門前的廣場前面。
這些來到鄧家堡中的強敵，似乎都爲楊夢寰這一悲壯的孤獨行爲所震動，齊齊停下了腳步。
楊夢寰雙目凝神，迅快的掃視了群豪一眼，果然未發現趙小蝶和毒龍夫人。
事情顯然是有了變化，毒龍夫人那一路總攻首腦也似被取消。
楊夢寰不見趙小蝶和毒龍夫人，不由暗暗歎息一聲，忖道：「所有可能援手的力量，都已有了變化，眼下只有激怒陶玉，和他決一死戰了。」
他重重咳了一聲，高聲說道：「陶玉你勞師動眾而來，何以竟不現身相見？」
語聲甫落，一個尖細聲音，接道：「那是楊兄眼拙了。」
一個身著及膝大褂，手套金環的少年，緩步越眾而出。
楊夢寰一抱拳，道：「陶兄爲我楊某一人，勞動這多武林高人，大舉侵犯，實是叫兄弟感覺榮幸得很。」
陶玉冷笑一聲，道：「趙小蝶和毒龍夫人，是楊兄憑仗的兩路援手，現已然完全斷去，就憑楊兄一人，和鄧家集聚的一點江湖上無名小卒，只怕是難和兄弟抗拒。」
楊夢寰縱聲大笑，道：「陶兄，平心而論，你這多日準備安排的四路總攻，只不過志在我楊某一人而已……」
陶玉笑道：「楊兄自然是主要首腦。」
楊夢寰高聲說道：「鄧家堡中數百無辜之人，如何能和陶兄及江湖精銳對抗，兄弟倒有一個計較，不知陶兄意下如何？」

陶玉道：「領教，領教。」

楊夢寰道：「當著陶兄邀請助拳而來的高人之面，兄弟想與你約法三章，咱們兩人各憑武功，在此一決勝負，你殺了兄弟，那是一了百了，除去了眼中之釘，萬一兄弟勝了陶兄，就請陶兄高抬貴手，放過鄧家堡數百位無辜之人。」

陶玉避開正題不答，答道：「楊兄可是自信一定能夠勝得兄弟麼？」緩步直對楊夢寰行了過去。

楊夢寰冷冷說道：「勝負很難預料，陶兄如肯應戰，就請一言而決。」

他說話的聲音很高，每字每句都使全場人聽到。

陶玉心中雖然不願，但在眾目睽睽之下，實不便說出「不行」二字，當下冷笑一聲，道：「楊兄想和兄弟動手，我是捨命奉陪，勝負生死，各憑武功，但在比武之前，不談條件。」

楊夢寰心中暗道，如是講為人的陰沉歹毒，我楊夢寰是決難以如他，看來今宵之局，只有盡我全力，把他傷斃於劍下了。心念一轉，唰的抽出長劍，道：「在下候教，陶兄遠道跋涉而來，先行發招如何？」

陶玉心中忖道：「無論如何，今宵必得殺死他不可。」

兩人心中各自打著算盤，計劃著應付今宵之局。

只聽陶玉格格一笑，道：「恭敬不如從命。」舉起手中金環劍，緩緩向楊夢寰刺了過去。

這一劍，勢道之慢，有如蝸牛慢步。

但楊夢寰心中卻明白，陶玉這一劍之中，實在暗藏著很多的奇變，只要自己揮劍一格，陶玉立時就勢而變，以驚霆迅雷之勢，攻向自己的破綻，要害。

楊夢寰雖然未讀過「歸元秘笈」，但卻常聽趙小蝶談到，就記憶所及，似是有這麼一招劍勢。

只是那金環劍距離楊夢寰前胸，不足半尺光景，那緩如蝸牛的劍勢，突然加快，刺了過去。

幾乎在陶玉劍勢加快的同時，楊夢寰也陡然一吸真氣，退後兩尺。

原來陶玉劍勢和右臂已將伸直，劍招已然無法再變。

陶玉一劍刺空，冷笑一聲道：「好啊！楊兄的武功又似有了進步。」

說話之中已然展開急攻，金環劍如狂風驟雨，片刻間連攻了一十二劍。

楊夢寰劍勢揮展，一陣金鐵交鳴之聲，將陶玉攻來的十二劍盡都架開，道：「陶兄的武功也是日有進境。」

兩人口中客氣，手下卻是火辣，熾烈，一劍狠似一劍，一劍快過一劍，展開了一場爭奪先機的快打。

隱身在鄧府大門的沈霞琳，似已無法忍受，緩緩走了出來，站在鄧府大門前台階上，看雙方惡戰。

夜風吹來，飄起她散髮衣袂。

這時場中不下數十人，但卻聽不到一點聲息，似是都在留心著這場惡戰。

兩人劍勢，愈來愈快，變化也愈見奇幻，有時劍光暴散漫天，分不清是敵是我。
惡鬥中突聞陶玉冷笑一聲，金環劍疾翻而起，劃破了楊夢寰的後背。
衣服破裂，鮮血泉湧而出！
陶玉劍勢一轉，疾沉而下，劍變「禍起蕭牆」，又劃破楊夢寰左面大腿。
這兩招奇變，都是「歸元秘笈」上的劍式，陶玉亦是所學不久，楊夢寰封架不及，連受兩處劍傷。
陶玉格格一笑，疾退兩步，橫劍而立，冷冷說道：「楊兄怎麼樣？是否還有再戰之能。」
楊夢寰兩處傷勢幸好都未傷及筋骨，但每處傷口都長逾三寸，亦是痛苦難忍。
他暗中咬牙，忍受傷疼，淡然一笑，道：「區區一點傷勢，算不了什麼，數月不見，陶兄的武功又似有了甚大進境。」
陶玉道：「誇獎，誇獎，楊兄的耐受之力，實叫兄弟佩服得很。」
楊夢寰長長吸一口氣，納入丹田，道：「在下倒希望今日一戰之中，咱們能分個生死出來。」
陶玉冷冷說道：「兄弟在這些日子之中，曾經苦思對付楊兄弟的辦法……」
楊夢寰道：「你終於找出來了。」
陶玉道：「不錯，那『歸元秘笈』實是武學中的寶典，每看一次，必有收獲，讀上十遍、百遍都是一樣。」
楊夢寰心中暗道：我受了兩處劍傷，失血很多，這陶玉不肯趁機動手，倒是有些奇怪，此人鬼計多端，必然另有毒計，今日既有必死之心，任他施用各種手段就是，既不動手，也得借此機會調息一下。

只聽陶玉接道：「兄弟爲楊兄借箸代籌，倒有一策可脫今日死亡之危。」

楊夢寰道：「這麼說來，兄弟得領教了。」

陶玉道：「領教不敢當，但咱們既有相識之情，兄弟不願趕盡殺絕……」

楊夢寰知他用心，要當天下英雄之面，羞辱自己，暗中運氣準備再戰，口中不再多言。

但聞陶玉格格一陣大笑，道：「楊兄性好漁色，終日生活在脂粉中，兄弟把當世最美的女人和楊兄安排在一起，雖斗室陋居，在你亦算溫柔鄉……」

楊夢寰道：「公道自在人心，陶兄無論如何羞辱兄弟，在下也不放在心上。」

陶玉冷笑道：「楊兄的修養，在下一向佩服……」突然回過頭去，高聲說道：「那籠車來了沒有？」

只聽一人應道：「回報幫主，籠車已到了鄧家堡外。」

陶玉冷冷說道：「快些馳入堡來，我要請天下敬佩的楊大俠，進入鐵籠之中，過幾年溫柔生活。」

楊夢寰突然縱聲大笑，道：「陶兄，咱們相識之後，陶兄就一直處心積慮，算計兄弟，可惜你一直無法如願……」

陶玉冷冷說道：「也許今日兄弟可償心願了。」

楊夢寰道：「只怕未必。」右手長劍一振，疾刺過去。

陶玉金環劍一招「拒虎門外」，擋開楊夢寰的劍勢，還擊兩劍。

兩人又展開了一場惡鬥。

陶玉連刺了楊夢寰兩劍之後，增強了不少信心，他心中原本對楊夢寰有些畏懼，此刻也一掃而空，金環劍如行雲流水一般，招招搶攻，打得輕鬆至極。

楊夢寰卻是小心翼翼，採取守勢。

只聽陶玉格格一陣大笑，道：「楊兄，你可是很緊張麼？」

楊夢寰凝神運劍，對陶玉譏諷之言，恍如未聞。

陶玉自從挫在楊夢寰手下之後，翻閱「歸元秘笈」，找出了幾招絕學，果然得能一雪前恥，把楊夢寰傷在劍下。

楊夢寰未閱讀過「歸元秘笈」，但他武功大都由趙小蝶口述指導，淵出同源，內功又強過陶玉，這一小心防守，陶玉立時感覺無懈可擊，因此想盡方法，想使楊夢寰分心說話，哪知楊夢寰硬是置之不理。這時童淑貞、鄧固疆、柳遠、鄧開宇等都已緩緩由鄧府大門走了出來，旁觀這一場龍爭虎鬥。

沈霞琳因楊夢寰連受創傷，心中急痛萬分，但她知道丈夫的脾氣，不敢造次出手相助，右手緊握著劍把，雙目中滿含著兩眶熱淚，看著場中的搏鬥形勢。

轉眼之間，兩人惡鬥了三十餘招。

楊夢寰得那苦心大師轉注了數十年的功力，雖經日夜坐息，納入丹田，但時日過短一時難以運用自如。

此刻久戰之後，內力消耗甚大，不覺間引出使用。

只見他愈戰愈勇，雙目中神光閃動，手中的長劍也愈來愈強，劍劍都帶起嘯風之聲。強猛的劍勢，在楊夢寰身外構成了一片威力圈，迫得陶玉劍勢不能逼進。

陶玉心中逐漸焦急起來，金環劍突然一緊，硬攻一劍。

但聞一聲金鐵交鳴，被楊夢寰強厲的劍勢直震開去，楊夢寰借勢左掌一圈，奇招突出，一掌把陶玉打了一個跟斗。

這一擊不但是大出陶玉和四周觀戰之人的意外，連楊夢寰自己也似是不敢相信，呆呆的站在那裏望著陶玉出神。

陶玉緩緩由地上爬了起來，道：「楊兄好凌厲的掌法。」

楊夢寰道：「過獎，過獎。」

陶玉緩緩舉起金環劍道：「那一掌來勢、方位和一般武功大不相同，不知楊兄由何處學得？」

楊夢寰冷冷說道：「兄弟早就告訴過陶兄，在那『歸元秘笈』之外還有著其他高妙武功，那『歸元秘笈』雖然號稱天下武功總綱，但並不能包羅萬象，無所不有。」

陶玉冷笑一聲，道：「楊兄這一掌並未傷著兄弟，兄弟不過是隨口問上一聲，楊兄別自吹自擂，藉故自抬了。」

楊夢寰道：「你如不信，那就不妨試上一試。」

陶玉一揚手中金環劍，幻起三朵劍花，疾向楊夢寰刺了過去。

楊夢寰揮劍架開，還攻一劍。
兩人又展開一場惡鬥。
那陶玉劍法招術，有著很多奇變，三五招過後，就把楊夢寰迫得以守爲主，無力還手。
楊夢寰默想著那苦心大師傳授的掌法，左手突然一揮，擊了過去。
陶玉早已有備，縱身一躍，向旁側閃去。
他讓避雖然夠快，仍是被楊夢寰掌勢擊中，不由自主的打了兩個轉身。
陶玉雖然又中了一掌，但卻瞧出了楊夢寰掌勢路道，冷笑一聲，正待出口說出，突然一個高昂聲音道：「籠車到。」
只聽輪聲轆轆，八匹健馬，拖著一個特製的囚車馳來。
那囚車高有九尺以上，四周都是兒臂粗的鐵柵，鐵柵上滿是尖稜，趙小蝶和毒龍夫人則盤膝坐在車中。
楊夢寰呆了一呆，道：「趙小蝶？」
陶玉格格一笑，道：「不錯，正是趙小蝶和毒龍夫人，怎麼？楊兄可是感覺到很意外麼？」
楊夢寰道：「陶兄決不是施展武功擒得兩人。」
陶玉笑道：「施用心機也是一樣……」
他仰天大笑一陣，道：「這兩位都是楊兄憑仗的援手，如今都被兄弟囚入鐵籠了，那鐵柵尖稜上塗有劇毒，那劇毒又惡烈無比，不論何等武功高強之人，只要沾上一點，亦是承受不起。」

楊夢寰道：「所以她們都坐籠中不動。」

陶玉道：「不錯，趙小蝶的武功雖然高強，但她也自知難以抗拒那種劇毒。」

楊夢寰心中暗道：「這陶玉手段毒辣，趙小蝶和毒龍夫人又都是剛烈的性子，不肯屈服在陶玉的壓力之下，那陶玉不願留下後患，必然要設法傷害兩人……」

忖思之間，突聞陶玉格格大笑一陣，說道：「楊兄，趙小蝶美擬天人，比起楊兄兩位夫人，那是尤有過之了，毒龍夫人盛容丰姿，雖然不及那趙小蝶的美貌脫俗，但卻是別有一番風情，兄弟爲楊兄設計了這一處溫柔之居，可算得仁至義盡了。」

楊夢寰冷冷說道：「趙小蝶有十二花娥，那毒龍夫人也有甚多從人，你雖然把兩人囚了起來，但他們的屬下決然不肯和你罷休，你這樣豈不是自找麻煩麼？」

陶玉道：「蛇無頭不行，鳥無翅不飛，我把他們首腦關了起來，量他們也不敢對我有什麼報復行動了。」

楊夢寰道：「趙姑娘和毒龍夫人都是性子剛烈之人，如若她們情急自絕，你豈不是招惹上很多麻煩了麼？」

陶玉道：「生命是何等可貴，我想她們兩人，決然不至尋死……」

語聲微微一頓，又道：「楊兄和她們都是熟悉故友，也該上前去勸慰她們一番才是，年輕輕的，不可自尋死路。」

楊夢寰心中暗道：只要你不殺死兩人，總有救出她們的機會，舉步向鐵籠行去。

陶玉目光投注沈霞琳的身上，高聲說道：「楊兄乃是多情種子，沈姑娘不要見怪才好。」

他用心挑撥，希望醋海生波，哪知沈霞琳長長歎息一聲，道：「你把趙家妹子關起來，日後她不宰了你才怪。」

陶玉格格一笑，道：「我陶玉如是怕她，也不敢關她了。」

十六　情勢逼人

且說楊夢寰緩步走近那鐵籠前面，低聲說道：「趙姑娘。」

趙小蝶睜開眼來，望了楊夢寰一眼，苦笑一下，重又閉上眼睛。

自從她出道以來，一直是氣指頤使，爲所欲爲，從未有今日這般萎靡神情，幽悶神色，黯然苦笑。

楊夢寰暗中瞧那鐵柵，雖然粗如兒臂，但以趙小蝶的功力未必就真能困得住她，何況還有毒龍夫人相助，兩人患難與共，極自然會合力施爲，關鍵似乎在那柵上的尖稜上了……

但聞陶玉說道：「楊兄，可有陪伴玉人同居鐵籠的興致？」

楊夢寰冷冷說道：「陶兄不要太過自負，鐵籠尖稜上雖然塗有劇毒，也未必就真能困住趙姑娘和毒龍夫人。」

陶玉道：「她們好好的坐在鐵籠之中，有目共睹，難道楊兄還不肯相信麼？」

楊夢寰道：「兄弟仍是有些不信……」

陶玉格格大笑道：「怎麼？難道楊兄認爲鐵籠中的趙小蝶和毒龍夫人是假的麼？」

楊夢寰道：「如是在下想法不錯，趙姑娘和毒龍夫人必然被陶兄逼迫服下什麼藥物。」

陶玉哈哈一笑，道：「人人說你楊夢寰老實忠厚，但今日看來，卻是傳言難信了……」

語音微微一頓，接道：「不錯，她們兩人如果未服藥物，那也不會老老實實的坐在那裏了。」

沈霞琳突然接口說道：「陶玉，你這般擺佈趙姑娘，當心被朱姑娘知曉……」

陶玉笑道：「你是說朱若蘭麼？」

沈霞琳道：「她如知曉此事，一怒下山，必要取你性命。」

陶玉道：「鐵籠空隙甚大，多一個朱若蘭也是一樣。」

沈霞琳道：「哼！你打不過朱姑娘。」

陶玉道：「過去我也不是楊夢寰的敵手……」

沈霞琳接道：「現在你也不是他的敵手。」

略一沉吟又道：「楊夢寰比起趙小蝶，兩人武功誰強？」

沈霞琳道：「自是趙姑娘強過寰哥哥了。」

陶玉道：「我不是一樣的生擒了趙小蝶麼？」

他縱聲大笑了一陣，接道：「我不但要擒那朱若蘭，而且還有你和李瑤紅，我把你們全都裝在這鐵籠之中，周遊大江南北，讓天下人瞧瞧你們那等困於囚籠的神情。」

楊夢寰冷冷說道：「陶玉，你的志向不小啊，但未免有些異想天開了。」

陶玉道：「這有什麼難處，今宵宰了你楊夢寰，生擒沈霞琳，只餘下那李瑤紅和朱若蘭了，李瑤紅簡單得很，我陶玉可說手到擒來，朱若蘭武功也強不過趙小蝶，那也不算什麼太難的事。」

楊夢寰正待答話，突聞一個宏亮的聲音接道：「陶玉，你不用太自負了，各路英雄已然群集鄧家堡外。」

這聲音入楊夢寰之耳，熟悉異常，轉眼只見一個身著道裝，留著五綹長鬚的道長，大步行了過來。

來人正是崑崙派三子之首，楊夢寰啓蒙授藝恩師，玄都觀主一陽子。

楊夢寰急步迎上前去，跪在地上，抱拳道：「參見師父。」

一陽子道：「你已非崑崙門下弟子，不用行這等大禮了。」

楊夢寰道：「一日傳業，終身爲師，何況恩師教養弟子十餘年，弟子行爲失檢，遭受掌門師尊逐出門牆，那也是應該的事。」

一陽子歎息一聲，道：「你當真不記恨崑崙派麼？」

楊夢寰道：「弟子不敢。」

一陽子道：「你起來吧！」

楊夢寰站起身子，恭恭敬敬的說道：「師父不用插手其間，弟子一人已足夠對付陶玉。」

一陽子撩起袍襟，取出一把古形長劍，道：「此劍乃先古利器，有削鐵如泥之能，你收下用吧。」

楊夢寰道：「弟子不敢受此厚賜。」

一陽子道：「快快收下，也許此劍有助你今日獨鬥群魔之戰。」

儘管楊夢寰一口一個師父，但一陽子口中卻始終逃避不肯自認師父身分。

楊夢寰接過長劍，道：「謝師父的厚賜。」棄去手中之劍，唰的一聲，振出寶刃。

月色、火光交映之下，閃起了一道耀目寒芒，和一片森森逼人的寒氣。

楊夢寰手執寶刃，緩步行入場中，冷冷對陶玉說道：「陶兄，可要試試兄弟這新得寶刃的鋒利？」

陶玉冷冷說道：「一陽子及時給我陶玉送來此劍，在下實在感激。」

楊夢寰道：「未免太過誇口了吧！」寶劍一揮，橫裏斬去。

一股森冷的寒芒直逼過去，陶玉不自禁的後退了兩步，一抖金環劍，灑起了一片劍花直攻過來。

楊夢寰劍勢一轉，斜著向上撩去。

陶玉急急撤劍而退，左手一揮，劈了一掌。

兩人展開了一場惡戰。

楊夢寰手中多了這把主刃，威勢更見驚人，陶玉劍招雖奇，但都被寶刃封住，有些施展不開。這一來，雙方暫時打成了一個不分勝敗之局。

激鬥之中，突然一聲震人耳鼓的長嘯傳了過來。

陶玉聞聲收劍，倒退五步。

楊夢寰亦覺著這嘯聲十分熟悉，忍不住轉臉望去。

只見一個白髯及膝，身著青袍，手執龍頭拐，頭戴方巾的老者，在四個臉上疤痕斑斑，赤足草履，背上各自背了一個長形黃色包裹的大漢護擁之下，急急奔了過來。

楊夢寰一眼間，已瞧出來人正是五年前名動江湖，領導天龍幫的龍頭幫主海天一叟李滄瀾。

李滄瀾直逼那火炬圈外，一頓手中龍頭拐，護擁而行的四個隨行大漢，一齊停了下來，拱手對一陽子道：「道兄別來無恙。」

一陽子微微一笑，道：「托福了。」

楊夢寰急奔過來，屈膝拜倒道：「小婿叩見岳父大人。」

李滄瀾道：「你起來，站到一側，我要問那陶玉幾句話。」手扶龍頭拐直對陶玉行去。

楊夢寰站起身子道：「岳父大人小心。」

李滄瀾回頭望了楊夢寰一眼，道：「不妨事。」緩緩逼近陶玉四尺處，停了下來。

陶玉右手抱劍，雙手抱拳，對著李滄瀾深深一揖，但卻是默然不發一語。

李滄瀾肅然而立，兩道炯炯眼神，逼注在陶玉身上冷冷道：「陶玉，你還識得老夫麼？」

陶玉淡淡一笑，道：「李老英雄，盛名卓著，在下豈有不識之理。」

李滄瀾從小把陶玉收養身側，傳以武功，名雖師徒，恩若父子，此刻陶玉竟連一聲恩師也不肯叫，只氣得李滄瀾全身抖顫，白髯無風自動。

月色、火光下，那陶玉雖然瞧出了李滄瀾氣憤之情，但卻似視若無睹。

楊夢寰看不下去，正待出言責問陶玉，卻爲一陽子揚手阻止。

李滄瀾仰起臉來，長長吁一口氣，道：「陶玉，李老英雄也是你叫的麼？」
陶玉笑道：「你解散天龍幫，不肯爲我報仇，咱們師徒之情，早已絕斷……」
李滄瀾冷冷說道：「你可是自覺已羽翼豐滿，連老夫也不放在眼中了。」
陶玉笑道：「長江後浪推前浪，一代新人替舊人，李老英雄年邁蒼蒼，早應收起爭雄江湖之心，退出武林是非圈，歸隱林泉，樂渡餘年，是何等安逸的事……」
李滄瀾一頓龍頭拐，道：「住口。」
陶玉淡淡一笑，道：「讓老尊賢，李老英雄有話先說，在下這裏洗耳恭聽了。」
李滄瀾道：「就算咱們絕了昔年情份，老夫也該要質問你一件事情。」
陶玉道：「什麼事？」
李滄瀾道：「天龍幫爲何人所創？」
陶玉道：「李老英雄所創。」
李滄瀾道：「這就是了，你盜用老夫所創這天龍幫之名，是何用心？」
陶玉笑道：「天龍幫雖爲你李老英雄創立，但已經你李老英雄宣告解散，在下使它重生復活，哪裏不對了？」
李滄瀾道：「但你爲何定要盜用我老天龍幫之名？」
陶玉道：「天龍幫又非李滄瀾，爲什麼你可用，在下就不能用？」
李滄瀾心中大怒，但卻強自忍了下去，道：「陶玉，別人不知你借我天龍幫之名的陰謀，我李滄瀾卻是清楚得很。」

陶玉笑道：「隨意取用而已，談不上什麼陰謀。」

李滄瀾道：「天龍幫雖經老夫宣佈解散，但各地的分支舵，大都還在，一經號召，立時可恢復昔年的聲勢，你陶玉是想坐享其成。」

陶玉笑道：「就算是吧，那又怎樣了？」

李滄瀾冷冷說道：「只此一舉，老夫已該找你討還一個公道了。」

陶玉笑道：「爲什麼不說你愛女助婿，幫助楊夢寰和我作對。」

李滄瀾道：「就算我要助那楊夢寰，你陶玉又能如何？」

陶玉道：「李老英雄，如肯聽在下的良言相勸，還是請快些退回，免得玉石俱焚，悔之無及！」

李滄瀾冷笑一聲，道：「好大的口氣，這麼說來，老夫是不得不領教一下了。」

他舉起手中的龍頭拐，道：「老夫領教你由『歸元秘笈』上學得的武功如何？」

這陶玉雖然惡毒，但他究竟是在李滄瀾教養之下長大，一旦要他和李滄瀾動手，心中有著一種難以言喻的不安。

他舉起了手中的金環劍，道：「李老英雄，一定要和在下動手麼？」

李滄瀾道：「你盡量施展『歸元秘笈』上所記載的絕招，老夫倒想試試看『歸元秘笈』上記載的劍招。」

陶玉道：「好！那你就請出手了。」

李滄瀾一伸手中的龍頭拐，推了過去。

他出手之勢，看上去雖然是簡簡單單，其實推出一拐中，暗藏殺手。

陶玉一挫腕，金環劍斜裏劃出，劍勢迎杖攻去。

哪知劍勢將要接近到李滄瀾的前胸時，突然棄杖就人，化削爲刺，疾向李滄瀾的前胸刺了過去。

這一招變出意外，李滄瀾一時間也想不出封拒之策，只好一吸丹田真氣，身子陡然向後退出三尺。

陶玉格格一笑道：「李老英雄，這一招就是『歸元秘笈』上的劍招，名叫『劍中化身』。」

李滄瀾道：「也未傷得老夫，還有什麼絕招，一齊用出來吧！」

陶玉望著李滄瀾冷冷說道：「如若在下不念在昔年一點情份之上，這一劍只怕李老前輩就難以躲開了。」

李滄瀾只氣得長髯無風自飄，面色一片冷肅的說道：「咱們師徒之情早絕，你也不用手下留情，老夫如有殺你的機會絕不放過。」

陶玉道：「今生今世只怕你已沒有這等機會了。」

李滄瀾氣得臉色鐵青，但他仍能強自壓下怒火，平靜的說道：「昔年老夫收養你時，曾經有人勸我，說你腦後生有反骨，日後必將反恩爲仇，當時老夫還有些不信，想不到竟然被那人言中了……」

陶玉爲人雖然陰毒，但想到李滄瀾昔年養育傳技之恩，亦不禁有些愧疚，如若再讓他當眾述說下去，實有著無地自容之感。

心念轉動，疾舉金環劍，冷冷接道：「昔年之事，早成過去，多言無用，老英雄接劍了。」一振長腕，金環劍幻起一片劍花，刺了過去。

李滄瀾龍頭拐反擊掃出，橫向劍上舉去。

陶玉知他天生神力，舉世無匹，若金環劍被他的龍頭拐掃中，必將脫手而出，趕忙一挫腕，收回金環劍勢，避開拐勢。

李滄瀾展開反擊，龍頭拐突轉凌厲，剎那間拐影重重，挾帶起一片呼嘯之聲。

他退出江湖之後，武功並未擱下，這一陣運拐反擊之勢，凌厲懾人，石破天驚。

陶玉的金環劍已全被李滄瀾的拐勢給壓了下去，人也被迫得緩緩向後退去。

楊夢寰暗暗忖道：看來岳父還有一點惜愛陶玉之心，如若他此刻乘勢出手，施出「乾元指」，定可傷得陶玉。

忖思之間，忽聽陶玉大喝一聲，金環劍寒芒一閃，搶入了重重拐影之中。

李滄瀾大聲喝道：「還不給我棄劍。」龍頭拐向上一圈，猛向金環劍擊去。

陶玉冷笑一聲，道：「未必見得。」長劍隨著拐勢向上一揚，讓閃開去。

這時陶玉劍勢被逼到外門，整個的後背，大部暴露在李滄瀾的掌下，如是李滄瀾左掌擊出，必可得手。

但是李滄瀾卻猶豫不定，舉掌欲出未出。

就這一怔神間，陶玉劍勢一轉，反臂削下，劃破了李滄瀾右肘間的衣服。

李滄瀾羞怒交集，暗運乾元指力，正待擊出，陶玉已縱身而退，道：「李老英雄，承讓了。」

李滄瀾一頓龍頭拐，揚頭一聲長歎道：「罷了，罷了。」

陶玉道：「李老英雄哪裏不對了？」

李滄瀾道：「如是老夫能和你一般下得毒手，今日恐怕已沒有你的命在了。」

陶玉道：「如是在下不念昔日情義，李老英雄豈止是劃破衣服。」

這李滄瀾乃一代英雄人物，當著天下群豪之面，要他厚起臉皮，硬不肯承認失敗在陶玉手中，又硬不起嘴，只好緩緩退下兩步，道：「今日之戰，並非比武定名，而是一場不分生死不停的拚命之戰，老夫暫時退後一陣，但我隨時可能再出戰。」

陶玉淡淡一笑道：「李老英雄，還是休息片刻的好。」

楊夢寰一擺手中寶劍，大步而出，道：「陶玉，咱們這場搏鬥不死不休，不論對方傷勢多重，只要他有一口氣，只要還能再戰，都可再打下去。」

陶玉笑道：「這麼說來，楊兄可算得真正的跟兄弟拚命了。」

楊夢寰道：「兄弟不死，陶玉是席難安枕，食不甘味……」

陶玉臉色一變，道：「可是在下已無興致再陪楊兄玩了。」

高舉金環劍一揮，身後人群之中突然走出一個奇裝異服的老人。

楊夢寰凝目望去，只見那老人頭大如牛，臉長似馬，一個尖尖的腦袋，光不見髮，顎下卻留著一片長髯，身上衣服也是用兩種顏色作成，一半黑、一半紅，手中握著一根鳩頭手杖，緩步行了過來。
此人形貌古怪，衣著特殊，一望之下，可使人終身難忘，但楊夢寰卻毫不認識，連聽也沒聽說過。
這人出陣之後，陶玉卻迅快的退入了後隊之中。
楊夢寰一揮手中寶刃，道：「閣下何人？」
那怪人哈哈一笑，道：「中原武林道上，見過老夫之人不多，但卻有不少人聽過老夫之名。」
楊夢寰啊了一聲道：「那閣下怎麼稱呼？」
那怪人道：「老夫百毒翁。」
楊夢寰道：「百毒翁？」
百毒翁道：「不錯，天下百毒，老夫無所不能，無所不精。」
楊夢寰心中暗道，這人既稱百毒翁，自然是極善用毒，如要和他動手，必得一鼓氣把他傷在劍下。正待運劍出手，突聞簫聲揚起，傳了過來。
轉臉望去，只見玉簫仙子手持玉簫，不停的吹著，緩步走進場中。
百毒翁舉起手中的鳩頭杖，冷冷說道：「你就是楊夢寰麼？」
楊夢寰不敢再分神顧玉簫仙子，全神運劍而立，道：「不錯，在下正是楊夢寰。」
百毒翁微微一笑，道：「不錯，老夫今日如若能殺掉你，那就可以走了。」
楊夢寰聽得一怔，道：「你在說什麼？」

百毒翁道：「在咱們動手之前，老夫照例有幾句話先交代明白。」

楊夢寰道：「好，你講吧。」

百毒翁道：「凡是和老夫動手之人，不論武功如何，老夫都可能對他用毒。」

楊夢寰道：「閣下能夠先打一個招呼，倒也不失英雄氣度。」心中卻是暗打主意，如何能逼得他無法騰出手來用毒。

但聞陣陣簫聲，逼近身側，玉簫仙子嬌軀橫移，正擋在楊夢寰的身前。

楊夢寰心中忖道：我手中現有恩師賜贈的寶劍，和這用毒老頭兒對敵，快劍利器，或有取勝之望，但這玉簫仙子卻是取勝之機甚微。

正待喝讓玉簫仙子閃開，簫聲突然停了下來，玉簫仙子舉起玉簫，指著百毒翁冷冷說道：「你是百毒翁麼？」

百毒翁道：「不錯。」

玉簫仙子道：「據說你這人武功平平，全靠用毒才得立足武林，是麼？」

百毒翁怒道：「老夫的用毒之能當今武林無出老夫之右，武功一道麼，那也算得第一流人物。」

玉簫仙子道：「你倒大言不慚。」

百毒翁怒道：「你就試試。」掄動鳩頭杖，呼的一杖橫裏擊來。

玉簫仙子玉簫橫出，擋開一杖，冷冷說道：「且慢動手。」

百毒翁收杖說道：「你可自知難是老夫之敵？」

玉簫仙子道：「咱們今日動手，只許比試一樣，武功、用毒任你選擇，你認爲哪一樣最好，咱們就比試那一樣。」

百毒翁哈哈一笑，道：「這麼說來，你也是用毒高手了？」

玉簫仙子道：「你可是不信麼？」

百毒翁道：「老夫名叫百毒翁，那是我能使用百種以上之毒，你如憑仗服用過解毒藥物，試試老夫的放毒之能，可是自找苦吃了。」

玉簫仙子道：「不妨事，就是你能用千種劇毒，我也是不怕。」

百毒翁似是被玉簫仙子這等豪壯之言震懾得怔了一怔，道：「你可是當真的不畏老夫用毒麼？」

玉簫仙子道：「眾目睽睽之下，我出口之言，還能假得了麼，我看咱們得事先有約法才行。」

百毒翁道：「什麼約法？」

玉簫仙子道：「你自詡有施放百毒之能，那是自信我一定要傷在你手下了？」

百毒翁道：「不錯。」

玉簫仙子道：「如是我傷在你施放的毒物之下，那是怪我命短，死而無怨，如是你施放之毒傷我不了，那又該當如何？」

百毒翁哈哈大笑，道：「老夫身上攜帶有百種奇毒，一種不行，再換一種，我不信你服有連避百毒的解藥。」

玉簫仙子道：「如是你萬一傷我不了呢？」

百毒翁看她神色鄭重，愈來態度愈是強硬，心中亦不禁有些奇怪，呆了一呆，道：「如是老夫傷你不了，立刻退出這場是非，永不再履中原尺地寸土。」

玉簫仙子笑道：「太輕了，我以生死和你相賭，你就不肯多加一點賭注麼？」

百毒翁怒道：「你要老夫如何？」

玉簫仙子道：「依我之意，你如毒我不死，就該視我如師，從今以後，聽命於我。」

百毒翁道：「老夫這把年紀，豈能認你作師？」

玉簫仙子道：「那你是自信無能傷我了？」

百毒翁道：「老夫有些不信。」

玉簫仙子道：「那你為何不賭？」

百毒翁吃她連番相激，終於忍耐不住，一頓鳩頭杖，道：「老夫不信毒你不死，就依你訂的賭約作準。」

玉簫仙子道：「須知一諾千金，不能反悔。」

百毒翁道：「老夫一向說了就算。」

玉簫仙子道：「好，你可出手了。」

楊夢寰吃了一驚，道：「玉簫姑娘，這不是玩笑的事，出手搏擊，為他施毒暗算，只怪學術不精，那也罷了，你這般站著不動，讓他施放毒藥，豈不是太吃虧了。」

玉簫仙子嫣然一笑道：「快退開去，別為他施放的毒物波及，咱們如能收服這百毒翁，可殺去陶玉一半的兇焰。」

楊夢寰看她神態鎮靜，言笑輕鬆，倒也不便再勸，只好緩步向後退去。

百毒翁一頓手杖，道：「老夫這杖中藏有毒粉，沾人肌膚，立時紅腫潰爛，十二個時辰之內，化盡肌膚而死，你要小心了。」揚起手中鳩頭杖，一按杖上機簧，登時毒粉四飛，灑落了玉簫仙子一身。

玉簫仙子果然是凝立不動，任那毒粉飄落身上。

楊夢寰只瞧得大為擔心，暗道：從未聽說她有解毒之能，今日為何竟這等輕生兒戲……

那知事情竟然是大出人意料之外，玉簫仙子身上滿落毒粉，竟然是若無其事一般，站在那裏動也不動一下。

楊夢寰心中大感奇怪，暗道：她幾時學會了御毒之能？

百毒翁放出鳩頭杖中藏的藥粉之後，肅然而立，等著玉簫仙子沾身發作，哀嚎求饒，哪知良久之後，玉簫仙子竟仍是站著不動，不禁心中大震，奇道：「這就奇怪了！」

玉簫仙子冷笑一聲，道：「有什麼奇怪了，告訴你，我是百毒不侵。」

百毒翁道：「老夫倒是有些不信。」左手接過鳩頭杖，右手一揮，一片粉紅色煙霧，直向玉簫仙子飛去。

玉簫仙子仍然是靜站不動，任那粉紅色毒霧，撲身而過。

只聽百毒翁道：「這是迷神毒香，只要吸入腹中少許，立時將神智迷亂。」

玉簫仙子淡淡一笑，道：「只怕未必吧！」

百毒翁道：「你此時已然中毒，老夫數到五字，你毒性即將發作。」

百毒翁果然一二三四的數了起來，那知一連數到十字，玉簫仙子仍然是屹立無恙。

這一下百毒翁大感慚愧，一張馬臉紅得有如火一般，惱羞成怒，大喝一聲，揮動左袖，又是一片黃色煙霧，直向玉簫仙子飛了過去。

玉簫仙子仍是靜站不動，任那黃色毒霧擊中身上。

話不重述，百毒翁在不足一頓飯的時光，連用二十八種奇毒，竟是都無法傷得玉簫仙子。

他自號百毒翁，也確有施用百毒之能，只是不能把百種劇毒全部帶在身上，何況連施二十八種劇毒，都無法傷得玉簫仙子，縱然用出百毒，只怕也是無可奈何。

全場中人都為兩人這場奇怪的賭博所震懾，個個凝目觀看。

玉簫仙子啟開微閉的星目，說道：「怎麼樣，你還有幾種劇毒未用？」

百毒翁喃喃自語道：「奇怪呀！奇怪呀！難道老夫身上藏帶的劇毒，全都失去了效用不成……」自語中突然伸出了左手，道：「你可敢接下老夫一記毒掌？」

火光下，只見他伸出的左手，掌心變成了一片紫黑之色。

玉簫仙子道：「好！我要不接你一記毒掌，只怕你敗得不甘心。」

百毒翁欺進兩步，左掌一揮，向玉簫仙子肩上拍去。

但聞拍的一聲，擊個正著，百毒翁說明要憑掌中蘊藏的劇毒傷人，是以這一掌落勢並不很重。

那知一掌拍下，有如擊在堅鐵上一般，只震得掌骨劇痛無比，一連後退數步。

這一下不但使百毒翁心中甘服，就是那四周觀戰之人，無不瞧得暗暗稱奇。

玉簫仙子待百毒翁穩住了後退之勢，站穩了馬步，突然格格一笑，抖去身上五顏六色的毒粉，目注百毒翁道：「你輸了。」

百毒翁道：「老夫技不如人，輸得口服心服。」

玉簫仙子道：「瞧不出你竟還是一位篤守信諾的人。」

百毒翁似是對這場不知所以的敗績，傷懷甚深，答應過玉簫仙子的問話之後，就呆呆的站著不動，一臉茫然之色，口中喃喃自語，道：「怪事啊！怪事啊……」一面不停搖頭歎息。

玉簫仙子生恐夜長夢多，急急說道：「百毒翁，咱們相約比試前，訂下的規約算是不算？」

百毒翁道：「為什麼不算？」

玉簫仙子道：「我如中毒而死，那是白白毒死，如是你毒我不死，又該如何？」

百毒翁道：「這個，這個……」想到要認那玉簫仙子為師之言，這個了半天，說不出個所以然來了。

玉簫仙子道：「言猶在耳，難道你已經忘去了？」

百毒翁道：「誰說老夫忘去了？」

玉簫仙子道：「你此刻已然自認落敗，如是未忘去咱們約賭之言，那該如何？」

百毒翁一咬牙，道：「視你為師，聽你之命。」

玉簫仙子道：「不錯！你現在聽是不聽？」

百毒翁道：「老夫許出之諾，自然是要遵行了。」
玉簫仙子道：「好！我要下令了。」
百毒翁無可奈何的說道：「老朽洗耳恭聽。」
玉簫仙子道：「從此刻起，我要你和陶玉反友為敵。」
百毒翁道：「我受那陶玉邀約而來助拳，如何能和他結成對頭？」
玉簫仙子道：「我第一次下達之命，你就不聽，還算得什麼篤守信諾之人。」
百毒翁歎息一聲，道：「好吧！」
玉簫仙子道：「你招呼隨行之人，立刻合併過來，聽候調遣。」
百毒翁道：「老朽只有一個人。」
玉簫仙子道：「那很好。」
百毒翁道：「老朽還有些應用之物未帶，此刻回去取來，天明之前，即可趕回。」
玉簫仙子道：「速去早回。」
百毒翁黯然的道：「定可依限趕回，聽候差遣。」
玉簫仙子不再多問，硬著頭皮，道：「好！你請吧！」
百毒翁轉身自去。
玉簫仙子凝目望去，也不見對方有人出面挑戰，只好退了下去。
楊夢寰站在道旁，抱拳對玉簫仙子一禮，道：「恭喜姑娘練成了不畏劇毒的武功。」
玉簫仙子突然停了下來，低聲說道：「你也相信那是真的麼？」

楊夢寰先是一怔，繼而說道：「眾目睽睽之下，姑娘連受那百毒翁數十種劇毒攻襲，難道還能假的不成？」

玉簫仙子微微一笑，道：「爲什麼不能假呢，如是他那身上毒粉都經換過，豈不是變成了無法傷人的廢物。」

楊夢寰低聲說道：「但是姑娘連換了那百毒翁二十餘種劇毒，他竟是沒有覺到，單是這份能耐，就非他人所及了。」

玉簫仙子說道：「敵眾我寡，如是硬拚起來，必然有很大的死亡，今日之戰，只宜智取，不宜力敵的。」

楊夢寰拱手笑道：「在下記下了，姑娘快請下去，換過衣服。」

玉簫仙子應了一聲，直向鄧府退去。

沈霞琳急步迎了下去，帶著玉簫仙子退回鄧府更衣去了。

百毒翁賭敗在玉簫仙子手中，四周群豪，雖然看得十分清楚，但對兩人相約之言爲何，卻是大都不知，以後眼看那百毒翁自行而去，退出戰場，才瞧出情勢不對，但想到那百毒翁用毒之能，誰也不願多管閒事。

陶玉隱在那囚車之後，把經過之情看得十分清楚，心中亦是奇怪不止。

他對那百毒翁用毒之能，也有著極深的畏懼，在全無準備之下，只好瞧著百毒翁大步而去。

這一陣挫折，果然使陶玉帶來群豪的銳氣，大受影響，而鄧府中人，卻是激起了強烈的求生保命之心。

一陽子低聲對李滄瀾道：「百毒翁的賭敗，不但替咱們除了一大威脅，而且也等於斬去了陶玉一臂，使貧道不解的，是那玉簫仙子，血肉之軀如何能抗拒得了數十種劇毒？」

李滄瀾道：「唉！我瞧其中必有原因……」

只見鄧固疆大步行了過來，接道：「李老英雄，鄧固疆慕名已久，今日有幸一見。」言罷，抱拳作禮。

李滄瀾還了一禮，道：「好說，好說，閣下定然是鄧老堡主。」

鄧固疆道：「兄弟鄧固疆。」

李滄瀾道：「小婿多承堡主照顧，老朽是感激不盡。」

鄧固疆哈哈大笑道：「楊大俠肯來我們鄧家堡中作客，那是折節下交了。」

李滄瀾指著一陽子道：「這位是崑崙一陽子道長，乃小婿啓蒙恩師。」

鄧固疆一抱拳，道：「久仰大名。」

一陽子笑道：「貧道何能，老堡主過獎了……」目光一轉，突然住口不言。

李滄瀾順著一陽子目光瞧去，只見楊夢寰手中提著寶劍，直向那囚人的鐵籠行去。

一陽子低聲說道：「李老英雄，快些把他叫住，陶玉帶來的人手，都隱入暗處不動，定然別有鬼計，那囚籠已然撤後甚多，可能是誘敵之計！」

李滄瀾一皺眉頭，道：「道兄，咱們過去給他打個接應如何？」

一陽子道：「好！貧道亦有此心。」
李滄瀾回顧了隨行護駕的川中四醜一眼，道：「你們守在此地，聽鄧老堡主的吩咐，不用跟隨著我了。」
川中四醜應了一聲，布成一個方陣，守在鄧府大門前面。
一陽子正待舉步而行，突聞一個清亮聲音說道：「老前輩請帶上兵刃。」
一陽子回頭望去，只見一勁裝大漢，雙手捧著一柄長劍，遞了過來。
原來一陽子帶來的寶劍送給了楊夢寰，自己卻赤手空拳沒有兵刃。
一陽子接過寶劍，正要稱謝幾句，鄧固疆卻搶先接道：「這是犬子。」
鄧開宇接道：「晚輩鄧開宇。」
一陽子道：「多謝少堡主。」唰的一聲，抽出長劍，疾步向前行去。
且說楊夢寰想憑手中寶劍之力，去削開囚籠，放出趙小蝶和毒龍夫人，提劍直向囚籠行去。
他心中雖然明知陶玉可能要在囚籠之旁設下埋伏，但想如不救出趙小蝶來，只怕此後再無人能制服陶玉，明知危險，也只好求其僥倖了。
他行近鐵籠五六尺處，放緩了腳步，提聚真氣，凝神戒備，防備暗影處有人突然施襲。
這時李滄瀾和一陽子，已追到了楊夢寰身後七八尺處，兩人同時放緩腳步，四目炯炯，搜尋敵蹤。

楊夢寰緩步走到鐵籠前，仍不見有何動靜，不禁膽氣一壯，舉起手中長劍，正待削向鐵柵，突聽盤膝坐在鐵籠中的趙小蝶尖聲叫道：「快退開去！」

楊夢寰聞聲驚覺，一提真氣，疾如飄風一般，向旁側退出五七尺外。

就在他剛剛退離之際，一蓬銀針和兩道藍色的火球，同時飛到。

這只是毫釐之差！

兩道藍色的火球，直飛出兩丈開外，才力盡而落，一著實地，立時化成了兩蓬熊熊的綠火，立時燃燒起來。

楊夢寰暗暗歎道：如是我遲慢一步，縱不被那毒火擊中，亦必爲那蓬銀針所傷。

一陽子、李滄瀾也齊齊停下了身子，不敢再向前逼近。

楊夢寰回顧了兩人一眼，說道：「有勞恩師、岳父大人爲我壓陣，真叫弟子難安。」

李滄瀾微微一笑道：「此刻不是感恩敘舊之時，留心強敵暗襲。」

楊夢寰道：「岳父教訓得是。」橫劍護胸，正待設法激怒陶玉出戰，突聽一個細微清明的聲音傳入耳際。

那聲音入得楊夢寰之耳，立時分辨出是趙小蝶的聲音。

只聽她說道：「陶玉除了點我幾處穴道之外，又在我身上下毒，也許他認爲我武功已失，其實我已運氣解開穴道，目下正在設法把身上之毒逼集一處，我想三日之內，當可完成，那時我就可以自由行動了……」

語聲微微一頓之後，接道：「楊兄，不用為我涉險，致反為陶玉所乘，此刻你對我的生死，表現得愈是冷淡愈好，過去我處處和你搗亂，此刻想來甚是不安，楊兄大仁大義，定能原諒小妹。」

楊夢寰心中暗道：那陶玉鬼計多端，定然伏在暗影中監視於我，我如施展「傳音入密」之術，答覆那趙小蝶之言，定將被陶玉瞧出，只好暫時不理她了。

但聞趙小蝶繼續說道：「楊兄，不用回答我的話，你明敵暗，決然無法逃過陶玉的雙目，此刻只要想法子保持不敗，待我脫險之後，再行搏殺陶玉。」

楊夢寰心中暗道，百毒翁陣前敗於賭約，臨時脫離陶玉，想來對他們影響甚大，此刻大概是正在重新部署，他今宵有備而來，雖然百毒翁臨時變卦，想來也不致中途收兵而退。

楊夢寰這些年來，不但在武功上有了很大進境，對敵行事上，亦步入穩健之途，雖然百毒翁中途叛離陶玉，但他對陶玉的實力並未低估。

他心中明白，這一陣不過是大風暴前的片刻平靜，陶玉如是再一發動，其勢道必將是石破天驚。

正自忖思之間，突然一陣格格大笑之聲傳了過來，道：「楊兄的援手逐漸增多，兄弟不得不先行下手了。」

暗影中緩步行出身著黃衫，背插金環劍的陶玉。

只見他手腕一翻，迅速絕倫的拔出金環劍，伸入鐵籠，頂在趙小蝶的後背上，目注楊夢寰道：「楊兄是要她死呢？還是要留下她的性命？」

楊夢寰料不到陶玉在全握優勢的情況下，仍然會出此下流手段，不禁一皺眉頭，冷笑道：「陶兄還未到落敗之地，怎的又用出這卑下手段來。」

陶玉也冷笑一聲：道：「兄弟此舉，不過是念在咱們相識一場份上，不忍立施毒手，使楊兄和這鄧家堡盡化灰塵。」

楊夢寰道：「這個兄弟就聽不懂了。」

陶玉道：「事情簡單得很，如是楊兄當真是多情種子，那就請棄去手中兵刃，走入這鐵籠中來，兄弟立刻率領人手，退出鄧家堡。」

楊夢寰接道：「如是兄弟不答應呢？」

陶玉道：「在下就先殺了趙小蝶，再殺毒龍夫人，然後再火燒鄧家堡，盡殲堡中之人。」

李滄瀾在旁冷笑一聲，接道：「陶玉，有老夫在此，我不信你能盡殲堡中之人。」

陶玉為人雖然心計惡毒，但想到李滄瀾十餘年養育之恩，倒也不便出言頂撞，目光凝注在楊夢寰的臉上，接道：「楊兄答應與否，還請快些決定，兄弟難以久待。」

楊夢寰回顧了岳父、恩師一眼，緩步向前行去。

李滄瀾要待阻止，但他終於忍了下來，黯然歎息一聲，道：「道兄，這孩子太老實忠厚了，明知那是圈套，仍是搶先以赴。」

一陽子道：「李兄可有良策以對麼？」

李滄瀾道：「老朽如有良策，早就阻止他了。」

一陽子道：「貧道的看法，縱然夢寰不答應他，陶玉也不會殺死趙小蝶。」

李滄瀾道：「這就很難說了，陶玉為人，心地惡毒，如是情勢相迫，什麼事他都做得出來。」

兩人口中雖在說話，但四道目光卻一直投注在楊夢寰的身上。

只見楊夢寰一步步逼近鐵籠。

但聽陶玉厲聲喝道：「楊夢寰，棄去你手中長劍。」

楊夢寰停下腳步，但卻未棄去手中長劍，兩道炯炯目光一直逼視在陶玉的臉上，冷冷說道：「陶玉，你率領高手，夜襲鄧家堡，只不過為了我楊夢寰一人而已，此刻何不和我楊夢寰決一死戰？」

陶玉道：「楊兄素知兄弟為人，一向是不願作意氣之爭，如是兄弟能有良策迫你就範，那自然不用兵刃相見，分個勝負出來了。」

楊夢寰道：「趙小蝶和毒龍夫人的生死，和我楊夢寰並無什麼關連。」

陶玉格格一笑，道：「楊兄口裏輕鬆，只怕內心之中未必就是如此。」

楊夢寰道：「何以見得？」

陶玉笑道：「就算兩人和楊兄沒有關連，但他明幫兄弟，暗助楊兄，殺了她們兩人，也可以減少兩大勁敵……」

語聲微微一頓，接道：「順我者生，逆我者死，兄弟先殺了兩人之後，再和楊兄決一死戰。」金環劍陡然向前一送。

只見趙小蝶柳眉一鎖，嬌軀突然向前一傾。

顯然陶玉這一劍並非是虛作恫嚇。

楊夢寰相距那鐵籠甚近，月光下看得十分真切，不禁心中大急，高聲喝道：「住手！」

陶玉冷冰冰的說道：「兩人既和楊兄無關，她們的生死，楊兄也不用過問了。」

楊夢寰冷冷說道：「如何才能救得兩人性命？」

陶玉一按鐵籠上機關，笑道：「除非楊兄自行入籠。」

楊夢寰道：「你帶我一人走，可否放過鄧家堡數百生靈？」

陶玉道：「如是楊兄請求，兄弟自然答應。」

但聞軋軋幾聲，鐵籠外面的鐵柵，突然升起數根，只是鐵籠中間卻又有幾根鐵柵落了下來，把趙小蝶和毒龍夫人擋住。

楊夢寰回顧了恩師、岳父一眼，突然棄下手中主刃，大步直向囚籠之中行去。

李滄瀾正待出言喝止，卻被一陽子示意阻止。

月光下，只見趙小蝶和毒龍夫人，一齊睜開緊閉的雙目，望著楊夢寰，那柔和的目光中，不知是悲是痛，是苦是酸。

楊夢寰隻身行入鐵柵，幾根升起的鐵柵突然落了下來。

只聽一陣長長的歎息聲，彼起此落。

緊張的沉默中，那歎息聲有著特別的沉重之感，叫人無法分辨那是對楊夢寰的讚美還是對他的惋惜了。

但聞輪聲響起，劃破了沉寂，高大的籠車，緩行而去。

李滄瀾見囚車漸漸去遠，舌綻春雷暴喝一聲：「站住！」靜夜中只震得四面回音不絕。

陶玉緩緩轉過身子，望著李滄瀾微微一笑，道：「老英雄有何見教？」

李滄瀾冷冷說道：「老夫要你留下囚車。」

陶玉道：「我答應過楊夢寰，不再留在鄧家堡。」

李滄瀾道：「老夫不和你鬥口，我要你留下囚車，你留不留？」

陶玉看他神情嚴肅，雙目炯炯直逼在自己臉上，頗有教訓自己的神氣，不禁心中一動，暗道：這李滄瀾對我有養育、傳藝之恩，天下英雄我都可不理，但對李滄瀾總要敬重才是……

正待喝止囚車，心念忽的一轉，忖道：此刻正是我霸業成敗的關頭，如若聽他之言，放了楊夢寰，豈不是功虧一簣麼？當下淡然一笑道：「不留。」

一陽子突然搶前兩步，撿起楊夢寰棄置於地上的寶劍，說道：「李兄，此人天良已昧，喪心病狂，不用和他多說了。」

陶玉怒視了一陽子一眼道：「我陶玉下一個收拾的對象，就是你們崑崙三子，全派誅絕，一人也不留。」

一陽子冷笑一聲道：「只怕你陶玉沒有那個能耐。」

陶玉道：「好！半年之內，我要殺絕你們崑崙派中人。」

李滄瀾接道：「歸元秘笈上記載之學，老夫已經領教過了，那也不過爾爾，今宵你如不肯留下囚車，就得和老夫一決雌雄。」

陶玉手執金環劍，緩步行近李滄瀾，冷冷說道：「李老英雄，你當真要迫我打個勝敗出來麼？」

李滄瀾道：「豈止是勝負之分，你如不留下楊夢寰，今宵有你無我。」

陶玉格格一笑，道：「李老英雄，愛惜女婿之情如此深厚，連我陶玉也是大受感動，只可惜楊夢寰風流成性，對那李姑娘並非真情，適才老英雄親目所見，他爲了趙小蝶和毒龍夫人，竟是捨生忍死，自願棄劍行入囚籠之中。」

一陽子心中暗道：這陶玉口刁舌利，雄辯滔滔，如是李滄瀾被他說動，那可是一場大大的麻煩，當下接口說道：「李兄請向後閃開，貧道先打第一陣。」長劍一擺，越過了李滄瀾，橫劍平胸，道：「咱們相知素稔，那也不用多言了，亮兵刃動手吧！」

陶玉雙目凝注在一陽子的臉上，冷冷說道：「你要小心了。」

一陽子道：「貧道隨時接招。」

陶玉道：「好！」身子一弓，突然刺出一劍，指向一陽子的前胸。

一陽子寶刃疾起，橫裏向上撩出，削向陶玉的金環劍。

陶玉看那寶刃，寒芒閃爍，也不敢讓他削中，右腕一沉，避開了一陽子的劍勢，左手一起，突然一指，點向了一陽子的腕穴。

一陽子心知那「歸元秘笈」之上有很多變出意外的武功，如是一不小心，必爲陶玉所乘，是以，謹慎異常，仗寶刃威力，施展開崑崙派分光劍法，夾雜著追魂十二劍招，先把門戶守得十分嚴密，才俟機攻出幾招。

兩人劍來劍往，打得十分激烈，不大工夫，已搏鬥三十餘回合。一陽子手中寶刃鋒利，迫得陶玉很多地方不得不避開一陽子的劍勢，但陶玉的劍招變化詭奇，常以奇變迫得一陽子守多攻少，暫時打了個不勝不敗之局。

李滄瀾眼看一陽子暫可自保，但那高大的囚車卻緩緩向前馳去，不禁心中大急，沉聲喝道：「道兄小心，老朽先去救了寰兒再來殺此兇徒。」手提龍頭拐飛步追向囚車。

陶玉突然急攻兩劍，逼退一陽子，橫移身軀，攔在了李滄瀾的前面，冷冷說道：「站住！」。

李滄瀾反手一拐「力掃五嶽」，龍頭拐挾著一片嘯風之聲，橫裏擊去。

陶玉閃身避開，冷冷說道：「在下要奉勸李老英雄一句，不可追近囚車，逼我改變了主意。」

李滄瀾道：「你改變主意又能如何？」

陶玉道：「我已答應了楊夢寰，撤出鄧家堡，你們如逼我改變主意，鄧家堡立時將化作飛灰。」

李滄瀾冷笑一聲，道：「老夫如能被你大言威嚇……」

陶玉道：「你如不肯信我之言，儘管追那囚車就是。」

李滄瀾道：「好！老夫今日倒要見識一下，這幾年小別，你究竟增長了多少能耐。」龍頭拐呼呼兩招，迫得陶玉橫移五尺。

一陽子寶劍一擺，道：「咱們還未打出勝敗。」

陶玉怒道：「你想找死嗎？」金環劍奇招突出，連攻三劍。

這三劍勢道兇惡，非同小可，迫得一陽子連封帶避，才把三劍讓開。

一陽子避開三劍，立時還以顏色，施出追魂十二劍中連環三招「起鳳騰蛟」、「朔風狂嘯」、「霧斂雲收」。

劍聚一片寶芒，點點寒星飛灑。

陶玉雖有破解一陽子攻勢之策，但想到他手中寶刃鋒利，怕傷到了自己的金環劍，只得向後退避，讓過了一陽子的劍勢。

一陽子乘勝追襲，寶劍疾變一招「石破天驚」，遞了出去。

以陶玉劍路之奇，早就可以把一陽子迫敗手下，但他心中一直畏懼一陽子手中寶劍鋒利，只怕傷了手中的金環劍，始終不敢硬接一陽子的劍勢，吃虧甚大，致被一陽子搶得上風。

一陽子乘勢擊出的一劍，乃是他畢生中習劍心得的結晶，寶刃閃幻出兩朵劍花，分向陶玉前胸、小腹刺去。

這閃幻起兩朵劍花之中，必有一虛，但因他劍勢迅快極是不易分辨。

陶玉眼看劍勢逼來，不敢封架，只好一提真氣，陡然間又向後退出六尺。

一陽子正待運劍再追，乘勝迫使陶玉落敗，忽見陶玉左手揮動，連續拍出三掌。

一陣重疊而來的暗勁，波湧而至。

一陽子揚腕接下一掌，第二道掌力暗勁，又行襲至。

一陽子第二掌還未發出，暗勁已然襲來，倉促之間，只好一側身軀，用肩頭硬行接下一擊，那知第三道掌力暗勁，緊隨湧到，正擊中一陽子前胸之上。

這力道雖非奇重，倒也不可輕視，只打得一陽子疾退五步，才站穩了身軀。

陶玉用「歸元秘笈」上，截氣分力之法，把一股內勁分作三道擊出，疊波而來，震傷了一陽子，人卻橫裏飛躍，擋住了李滄瀾，道：「李老英雄，請聽我陶玉奉勸如何？」

李滄瀾舉起了龍頭拐，道：「你如迫使老夫出手，今日唯有一分生死了。」

陶玉冷笑一聲，道：「今日江湖形勢，已屬我陶玉和楊夢寰的爭霸之局，由來後浪推前浪，一代新人換舊人，你已登古稀之年，何苦還要捲入江湖是非，如肯聽我良言奉勸，立時退出鄧家堡，息隱林泉，悠遊山水，還可保得個樂享天年……」

李滄瀾怒聲喝道：「孺子大膽，竟然教訓起老夫來了。」呼的一拐，劈了下去。

陶玉一閃避開，道：「我念你昔年一番養育之情，讓你一招……」

李滄瀾厲聲喝道：「孽徒可惡。」橫裏一拐擊去。

陶玉揮劍還擊，兩人又戰在一起。

且說楊夢寰行入囚車之後，盤膝坐了下去，心中卻在籌思脫困之策。

趙小蝶睜開雙目，望了鐵柵相隔的楊夢寰一眼，道：「你何苦為他所愚，自投入羅網中來。」

楊夢寰淡然一笑，道：「我如不自投羅網，也許將有數百條性命死亡……」

趙小蝶接道：「我知道你是為了要救我，唉！過去我一直未好好對待過你，你又為什麼這樣關心我的生死呢？」

楊夢寰道：「陶玉處心積慮而來，部署嚴密，用心不過逼我作他階下之囚……」

毒龍夫人突然接口說道：「你可是認為投入羅網之後，那陶玉就會甘心罷手麼？」

楊夢寰道：「自然不會。」

毒龍夫人道：「那你又何苦自投羅網呢？」

楊夢寰輕輕歎息一聲，正待答覆，突聞李滄瀾大聲喝道：「閃開。」

喝聲中揚手一指，發出了「乾元指」力。

陶玉知他「乾元指」力，凌厲無比，立時縱身躍避開去。

李滄瀾揚手又是一指，點了過去。

陶玉看他眉宇間殺機湧現，心知他想救楊夢寰心切，打下去，必將是個招招致命惡戰之局，立時又向一側躍退。

李滄瀾連發「乾元指」力逼開陶玉，直向囚車追去，一面高聲喝道：「寰兒不用憂心……」突見火光一閃，一道藍焰直射過來，李滄瀾揮杖一擋，那藍焰立時暴散成一片藍火，灑落了李滄瀾一身，立即在衣服、長髯上燃燒起來。

一陽子高聲叫道：「那藍焰毒火，燃燒力特別強烈，李兄不可大意，快些伏身滾熄火勢。」

形勢逼人，李滄瀾也無法再持身分，應聲臥倒，就地翻滾了一丈多遠，才將火勢撲熄。

只聽陶玉那尖厲的聲音傳了過來，道：「如若我再讓他們射出一支毒火箭，定可把你活活燒死，但念在昔年一段相處情份之上，我陶玉手下留情。」

一陽子急急行了過來，道：「李兄傷得如何？」

李滄瀾挺身而起，道：「一些微傷，不足掛懷，只是寰兒被他擒去，只怕兇多吉少了。」

一陽子看他過腹白髯，已被燒去大半，身上也被燒了數十個大洞，左臂上衣衫綻開處，可見灼傷肌膚，不禁一皺眉頭，道：「那藍色毒火，十分惡毒，不可掉以輕心，最好能把傷處一塊肌膚挖去，至於夢寰，雖被生擒，但暫時不會有性命之險，咱們徐圖相救，還來得及。」

李滄瀾望了左臂傷處一眼，道：「道兄請把寶劍借我一用。」

一陽子遞過寶劍，道：「此劍鋒利，李兄小心。」

李滄瀾接過寶劍，揮手一削，左臂上被毒火灼傷處的肌膚，立時被削下一片，鮮血淋淋，一陽子看傷口血肉艷紅，毒火尚未波及，點頭應道：「可以了。」接過寶劍還入鞘中，接哈哈一笑，道：「道兄，可以了麼？」

道：「貧道替李兄包紮一下傷勢。」

李滄瀾道：「區區一點微傷，怎敢勞道兄費心。」探手入懷摸出一個玉瓶，倒出兩粒紅色丹丸，吞了一粒，另一粒用口咬碎，敷在傷處。

抬頭一看，那囚車已然遠行十丈之外。

一陽子低聲說道：「李兄先請暫回堡中休息一下，拯救夢寰的事，咱們從長計議如何？」

李滄瀾輕輕歎息一聲，道：「看來也只好如此了。」

兩人退回堡中，鄧固疆早已叫人備好了休息的靜室。

一陽子雖然感覺有很多事情必須得先查清楚，但卻又覺到自己身分不對，問起來有很多不便之處，只好強自忍了下去，暗中全力防範。

他雖然中了陶玉一擊，但傷得不重，加上他本身精深的內功，經過一陣調息，也就完全復元。

一宿無話，次日，鄧固疆設下了筵席，替兩人接風。

鄧固疆詳盡的說明了昨夜的變化，他說埋伏在堡外的暗樁報告，昨夜確有兩批武林人物，馳援鄧家堡，但卻爲陶玉埋伏在堡外的人手擊退，雙方混戰激烈，傷亡很大，那兩批馳援的武林人物，包括了僧、道、俗裝武士等組成。

一陽子道：「看將起來，陶玉這危害江湖的舉動，已然引起了整個江湖的注意。」

鄧固疆道：「由於楊大俠的聲威，暫時使鄧家堡成了江湖正邪決鬥的中心，老朽聲望武功都不足以領導，請李老英雄出主堡務，接待天下英雄……」

李滄瀾道：「這如何使得，還是由堡主主持，我等從旁襄贊就是。」

鄧固疆還待謙讓，一陽子已搶先接道：「鄧堡主不用客氣了，強賓不壓主，還是鄧堡主主持的好。」

李滄瀾道：「眼下首要之務，堡主先派出幾組人手，偵察陶玉押送那囚車的下落。」

鄧固疆道：「這個老朽早已想到，已派出了十五個堡丁，追查楊大俠的下落。」

流光如馳，匆匆三日，楊夢寰杳如黃鶴，毫無消息，急煞了李滄瀾和一陽子，沈霞琳更是以淚洗面，不言不語。

第四日中午時分，一陽子、鄧固疆、李滄瀾坐在廳中，忽見一個家丁，手捧一封白簡，急急而入，雙手呈給鄧固疆。

鄧固疆接過白簡，只見上面寫道：「一陽子道長親拆」，立時轉交一陽子的手中。

一陽子拆開來簡，雙手展開白箋，仔細瞧了一遍，立時臉色大變，目瞪口呆。

李滄瀾道：「道兄，信上寫的什麼？」

一陽子緩緩把手中白箋遞了過去，道：「李兄請自己過目吧！」

李滄瀾接過白箋，只見上面寫道：

書致一陽子道長：令徒楊夢寰囚籠定居，匆匆數日，英雄末路，雖面對絕世美人，亦不見歡悅之容。

茲定七月十五日，夜半三更鬼門開啟之夜，於百丈峰頂，火焚楊夢寰、趙小蝶及毒龍夫人，屆時必將大為轟動江湖，特函奉邀，駕臨觀禮。

下面署名，陶玉奉書。

李滄瀾只瞧得一皺眉頭，冷哼一聲，道：「猖狂小兒，膽敢如此。」

鄧固疆道：「李老英雄，那信上可是說的楊大俠麼？」

李滄瀾道：「不錯。」伸手遞上素箋。

鄧固疆接過白箋，仔細瞧了一遍，登時臉色大變，搖頭歎道：「楊大俠仁義遠播，天下武林，誰不敬仰，如若身遭此劫，當真是天道睽睽了。」

一陽子收回白箋，緩緩放入封套，輕輕歎息一聲，道：「李兄、鄧老堡主，陶玉這封信。除了別有陰謀之外，就是要我們自亂方寸。」

李滄瀾道：「不錯，老朽幾年山居養息，連這等權謀小術，也忘得乾乾淨淨了。」

一陽子道：「現今相距七月十五日，還有三月不到一點的時間，咱們有著很充裕的時間。」

鄧固疆道：「不知陶玉這封信是否遍及武林之中……」

一陽子道：「陶玉想借這火焚楊夢寰、趙小蝶的大事，一網打盡天下武林高手，如是貧道的料想不錯，九大門派都將收到此函。」

鄧固疆道：「老朽愚見咱們要善用這兩月時光，聯絡九大門派和武林高手，合力解救楊大俠，脫此危難。」

一陽子道：「陶玉行蹤飄忽，一時想找他存身之處，只怕不是易事。」

李滄瀾道：「咱們先趕到百丈峰去，預作佈置，無論如何不能等到七月十五那天再行動搶救。」

一陽子道：「也許百丈峰就是陶玉此刻的巢穴，如是他沒有完全的準備，豈肯選擇該地。」

李滄瀾道：「話雖不錯，但老朽總覺著七月十五日之夜再行搶救，未免有些遲了……」

談話之間，瞥見沈霞琳衣袂飄飄的行入廳中，問道：「大師伯，可是寰哥哥的消息麼？」

一陽子點點頭道：「他被陶玉囚困，我們正在研商解救之策。」

沈霞琳目光投注一陽子手中的函上，道：「我瞧瞧那封信好麼？」

一陽子略一猶豫，緩緩遞過素簡。

沈霞琳取出信箋，很仔細的看了一遍，淡然一笑，耐心折疊好素箋，恭恭敬敬把素箋遞給一陽子。

在一陽子和李滄瀾的預料之中，沈霞琳瞧完了這封信，定然忍不住悲傷失聲，放聲痛哭一場，那知竟是出乎意外的平靜。

李滄瀾無限憐惜的說道：「孩子，你看清楚了？」

沈霞琳淒然一笑，道：「我看得很清楚。」

李滄瀾道：「我和你師伯正在研究對策，不惜一切手段，定然救他脫險，你不用太難過。」

沈霞琳道：「我知道，寰哥哥吉人天相，決不會有什麼兇險……」

一陽子道：「好一個吉人天相，孩子，你長大了。」

沈霞琳道：「嗯！長大了，萬一寰哥哥真有了什麼三長兩短，我也不想活了，在九泉路上相見，仍然是很好的夫妻。」

一陽子怔了一怔，道：「琳兒，不用多擔心事，你李伯父既然重入江湖，必能想到救出夢寰之策，我已派人請掌門師弟，盡出崑崙派中精銳，全力出手，搶救夢寰脫險。」

沈霞琳欠身一揖，道：「多謝大師伯了。」緩緩轉過身去，慢步離開大廳而去。

廳外微風，飄起了她的衣袂，背影中流露出無限的淒涼。

李滄瀾捧起胸前毒火燒殘的白髯，道：「道兄，李滄瀾今年已然七十有四，雄心早消，兒女情長，這一次如是救不出小婿，這條老命也準備丟在那百丈峰上，道兄請坐鎮鄧家堡，等會天下英雄，老朽要先走一步了。」

一陽子道：「李兄要往哪裏去？」

李滄瀾道：「我要到百丈峰去……」

一陽子站起身子，道：「李兄不可，有道是小不忍，則亂大謀，好在時間尚早，咱們得從長計議一番。」

李滄瀾道：「無論如何，老朽後天一早動身，這兩天時光，足夠咱們談的了。」

十七　無可奈何

且說沈霞琳緩步行回臥室中去，和衣躺在床上，忍不住滿腔愁苦，掩面低位。

這一哭，直似江河堤潰，哀哀欲絕，不知天之入夜。

直到二更時分，沈霞琳直哭到淚盡血流，才緩緩離床起身，燃起燭火，孤燈獨坐，望著燈光出神。

突聞門聲呀然，玉簫仙子緩步走了進來，自行在沈霞琳身旁坐下，握著沈霞琳一隻手，低聲說道：「姑娘，你哭了一日，愁苦也發洩了，聽我幾句話吧！吉人天相，楊大俠決不會傷在陶玉手中……」

沈霞琳緩緩轉過臉來，目光凝注在玉簫仙子的臉上，看了良久，道：「玉簫姊姊，那百毒翁沒有來麼？」

玉簫仙子道：「沒有來，算來已經超過了三天時限……」

沈霞琳接道：「唉！凡是陶玉手下的人，都靠不住。」

玉簫仙子道：「百毒翁雖有使用百毒之能，但他不似奸滑無信的小人，也許他也被陶玉暗施毒手所傷。」

沈霞琳道：「這麼說來，我的心願落空了。」

玉簫仙子道：「你有什麼心願，可要我助你？」

沈霞琳道：「我要百毒翁傳授我用毒之法，好去在陶玉身上下毒……」

玉簫仙子道：「那陶玉陰險毒辣，你如何能夠接近他？」

沈霞琳道：「不要緊，陶玉對任何人都存有很深戒心，但對我卻有些例外，只可惜我的武功不是他的敵手，縱然能夠接近他，也是枉然。」

她淒涼一笑，站起身，摘取壁上的長劍，道：「我要去追陶玉了，姊姊……」

玉簫仙子急急說道：「沈姑娘不可造次，聽我幾句話如何？」

沈霞琳道：「不要勸我，我已經想了很久，無論如何，我都要設法救回寰哥哥，如是救他不了，那只有一死了之。」

玉簫仙子道：「沈姑娘，你聽我說，不論智謀、武功，你都難是那陶玉之敵，你去了，也不過多讓陶玉擄去了一個人質，我已用飛鴿傳書，轉告了朱姑娘，三五日之內，必有朱姑娘的指示到來。」

沈霞琳眼睛一亮，道：「如若蘭姊姊肯下山來，那就不難解救寰哥哥了。」

玉簫仙子道：「你既然很明白，爲什麼不再耐心的等待幾天！」

沈霞琳沉吟了一陣，道：「我不等她了，我已經長大啦，我素來不會對人用心機，施手段，這一次要用一次手段對付陶玉。」

玉簫仙子還待再勸，沈霞琳突然一整臉色，說道：「你如還想和我作姊妹，那就別勸我了，明天中午時分，你可以告訴他們我去追陶玉的事。」也不待玉簫仙子答話，緩步出室，縱身一躍，飛上屋面，轉眼間行蹤頓杳。

玉簫仙子望著茫茫夜空，長長歎一口氣，自言自語的說道：「什麼力量，使這位一向溫和柔順的女孩子變得如此倔強……」

玉簫仙子正在自言自語，突聽一個柔婉的聲音接道：「至愛大恨，都會使一個人性格大變，以沈師妹的溫和，竟也能說出絕情絕義的話。」

玉簫仙子轉頭望去，只見童淑貞道裝佩劍，站在一處屋簷下，當下說道：「你都看到了？」

童淑貞道：「看到了，不知玉簫姊姊有何打算？」

玉簫仙子道：「你是說沈姑娘的安危？」

童淑貞道：「是的，沈師妹近來雖是多懂很多事，但她心地太過善良，她一心想著對付陶玉，只防備陶玉一人，其他的人那就絲毫不知防範，如若任她一人在江湖之上飄蕩，只怕要吃大虧。」

玉簫仙子道：「我本該暗中隨行，保護她才是，可是我又必須留在這裏等候朱姑娘的指示。」

童淑貞道：「我想易容追蹤，暗中相護，但此地有一樁重要的事，使我無法分身。」

玉簫仙子道：「什麼事？不知我是否可以代勞？」

童淑貞道：「大覺寺枯佛靈空，混跡於此，楊師弟指明我暗中監視著他，這和尚不知是受了暗傷，還是故意裝作在等待機會，幾日夜來，一直坐在房中調息，從無任何舉動……」

玉簫仙子接道：「好！我監視那和尚，你如要追蹤保護沈姑娘，就該立刻動身，陶玉定會在鄧家堡四周設下暗樁、眼線，沈姑娘孤身一人，必將會引起敵人的偷覷。」

童淑貞道：「一切有勞，小妹這就告別動身。」言罷轉身而去，易容改裝，連夜出堡。

次日天亮，玉簫仙子巡查過枯佛靈空的住處，繞入大廳。

只見李滄瀾帶著川中四醜，站在大廳台階之下，右手握著龍頭拐，抱拳作禮，道：「老朽先走一步了。」

一陽子合掌還禮，鄧固疆抱拳相送。

玉簫仙子隱在壁角，心中暗暗想道：五年前李滄瀾主盟天龍幫，和九大門派、楊夢寰形若水火，誓不兩立，但五年後形勢易變，李滄瀾卻和諸大門派聯手，對付他一手培養出來的弟子，和他一手創出的天龍幫，如若他能早知此果，就不會收養陶玉，和創設天龍幫了。

忖思之間，李滄瀾已帶著川中四醜，急急而去。

一陽子回過臉來，瞥見了玉簫仙子，立時舉手招呼道：「姑娘請進，貧道有事請教。」

玉簫仙子快步行了過來，笑道：「道長有何指教？」

一陽子道：「咱們進入廳中再談如何？」

鄧固疆閃身避到一側抱拳道：「姑娘先請。」

玉簫仙子當先入廳落座，早有一個堡丁行來，獻上香茗。

一陽子望了鄧固疆和玉簫仙子一眼，道：「朱姑娘可有指示到來？」

玉簫仙子道：「據妾身推想，就在這三五日內必有指示到來。」

一陽子道：「經此一變，整個江湖形勢，已非朱姑娘親身出馬，不足挽救頹勢了。」

玉簫仙子道：「賤妾來此之前，朱姑娘在百忙中，寵召賤妾晉見，雖然談到了甚多江湖中事，但受時間所限，未能兼及細節，賤妾就匆匆辭出。」

一陽子道：「朱姑娘很忙麼？」

玉簫仙子沉吟了一陣，道：「她在以身涉險，習練幾種武功。」

一陽子道：「原來如此。」

玉簫仙子道：「她習練的幾種武功，都是武林中未曾聞見之學，就賤妾所知，只要稍有失誤，重則殞命，輕則殘廢，當今之世，只有朱姑娘這等大仁大勇的人，才肯甘冒這等大險，爲武林同道謀福。」

一陽子歎道：「除了朱姑娘那等絕世才慧的人物，別人縱有此心，也無此力。」

玉簫仙子道：「道長說得不錯。」

一陽子說道：「貧道還得留此數日，朱姑娘如有什麼指示，還望姑娘通知貧道一聲。」

玉簫仙子道：「賤妾計算時刻，如無特殊變化，明天日出時分，可有音訊到此。」言罷，轉身緩步而去。

次日天亮時分，一陽子即匆匆趕往鄧府花園。

那玉簫仙子早已先到，在一片廣闊的草地上用白絹佈下了一片奇形的陣圖。

一陽子心知那白絹佈成花陣，必有作用，也不多問。

玉簫仙子回顧了一眼，道：「道長早。」

一陽子道：「貧道盼望朱姑娘的指示，不在姑娘之下。」

玉簫仙子道：「今日午時之前，如若收不到朱姑娘的指示，情形就有些不對了。」

言罷，抬起頭來滿天搜尋。

一陽子看她焦急之情，已知道今午可能是玉簫仙子和那朱若蘭相約的最後期限。

這時太陽剛剛升起，碧空中幾片浮雲，幻現出瑰麗的七彩。

一陽子前行兩步，和那玉簫仙子並肩而立，四道目光，望著天空出神。

足足過了一頓飯時光之久，太陽光愈來愈強，只照得兩人眼中金光亂閃。

碧空蕩蕩，仍不見一點蹤影。

玉簫仙子自言自語的說道：「就算姑娘在行功緊要關頭，但松苓和彭姊姊，也該先給我一點訊息才對……」

只聽一陽子叫道：「玉簫姑娘，那一片白雲下，有一點白影飛來。」

玉簫仙子道：「在哪裏，指給我瞧瞧，我的眼睛看花了……」

一陽子揚手指著正南方白雲，道：「那一片白雲之下，有一點白影……」

玉簫仙子凝目望去，果見一點白影，由雲層中直瀉而下。

片刻之間，那白影已瀉落到百丈以上。

日光下，只見牠的羽白如雪，閃閃生光。

玉簫仙子道：「朱姑娘遣派了靈鶴玄玉趕來，對此事顯然是十分重視了。」

但見巨鶴雙翼一斂，疾如殞星飛墜而下，直落院中那白絹旁側。

一陽子已數年未見那靈鶴玄玉，此刻望去，更顯得神駿奮發，好像又長大了許多。

只見牠抬起頭來，望著一陽子低鳴一聲，若曾相識，然後緩步對玉簫仙子行了過來，展開左翼。

玉簫仙子拍拍靈鶴玄玉的腦袋，道：「玄玉，你辛苦了。」

伸手從左翼之下取出一個竹節，拔去塞子，取出一張素箋。

展開素箋，只見上面寫道：「暫避鋒芒，保存實力。」八個草字，下面是朱若蘭的署名。

玉簫仙子道：「朱姑娘已然親自看過我的上書，但風雲變幻，這幾天的變化太大了，寫信只怕難以說得清楚，只好返回天機石府一行，面報姑娘了。」

一陽子道：「姑娘去後，如若那百毒翁到來，又該如何對付？」

玉簫仙子道：「他已過限甚久，如是我料斷不錯，恐怕早已傷在陶玉手下，楊相公身處險境，隨時有性命之憂，此事非同兒戲，我必得及早回報姑娘，道長縱有援手趕來，也不可造次出手，等候朱姑娘的決定，賤妾去了。」舉步跨上鶴背。

但見玄玉一展雙翼，疾風突起，草木拂動，升空直上，片刻間，蹤影已杳。

一陽子望著那巨鶴去向，長長歎息一聲，離開後園而去。

且說那沈霞琳離開鄧家堡後，直奔百丈峰方向。

她此刻心中已別無他念，只在想著楊夢寰的安危，如何才能夠救他脫險，不覺間已是暮色蒼茫時分了。

這時沈霞琳正行在一處竹林旁邊、只見竹影搖動，陶玉由竹林中一躍而出，攔住了沈霞琳的去路。

這些年來，沈霞琳武功大進，聞聲警覺，唰的一聲，長劍出鞘。

陶玉格格一笑，道：「沈姑娘，可是在追蹤你的寰哥哥麼？」

沈霞琳緩緩還劍入鞘，道：「原來是你。」

陶玉笑道：「怎麼？還劍入鞘，那是想和我談判了。」

沈霞琳道：「我打你不過，只好和你談談了。」

陶玉微微一笑，道：「人人都說你沈霞琳胸無城府，但我陶玉看來，你卻是天下第一等聰明的人呢。」

沈霞琳道：「過獎，過獎……」揚手指著一片青草地，說道：「咱們到那邊談談吧！」當先舉步行去。

陶玉緊隨沈霞琳身後，行了過去。

沈霞琳當先坐了下去，伸手拍著身前的空地，說道：「你也坐下來，咱們好好的談談。」

陶玉緩緩坐了下去，道：「咱們要談些什麼呢？」

沈霞琳道：「自然是寰哥哥了。」

陶玉道：「風花雪月，武林遺事，在下都可以和你談談，唯獨對楊夢寰的事，在下不願多談……」

沈霞琳道：「不要緊，這一次咱們談到寰哥哥，也和風月有關。」

陶玉奇道：「這話怎麼說？」

沈霞琳道：「你不是一向很聰明麼？怎麼這一次猜不到了。」

陶玉一對流動的眼神，突然停住在沈霞琳的臉上，道：「你是說你和我，還是指那楊夢寰、趙小蝶及那毒龍夫人？」

沈霞琳道：「咱們兩個人在說話，自然是指你和我了。」

陶玉道：「這麼說來，在下倒是有些興趣聽了。」

沈霞琳嫣然一笑道：「我問你的話，希望你能老老實實的回答我。」

陶玉道：「那要看你問的什麼了。」

沈霞琳道：「你可是真的喜歡我？」

陶玉道：「千真萬確，你如不信，我可以在神前立誓。」

沈霞琳道：「不用立誓，我相信你的話就是。」

陶玉淡淡一笑，道：「相信了又能如何？你已是楊夢寰的夫人了。」

沈霞琳道：「有一件事，說出來，只怕天下無人肯信。」

陶玉道：「我陶玉行事爲人，一向與人不同，你先說出來我聽聽，看我相不相信。」

沈霞琳道：「我和楊夢寰結縭數載，仍然是白璧無瑕的處子之身。」

陶玉雙目凝神，在沈霞琳的臉上打量了一陣，笑道：「不錯。」
沈霞琳道：「你信了？」
陶玉道：「我相信自己的眼光不會看錯，但不知原因何在。」
沈霞琳道：「為了一個人。」
陶玉道：「是了！你和那李瑤紅爭寵鬥氣，是以不願和那楊夢寰同榻共枕。」
沈霞琳搖搖頭，道：「我和那李瑤紅情同姊妹，哪裏會爭寵鬥氣呢？」
陶玉道：「難道是為了我陶玉不成？」
沈霞琳搖搖頭，道：「不是。」
陶玉奇道：「這我就猜不透了，究竟是為了哪一個，你乾脆說出來吧！」
沈霞琳道：「朱若蘭——」
陶玉奇道：「朱若蘭，她和你們夫婦有何關係，難道你和楊夢寰床笫間的事，也要問問那朱若蘭麼？」
沈霞琳道：「那是不用了，但我和紅姊姊心中，都對朱若蘭敬重無比，想到能和楊夢寰結成夫婦，這其間經歷了多少艱苦磨難，大都是那朱若蘭從中相助——」
陶玉冷笑一聲，道：「那朱若蘭也不過自存私心而已，她救你們只是為幫助那楊夢寰而已。」
沈霞琳道：「怎麼，你看那朱姑娘喜歡寰哥哥麼？」
陶玉笑道：「我陶玉是何等人物，豈有瞧不出那朱若蘭暗生私情之理。」

沈霞琳道：「我就瞧不出，還是紅姊姊告訴我我才明白，我和紅姊姊都很感激那朱姑娘，商量之下，決心把正室留給她，我和紅姊姊都作了偏房……」

陶玉道：「楊夢寰那小子艷福不淺啊！」

沈霞琳道：「寰哥哥不肯答應，但他又拗不過我和紅姊姊。沒有法子，只好答應了，因此雖有夫妻之名，卻無夫妻之實。」

陶玉道：「咱們不用談這些事了，談談你和我吧！」

沈霞琳兩目凝注在陶玉臉上，瞧了一陣，歎道：「你爲什麼處處要和寰哥哥過不去呢？」

陶玉道：「原因很簡單，他如一日不死，我就一日不安，當今武林之中，楊夢寰是我江湖霸業中最大一個妨礙。」

沈霞琳道：「這樣就談不成了，唉！我要你放了楊夢寰。」

陶玉道：「那要看看你付出什麼代價。」

沈霞琳道：「你要什麼？」

陶玉道：「你！」

沈霞琳淒然一笑，道：「我知道，要不然也不會和你談了。」

陶玉站起身子，望著沈霞琳格格笑道：「你仔細的想想，別要答應了又後悔。」

沈霞琳道：「如是不答應你，那也不會來這裏找你了。」

陶玉突然伸出手去，握住沈霞琳的右手，道：「你仔細的想想看，不要憑一時衝動，做出了終身大恨的事。」

沈霞琳道：「我早已想好了，不過我先要你放了楊夢寰，然後才能答應你。」緩緩掙脫陶玉握住的右手。

陶玉沉吟了一陣，道：「先放楊夢寰倒也不難，但如你到時變了卦，我豈不是一場空歡喜麼？」

沈霞琳道：「現在我還是楊夢寰的妻子，如若答應了你，那是犯了七出之款，先要見著他，我要他先寫休書休了我，然後才能和你作夫妻。」

陶玉道：「如若他不肯寫呢？」

沈霞琳冷然說道：「寰哥哥不是你，他的爲人我知道，只要我說了，他就會當場揮毫。」

陶玉道：「以他平日爲人來看，或許此言不錯。」

沈霞琳道：「先讓楊夢寰寫好休書，你再放他，那時我就算變卦，也是變不了啦。」

陶玉眼珠兒轉了兩轉，道：「好吧！就依你的辦法。」

沈霞琳微微一笑，道：「你要聽話一點才好。」

陶玉道：「唉！你如早幾年這般對我，也許我不會似今日這般的惹是生非了。」

沈霞琳道：「你如真的想改過向善，此刻時猶未晚。」

陶玉道：「不成，此刻已經是騎上虎背，欲罷不能了……」

語聲微微一頓，接道：「也許你嫁給我陶玉爲妻之後，能使我陶玉改過向善。」

沈霞琳道：「怎麼？你已經知道此刻自己的所作所爲，都是爲非作惡之事麼？」

陶玉沉吟了一陣，道：「其實這善、惡二字，分際甚難，那楊夢寰處處爲人設想，贏得武林中人物對他的尊重，視爲盟主，我卻是別走蹊徑，一樣的在武林道上造成人人敬畏，使他們擁我成爲真正的盟主，目的則一，只是手段不同而已。」

沈霞琳心中暗道：你這人如何能和寰哥哥相提並論，一善一惡，一俠一匪，相差何止千萬里。

她開始學用心機，生恐此言對陶玉刺激過大，竟能忍住未說出口來。

陶玉伸出右手，牽著沈霞琳的玉手，向前行去。

沈霞琳望了陶玉一眼，心中想道：你用右手牽我，將來我先斬去你的右手。

心中念頭轉動，但卻未行掙扎，任他牽著手兒行去。

陶玉不見沈霞琳掙扎，心頭大是歡喜，說道：「有一件事，我心中最不服氣。」

沈霞琳道：「什麼事？」

陶玉道：「楊夢寰未必就比我陶玉英俊，說才智、武功也未必強得過我，爲什麼你、朱若蘭，甚至趙小蝶以及我從小在一起長大的師妹李瑤紅，都對他深情無限，對我卻是冷若冰霜。」

沈霞琳笑道：「這你都不知道麼？」

陶玉道：「我處處輸他一籌，心中自是不服氣了。」

沈霞琳道：「因爲寰哥哥爲人忠厚……」

只聽一個女子聲音冷冷接道：「你陶玉卻惡毒殘酷，早已該碎屍萬段。」

陶玉放開了沈霞琳，凝目望去，夜色中只見童淑貞手橫長劍，攔住了去路，不禁大怒，喝道：「你可是送死來麼？」

童淑貞高聲叫道：「沈師妹不要聽他花言巧語，姊姊我身受其害，如今是生覺無顏，死難甘心！」

陶玉知她再說下去，定然十分難聽，翻手拔出了金環劍，疾刺過去。

童淑貞揮劍相迎，兩人一出手，就各出絕招，剎那間劍氣彌空，寒芒輪轉，打得激烈絕倫。

童淑貞似是有很多話要說，但卻被陶玉那緊迫的劍勢，逼得沒有說話的工夫。

沈霞琳退在一側，眼看著這一場兇惡的搏鬥，呆呆出神。

她雖然學會了使用心機、手段，但那是經過了很久的深思熟慮，似這等出於意外的變化，一時間反不知如何是好。

沈霞琳心中明知童淑貞一人之力，決非那陶玉的敵手，打下去必敗無疑，但卻不知自己是否該出手相助，既不能眼看童淑貞傷亡在陶玉的劍下，又不能小不忍亂了大謀，為助童淑貞破壞自己數日夜深思熟慮的計劃……

忖思之間，突然陶玉輕叱一聲：「著。」一劍刺在童淑貞的左腿之上。

一股鮮血，冒了出來。

童淑貞中了一劍，竟是連哼也未哼一聲，仍然揮劍搶攻，招招襲取陶玉的要害。

陶玉怒聲喝道：「你這般不知死活，可別怪我陶玉心狠手辣了。」

劍勢一緊，奇招連出。

童淑貞一面揮劍招架，一面高聲喝道：「沈師妹，不用管我的死活了，我早已活得乏味，死不足惜，你還不快些逃走……」

陶玉劍勢連變，奇招迭出，一劍快過一劍，一劍比一劍毒辣。

片刻之間童淑貞身上連中了七八劍，衣服破裂，鮮血滿身。

她似是已進入瘋狂狀態，全身傷痕纍纍，仍是不停的揮劍搶攻。

陶玉眼看童淑貞的瘋狂之態，也不禁暗暗驚心，忖道：她連中數劍，仍是這般兇狠，看將起來，除了一劍把她殺死，是別無良策了……

心中念頭轉動，手中劍勢略緩。

童淑貞奇招突出，乘隙而入。

陶玉一個失神，右臂中了一劍，劃了四寸長短一道口子，衣服破裂，鮮血泉湧而出。

陶玉大怒道：「賤婢可惡，我如一劍把你殺死，那是便宜你了。」

他心中充滿惡毒的恨意，不肯讓童淑貞死在金環劍下，再加上右臂中劍，勁道、劍路都打了折扣，童淑貞竟然又支撐了十幾個回合未敗。

但久戰之後，童淑貞憑借的一股猛銳之氣，已然完全消失，失血過多，逐漸的失去了再戰之能。

手中劍勢逐漸緩了下來。

沈霞琳眼看她難再支撐，如若再不助她一臂，頃刻之間，即將死傷在陶玉劍下，忍不住大聲喝道：「不要再打了，快些停手。」拔腳衝向兩人。

陶玉應聲向後退了兩步，笑道：「怎麼樣，你可是想救她？」

沈霞琳道：「我看她受傷如此之重，就不禁動了同門姊妹之情。」

只聽童淑貞說道：「師妹，你爲什麼不逃？」身子搖了兩搖，一跤跌倒地上。

沈霞琳回顧了陶玉一眼，道：「你真的肯放了她？」

陶玉道：「留下此人，實是一大禍害，但你如若一定要救她，那就放她去吧。」

沈霞琳道：「她武功永遠不會強過你，留下她也不要緊。」

陶玉道：「好！隨你怎樣辦吧。」轉身行去。

沈霞琳高聲說：「不要走。」

陶玉回過頭，道：「什麼事？」

沈霞琳道：「她全身傷痕纍纍，成了血人，我身上沒有金創藥，如何救她。」

陶玉探手從懷中摸出一個玉盒道：「這盒中有三粒靈丹，功能止血生肌，你讓她服下兩粒，自可好轉。」

放下丹藥，轉身而去。

沈霞琳打開玉盒，凝目望去，星光下果見玉盒中三粒丹丸。

情勢危迫，已使沈霞琳無暇多想，隨手取過一粒丹丸，送入童淑貞的口中。

靈藥有效，不過片刻工夫，童淑貞已然醒了過來。

沈霞琳不待童淑貞開口，搶先握著童淑貞一隻手道：「你好好的養息傷勢，不用管我的事……」

童淑貞有氣無力的接道：「你要幹什麼？陶玉狼心狗肺，蛇蠍手段，你不要上了他的當。」

沈霞琳道：「可是他目下擒了趙小蝶和寰哥哥，論武功只怕天下已無能夠和他對敵之人……」說至此處，突然流出淚來，緩緩接道：「死了我一個沈霞琳，何足輕重，但必得救出寰哥哥和趙妹妹，姊姊多多珍重，我要去了。」說完話，一咬牙，狠起心腸，起身大步而去。

童淑貞眼望著沈霞琳逐漸遠去的背影，忍不住兩行熱淚奪眶而出。

且說沈霞琳隨著陶玉行入了一座小村之中，只見數十老弱婦孺，擠於一座加上木柵的牛欄中。

兩個執刀大漢，分守兩側。

沈霞琳一皺眉頭，道：「這些人爲什麼要擠在牛欄中呢？」

陶玉道：「是我把他們關起來的。」

沈霞琳道：「爲什麼呢？」

陶玉笑道：「這些人的兒子或丈夫，不是爲我偵探敵情，就是埋作暗樁，如是他們有什麼變節之處，我就殺掉這遺留下的人質……」

沈霞琳道：「嗯！那是無怪你行蹤隱密，追索不易了。」

陶玉微微一笑，道：「楊夢寰行俠施仁，我陶玉就偏偏的施展毒辣手段，看看哪一個能登上武林霸業的王座。」

沈霞琳道：「楊夢寰從沒有稱霸武林的念頭。」

陶玉道：「縱然是有，他也不是我陶玉之敵。」

沈霞琳道：「嗯！他很悲慘，人被你囚禁起，妻子也要離開他了。」

陶玉笑道：「人生的悲慘事，何止千萬件，那也不止楊夢寰一個人了。」

沈霞琳輕輕歎息一聲，道：「這善惡之分，好壞之別，報應之說都是騙人的了。」

陶玉道：「原也沒有什麼分別。」

沈霞琳道：「不知幾時我們才能見得楊夢寰？」

陶玉道：「你這般急於見他，是何用心？」

沈霞琳道：「我要早些告訴他，讓他寫下休書，咱們在一起，我就安心了。」

陶玉道：「你見著楊夢寰時，可敢當真的迫他休妻麼？」

沈霞琳道：「你這話問得很奇怪，我幾時說過謊言了。」

陶玉道：「可要我陶玉站在旁側聽著？」

沈霞琳道：「你聽著吧！」

陶玉道：「咱們立刻就去見他……」語聲微微一頓，接道：「如是見他之後，你變了卦，他就有苦頭好吃了。」

沈霞琳道：「不過，有一件事，我要事先說明。」

陶玉道：「你說吧！」

沈霞琳道：「日後你榮登上武林盟主的座位，成爲武林第一人，我沈霞琳可是武林第一夫人麼？」

陶玉道：「那是當然。」

沈霞琳道：「楊夢寰寫休書之後，我也不能就這麼隨隨便便的和你守在一起。」

陶玉道：「還要怎樣？」

沈霞琳道：「我要三媒六證，我要你堂堂正正的把我娶回去。」

陶玉道：「這事以後再說，咱們先去看看楊夢寰。」當先舉步行去。

沈霞琳隨著陶玉身後，行到了村中一座宅院中，陶玉伸手掀開了一座石蓋，道：「就在下面。」低嘯一聲，一躍而入，接道：「燃起火把。」

但見火光閃動，霎時間一片通明。

沈霞琳躍入窖中，只見楊夢寰盤膝坐在一座僅可容人的鐵籠裏，一個黑衣大漢守在籠側，右手執刀，左手舉著火把。

楊夢寰閉著雙目，有如老僧入定，雖然聞得聲息，亮起火把，但他卻連眼皮也不睜動一下。

沈霞琳緩步走了過去，道：「寰哥哥，你瞧瞧誰來了？」

楊夢寰睜開眼來，瞧了沈霞琳一眼，道：「你怎麼到了這裏？」

沈霞琳黯然一歎，道：「自然是爲了看你來的。」

楊夢寰抬頭看著陶玉，道：「你騙她來此？」
陶玉哈哈一笑，道：「她自己送上門來，在下只好照收了。」
楊夢寰厲聲說道：「陶玉，如若我有脫出困危之日，決然不再對你留絲毫情義。」
陶玉道：「怎麼？你還想有脫困之日麼？」
楊夢寰道：「就算我死變爲厲鬼，也不饒你。」
陶玉道：「兄弟對人還存有三分畏懼，對鬼麼？卻是一點也不怕。」
沈霞琳回顧了陶玉一眼，道：「你這人怎麼可以和他吵架呢？」
陶玉略一沉吟，道：「不錯，我娶人之妻，也該好好的求他一陣才是。」
大步行近了楊夢寰，抱拳一禮，道：「楊兄，兄弟有一事奉求楊兄。」
楊夢寰一皺眉頭，道：「什麼事？」
陶玉道：「楊兄死亡將至，留下這美貌妻子，豈不是太殘忍了，兄弟之意，在你未死以前，早些把她處理了好。」
楊夢寰冷笑一聲，閉起雙目不言。
陶玉接道：「這裏有休書一封，楊兄請打上手印。」
楊夢寰閉上雙目，任那陶玉口若懸河，滔滔不絕，始終不發一言。
陶玉轉眼望了望沈霞琳道：「他不肯說話，我也是沒有法子了。」
沈霞琳道：「我來對他說吧……」
語聲微微一頓，接道：「寰哥哥，你要忍耐一點，我有幾句話說給你聽。」

楊夢寰呆了一呆，道：「什麼話？」

沈霞琳伸出手去，由陶玉手中取過休書，道：「這個你看過了？」

楊夢寰道：「沒有看過。」

沈霞琳道：「那你就看看吧。」

楊夢寰抬起雙手，接過看了一陣，道：「休書？」

沈霞琳道：「不錯，你如在那休書上打上你的手印，我就不再是楊夫人了。」

楊夢寰道：「陶玉迫你如此。」隨手將休書棄置地上。

沈霞琳道：「不是，是我自己想到的。」

楊夢寰瞪大了雙目，凝注在沈霞琳的臉上長長歎息一聲，道：「好！拿過來吧！」

沈霞琳撿起休書，遞了過去，說道：「寰哥哥，不要恨我，我，我是情非得已……你以後就知……」熱淚滾滾奪眶而出。

楊夢寰微微一笑道：「我一點也不恨你。」

沈霞琳玉牙緊咬著櫻唇，強自忍了下去，未哭出聲，伏身撿起了休書，遞了過去，道：「你瞧瞧有哪裏不對麼？」

楊夢寰道：「不用瞧了，只要不是陶玉逼你，不論上面寫的什麼都好，你將印泥拿來吧！」

陶玉取出印泥，沈霞琳接過去，交給了楊夢寰。

楊夢寰看也不再看一眼，就在休書上打上手印，還給了沈霞琳，笑道：「姑娘，從此時此刻起，你已恢復你姑娘身分與自由之身。」
沈霞琳道：「唉！天下英雄都知道我是你的妻子，以後只怕他們還要叫我楊夫人。」
楊夢寰道：「不要緊，以後他們知道了就不會叫了。」
陶玉伸出手，從沈霞琳的手上，取過休書，道：「楊兄，你可知道沈霞琳爲什麼要楊兄休了她麼？」
楊夢寰道：「不知道。」
陶玉道：「這又和兄弟有關了，沈姑娘慧眼識人，已瞧出楊兄此次必死無疑，所以她才離開楊兄，要和兄弟同在一起。」
楊夢寰道：「沈霞琳胸無城府，天真無邪，兄弟倒是希望陶兄好好待她，兄弟死也瞑目九泉了。」
陶玉哈哈一笑，道：「楊兄當真是天下第一等多情人。」
楊夢寰道：「不敢當陶兄誇獎。」
陶玉折好休書，藏入懷中，笑道：「楊兄這等乾脆，兄弟該給你一個痛快才是，只是楊兄在當世武林人物心目中，身分甚重，如若一刀把你殺死，實在是太可惜了。」
楊夢寰道：「陶兄不論用什麼手段折磨兄弟，我楊夢寰都不會放在心上。」
陶玉道：「如果楊兄和兄弟合作，楊兄並非是全無生路。」
楊夢寰道：「咱們不用談這些事了，兄弟唯一之求，希望從今以後，你要善待沈姑娘。」
陶玉道：「這個不勞吩咐，兄弟自會辦理，不過一個人一生中只能死亡一次，楊兄又何苦非死不可呢？」

楊夢寰道：「咱們不用談這些事了，兄弟睏倦得很，想要休息一會。」

沈霞琳表現了從所未有的堅強，站在一側，不言不語。

陶玉冷笑一聲，道：「楊兄，別忘了你還在兄弟手中，我可以一刀把你殺死，也可以殺你千刀萬刀，還讓你活在世上。」

楊夢寰靜坐不動，對陶玉之言，渾如不聞。

沈霞琳心中激動，似是要暈倒地上，急急說道：「咱們走吧！」

陶玉道：「好！」伸手抱起了沈霞琳的纖腰，接道：「向上飛躍，我助你一臂之力。」兩人同時提氣上躍，飛上了土窖。

回頭望去，只見土窖中的火光，一閃而熄。

陶玉握住了沈霞琳左手，向前行去，一面低聲說道：「楊夢寰寫下了休書，你也該愁懷大開了。」

沈霞琳道：「但天下武林同道，只怕是很少有人知道楊夢寰休妻的事……」

陶玉笑道：「這事容易，我先召集一部份武林中人，宣佈此事，只要有一人知道，很快就遍傳武林了。」

沈霞琳呆了一呆，道：「不行，他正在囚禁之下，如若是昭告天下，只怕人人都要罵我沈霞琳爲人薄倖了。」

陶玉笑道：「不要緊，別人如何，由他們去說就是，你既然想要我大媒花轎娶你為妻，這事豈能隱瞞，如其偷偷摸摸，倒不如名正言順，大大方方的好些。」

說話之間，已進入了一座茅舍之中。

雖然是竹籬茅舍，但布設卻十分雅致，案上紅燭高燒，早已擺滿了佳餚、美酒。

陶玉先讓沈霞琳落了座，自己在對面坐下，道：「你累了一日半夜，只怕腹中早已饑餓了。」

沈霞琳有生以來，心頭從未積聚過今宵這等沉重的煩惱，她本是胸無城府，天使一般的人兒，如今為勢所逼，不得不學著使用心機。

楊夢寰在休書上打落指印，有如一把燒紅的烙鐵烙在她的心上。

但她隨時在警覺著提醒自己，陶玉一向多疑，不可被他瞧出破綻。

她強自忍著裂膽剖心的痛苦，端起面前酒杯笑道：「我敬你一杯酒。」

陶玉搖搖手，道：「先不要喝。」舉手互擊三掌。

只見兩個青衣童子走了進來，舉起桌上的筷子，每樣菜都吃上一口，然後又飲了一口酒，欠身一禮，悄然退下。

沈霞琳奇道：「這是幹什麼的？」

陶玉舉杯道：「防人之心不可無，現在咱們可以吃了。」

沈霞琳道：「是啦！你怕人家在這酒菜之中下毒，是麼？」

陶玉笑道：「正是如此。」

沈霞琳舉筷子吃了一口菜，道：「你餐餐都是如此麼？」
陶玉道：「不錯。」
沈霞琳道：「為何要如此多疑呢？」
陶玉道：「這世間，我很難找得一個為我信任的人。」
沈霞琳道：「包括了你的親人，你的父母，和未來的妻子？」
陶玉微微一笑，道：「我自幼無父無母，被人收養，孤苦伶仃，無靠無依，要我去相信哪一個呢？」
沈霞琳道：「如你無父母，身從何處來；如你無養育，怎能有今日？」
陶玉道：「父母雖有，但已成為一坯黃土，養我的恩師，早已棄我不管……」
他目光暴射出熾烈的情焰，凝注在沈霞琳的臉上，道：「也許我會有一個可以信任的妻子，只不知她會不會真心對我？」
沈霞琳道：「你說哪一個？」
陶玉道：「你！沈霞琳，你迫那楊夢寰寫下休書，難道不是存心嫁給我麼？」
沈霞琳淡淡一笑，道：「自然要嫁你了，不過，我怕步了童師姊的後塵。」
陶玉笑道：「咱們正式結為夫妻，豈能和那童淑貞相比。」
沈霞琳心中暗暗罵道：你這個狼心狗肺的人，我非得宰了你，才能消心頭之恨！口中卻笑道：「但願我嫁了你之後，你會好好待我。」
陶玉道：「這你盡可放心。」

沈霞琳站起身子道：「唉！我一天勞累，現在很倦了，不知你替我準備睡覺的地方沒有？」

陶玉笑道：「自然有了。」伸手端起桌上的紅燭，道：「走……我帶你去……」領先出門而去了。

沈霞琳緊隨在陶玉身後，行入了一個靜室之中。

只見靜室中羅帳低垂，紅燭高燒，佈置的十分雅致。

沈霞琳打量了四週一眼，笑道：「這地方能佈置出這樣雅致的房間，實是不易。」

陶玉道：「這本是一間新房，用作洞房花燭之夜……」

沈霞琳道：「那一對新人呢？」

陶玉道：「新人被我攆了出去，留作我自己臥室，今夜讓給你了。」

沈霞琳暗道：果然是只知有己，不知有人，口中說道：「你把人家攆出去，那也未免太狠心無情了些……」

目光轉動，只見陶玉雙目圓睜，望著自己，不禁駭然，道：「你這般瞧著我幹什麼？」

陶玉道：「沈姑娘，你可是當真的喜歡我麼？」

沈霞琳道：「自然是當真了。」

陶玉道：「這座新房，既然是用作洞房花燭，今夜咱們就成爲夫妻如何？」

沈霞琳臉色一變，冷峻的說道：「你如這般對我，我就死給你看……」

陶玉緩緩垂下頭去，默然不言。

沈霞琳輕輕歎息一聲，柔聲說道：「急什麼呢，我早晚是你的人，等咱們明媒正娶，拜過天地，才能……」

陶玉輕輕歎了一聲，道：「你好好保重。」轉身出門而去。

沈霞琳和衣倒在床上，一直難以入睡，既怕陶玉半夜衝來，又怕別人混入室中，半宵時光，就在她警覺的戒備中渡了過去。

直待天色大亮，她才心中一寬，不知不覺睡了過去。

她數日夜的勞碌，早已困乏不堪，這一覺直睡到中午時分，才醒了過來。

只見陶玉坐在一張木椅上，身佩金環劍，閉目養息。

沈霞琳一躍而起，查看全身，衣著無損，心中暗道了兩聲：好險啊！好險！以後要特別小心才是。

她步出羅帳，陶玉已起身笑道：「咱們原要一早趕路，但爲了等你，現在仍未動身。」

沈霞琳道：「爲什麼不叫醒我呢？」

陶玉道：「我看你睡得十分香甜，不忍叫醒你……」

語聲微微一頓，道：「快些盥洗，吃點東西，咱們上路吧。」

沈霞琳匆匆盥洗，進了一些飲食，和陶玉步出茅舍。

只見一群村夫裝束的人，抬了三個黑布垂遮的鐵籠，早已在林中一座廣場之上等候。

沈霞琳心中暗道：「原來他們扮裝成村夫模樣，那是無怪難以發現行跡了。」心中念轉，口卻問道：「那黑布垂遮的可是鐵籠麼？」

陶玉道：「不錯！囚著楊夢寰、趙小蝶和毒龍夫人。」舉手一揮，數十村夫，魚貫登路。

他們早已訂好了行走的路線，沿途之上，暗探往返查看是否有人追蹤。

一路無話，到晚霞滿天時分，行到了一片大樹林中。

陶玉道：「這本是咱們預定的中午進餐之地，但因動身過晚，只好改作宿住之處了。」伸手拍了沈霞琳兩下，接道：「我有事，必須暫時離開片刻，你留在此地等我。」也不待沈霞琳答話，轉身急急而去。

沈霞琳起身繞著那鐵籠行了一週，很想掀開那黑布瞧瞧，又怕引起了守衛人員的懷疑，只好重回原地。

但她卻一直注意著那三支黑布蒙遮的鐵籠。

片刻之後，忽見一個全身黑衣的小個子，懷中捧著三份食物，行近囚籠，右手掀起黑布一角，左手送入一包食物……

沈霞琳只瞧得大為羨慕，忖道：我如是黑衣人，也可和寰哥哥等常常見面了。

在那黑幔垂遮的三個囚籠四周，布守著甚多村夫裝束的人物，但對那瘦小黑衣人的舉動卻不置理。

沈霞琳流目四顧，只見這幽深的林木中，除了那鐵籠，旁邊站有四個黑色農夫裝束之人外，四下再無人蹤，不禁心中一動，暗道：這些人都和那陶玉甚好，我如掀看那鐵籠布幔，諒他們也不敢對我如何無禮。

心意轉動，緩緩站起身來，向前行去。

行至那鐵籠五六尺處，立時引起了四個黑衣人的注意，八支眼睛，一齊投注過來。

沈霞琳心中暗道：量他們不敢對我如何，不用怕他們，當下冷冷喝道：「你們瞧什麼？」

四個黑衣人齊齊欠身道：「幫主有諭，任何人不得擅近囚籠。」

沈霞琳道：「我自然例外了，就連陶玉也得讓我三分，難道你們真的敢攔阻我麼？」

四個黑衣人垂手抱拳說道：「我等不敢，但幫主一向令諭森嚴，如有違犯，必受重責。」

沈霞琳道：「爲什麼剛才那黑衣人就可以掀開籠上的黑布瞧瞧，我就不能呢？」

靠左首一個黑衣大漢道：「那是幫主指定送給囚籠中人食用之物的小廝，自是可以近那囚籠了。」

沈霞琳道：「我非瞧瞧不可，我不信你們真的敢攔我。」舉步直向正中一個囚籠行去。

四個黑衣大漢還真不敢攔她，卻一起圍了上來。

沈霞琳掀開那鐵籠上垂遮的黑布一角，凝目望去，只見趙小蝶盤膝坐在鐵籠中間，想到她過去的威風，不禁輕輕一歎，道：「趙姑娘，你……」

趙小蝶睜開眼來，望了沈霞琳一眼，笑道：「沈姊姊，你怎麼……」瞥見四個黑衣人圍在霞琳身後，立時住口不言。

沈霞琳心知身後有四人監視，雖有很多話，也不敢說出口來，只好改變口氣，說道：「你身體很好麼？」

趙小蝶心中暗道：這沈霞琳長進多了，說話也知道賣弄技巧，她問我身體定然是指我武功而言了。

心念轉動，微微一笑，道：「身體雖然很壞，但經過幾日休息，已經好得多了。」

沈霞琳回顧了身後圍觀的人一眼，道：「你好好保重。」緩緩放下黑幔，向左面一個囚籠行去。

四個黑衣人要待阻止，似又不願開罪於她，只好暗中戒備。

沈霞琳行到左側，掀開黑布一角，只見楊夢寰坐在鐵籠中。

目光一觸楊夢寰，沈霞琳有如受了雷轟電擊，全身抖動，難以自禁，身軀搖了幾搖，勉強穩下身軀，道：「寰哥哥……」

楊夢寰睜開星目，望了沈霞琳一眼，笑道：「你現在不能這樣叫我了。」

沈霞琳呆了一呆，道：「自我們相識之後，我都是這般叫你，一時再要改口，實是困難的很……」

語聲微微一頓，又道：「我剛才瞧到趙家妹妹。」

楊夢寰道：「她怎麼樣了？」

沈霞琳道：「她身體很好。」

楊夢寰道：「你也要好好的保重身體。」

沈霞琳淒涼一笑，道：「不論你到了哪裏去，我都會很快的去找你。」

楊夢寰雙目圓睜，凝注在沈霞琳臉上，瞧了一陣，道：「你要好好保重……」

沈霞琳正待答話，突聞一個尖細的聲音接道：「這不勞楊兄再費心了，自有兄弟好好的照顧於她呢。」

沈霞琳轉臉望去，只見陶玉站在身後七八尺處，雙目圓睜，盯注著囚籠中的楊夢寰。

楊夢寰道：「但願陶兄能心口如一！」言罷，閉上雙目，不再理會兩人。

沈霞琳緩緩放下掀起的黑布，牽起陶玉的左手，道：「咱們走吧！」

她心知憑自己的武功，絕無法是陶玉之敵，必得設法找到下手機會，但陶玉生性多疑，只怕暗中早有戒備，要他完全放開胸懷，必得一段很長的時間，和適度的犧牲……

心中念頭轉動，人卻依偎在陶玉的身上柔聲說道：「你到哪裏去了？」

陶玉鼻間聞到一陣陣的甜香，不覺伸出手來，緊摟著沈霞琳的柳腰，道：「李滄瀾帶著川中四醜，追蹤而來，但已被我故布疑陣，騙往他處……」

沈霞琳笑道：「你真是聰明得很。」

陶玉道：「但李滄瀾智謀過人，縱然一時受騙，明日午時之前，必會看破疑陣，說不定會轉身找來了。」

沈霞琳道：「你怕他麼？」

陶玉微微一笑，拉著沈霞琳坐了下去，燃起火燭笑道：「你一定很餓了，咱們邊吃邊談吧！」

沈霞琳正待答話，突聞一陣尖厲的哨聲傳了過來。

陶玉臉色一變，張口吹熄了火燭，一躍而起，低聲對沈霞琳道：「有人來了，你坐在這裏別動。」拔出金環劍，疾奔而去。

沈霞琳流目四顧，林中一片靜寂，心中暗道：我如有大師伯那柄削鐵如泥的寶劍，此刻就可以斬開鐵柵，救出寰哥哥和趙小蝶了……

一向純潔，不善心機的沈霞琳，此刻卻開始動用心機，默算著勝負的機會。

她暗自盤算道：如若趙小蝶武功未失，寰哥哥未受暗傷，我只要想到法子，打開鐵柵，使兩人恢復了自由，陶玉就無法再制服兩人……

但轉念又想道：那趙小蝶內功精深，寰哥哥亦非弱者，那區區鐵柵如何擋得住兩人神功，何以兩人竟然甘願坐在那鐵籠之中，不肯破柵而出……

念頭轉了兩轉，心中又成了一片空白，只覺兩人甘心坐在那鐵籠之中，自是有著心智、武功都無法克服的困難。

這時那尖厲的哨聲，已完全沉寂下來，除了夜風吹搖著樹梢，發出輕微的沙沙之聲外，再也聽不到一點聲息。

沈霞琳緩緩站起身子，向林外行去。

原來她突然想到，如若來人是大師伯，也好借他寶劍，削開鐵柵。

繞過一片樹木，避開了守護那鐵籠大漢的視線，突然加快腳步，放腿奔行。

這片雜林，不過數畝大小，沈霞琳放腿而行，片刻間已出了樹林。

她剛剛奔出樹林，林外深草叢中，突然躍起了一條人影，揮刀直劈過來。

沈霞琳來不及拔劍封架，一提真氣，硬把向前衝奔的身子收住，橫裏一躍，避開一刀。
那人似乎已瞧出來人是誰，一收單刀，不再搶攻。
這當兒，那執刀大漢身後，突然站起一個人來，一掌拍向那大漢後心。
沈霞琳和那大漢對面而立，看的甚是明白，不禁啊喲一聲驚叫。
這是一種本能的反應，根本就來不及思索那人是敵是友。
那人出手快速無比，沈霞琳還未叫出聲，那人掌勢已拍中執刀大漢的穴道。
待沈霞琳驚叫出口，那大漢已然棄刀跌倒在草地上。
只聽那人低聲說道：「沈姑娘快些過來。」
沈霞琳道：「你是玉簫姊姊麼？」
玉簫仙子道：「正是賤妾。」

十八　靜待時機

沈霞琳急行兩步，到了玉簫仙子身前，只見她一身黑衣，連頭上也包了一塊黑帕，玉簫仙子飛起一腳，把那點倒的大漢踢入草叢之中，道：「你可見到楊相公？」

沈霞琳道：「見到了，就在這雜林之中。」

玉簫仙子低聲說道：「這片荒林之外，形勢似極複雜，有著很多不同的武林高手趕到。」

沈霞琳道：「玉簫姊姊，那三十六計中，可有一計叫作混水摸魚麼？」

玉簫仙子道：「不錯啊！」

沈霞琳突然歎息一聲，道：「不成，那鐵柵堅牢的很，除了我大師伯那削鐵如泥的寶劍，咱們實無法削去鐵柵救他們兩人出來。」

玉簫仙子低聲說道：「我已寫好了一封長信，說明了楊相公和趙小蝶的處境險惡，朱姑娘接到長函之後，必有良策，此刻咱們只能在暗中保護兩人，不可輕舉妄動……」

語聲微微一頓，又道：「你見到陶玉了？」

沈霞琳低聲應道：「我不但見到了陶玉，而且也讓寰哥哥寫了休書。」

玉簫仙子吃了一驚，道：「寫了休書？」

沈霞琳道：「是啊！如是我不讓寰哥哥寫下休書，陶玉又如何肯信任我呢？」

玉簫仙子突然一拉沈霞琳，藏入草叢中，道：「有人來了，如非情勢必要，千萬不可現身出手。」

但聞衣袂飄風之聲，兩個披灰色袈裟的和尚，聯袂奔至，進入了林中。

沈霞琳道：「兩個和尚是哪裏來的？是陶玉的朋友，還是他的敵人？」

玉簫仙子道：「似是少林寺中高僧，自然是陶玉的敵人了。」

只聽陶玉尖厲的喝道：「全部給我宰了。」

緊接著響起了幾聲悶哼尖叫，似是有很多人被一齊殺去。

玉簫仙子和沈霞琳分開草叢，向外瞧去，只見陶玉由正西方急奔而來，隱入了林中不見。

沈霞琳伏在玉簫仙子的耳際說道：「我要走了。」

玉簫仙子緊緊握著沈霞琳的一隻手，道：「你要到哪裏去？」

沈霞琳道：「去見陶玉，我如回去的晚了，必然將引起他的疑心。」

玉簫仙子攬住了沈霞琳的柳腰，低聲說道：「陶玉陰險奸詐，你如何能夠鬥得了他，唉！你如吃了什麼虧，如何對得起楊相公呢。」

沈霞琳道：「只要能救了寰哥哥，我死了也不要緊，我們夫妻一場，但我卻一直無能幫助他，唉！這次……」

玉簫仙子伸手堵住了沈霞琳的嘴巴，道：「又有人來了。」

凝目望去，只見王寒湘帶著四個黑衣大漢，奔入林中。

沈霞琳緩緩放開玉簫仙子的手掌，道：「我要去了。」

玉簫仙子沉吟了一陣，道：「朱姑娘此刻已得到我呈述之函，也許她會騎鶴趕來，至低限度她已在籌思收拾殘局之策，沈姑娘想想看，是否還要冒險？」

沈霞琳接道：「萬一朱姑娘修習內功，正值緊要關頭，一時之間不能趕來，誤了寰哥哥的性命，如何是好呢？」

玉簫仙子只覺茲事體大，一時間竟是想不出回答之言，沉吟了一陣道：「姑娘之意呢？」

沈霞琳道：「唉！我們就分頭辦事吧！如是那朱姑娘及時趕來，有勞姊姊想法子通知我一聲。」

玉簫仙子道：「事關楊相公的生死大事，我也不敢擅作主意，沈姑娘一定要去，我也不便攔阻，但那陶玉鬼計多端，還望小心應付。」

沈霞琳道：「知道了，不勞姊姊關心。」正待起身離去，忽然想起了一件事情，問道：「玉簫姊姊，我要求你幫忙一件事。」

玉簫仙子道：「什麼事？」

沈霞琳道：「你不畏劇毒的本領很大，天下第一用毒的高手，也傷你不了，這等本領，實在叫人佩服，不知可否傳我一點防毒的本領？」

玉簫仙子怔了怔，笑道：「那都是假的，縱然朱姑娘親身臨敵，也不能防止數十種劇毒。」

沈霞琳詫道：「假的？」

玉簫仙子道：「說來話長，一言難盡，以後再慢慢告訴你吧。」

沈霞琳也不多問，站起身子，道：「我要去了，姊姊珍重。」轉向林中行去。

玉簫仙子迅快的隱入了草叢之中消失不見。

沈霞琳進入林中，只見兩個身著袈裟的和尙，一個手執禪杖，一個手執戒刀，雙戰陶玉。

陶玉金環劍變化詭奇，獨鬥二僧，仍是搶攻。

二僧都在六旬左右，武功十分高強，陶玉雖然毒招百出，急急搶攻，但二僧卻應付的四平八穩。

原來雙方出招雖然迅快，但收招更快，攻出招數，只要被對方封架，立時會自動收招，不待兵刃相接了。

沈霞琳流目四顧，四周未見陶玉屬下，心中奇道：「這林中他埋伏了很多人，爲什麼此刻不見他們的形跡呢？」

陶玉看到了沈霞琳，劍勢突然一變，攻勢更見凌厲。

雙方又鬥了五六個回合，忽聽一聲悶哼，那手執戒刀的和尙，被陶玉一指點中穴道，倒了下去。

餘下一僧，招架更是困難，又勉強支持了三四個回合，被陶玉一劍撥開禪杖，一掌拍中了右肩。

那和尚身不由己的向前一栽，手中禪杖，砰然一聲，落在地上。
原來那和尚被陶玉一掌拍斷了右肩肩骨，踉蹌向前奔去。
陶玉急行兩步，飛起一步，踢在那和尚後胯上。
那和尚身子搖了兩搖，便自行摔倒。
沈霞琳眼看他片刻之間，連傷了兩個高僧，心中暗暗忖道：他的武功又有了很大的進境。
陶玉回過頭來，雙目圓睜，凝注在沈霞琳的臉上，面色嚴肅，一語不發。
沈霞琳心中暗暗忖道：難道他已對我動了懷疑麼？我必得沉住氣，才能騙得了他，緩步行了過去，說道：「你的武功較諸數月之前，又有了很大的進步，現在只怕楊夢寰也打你不過了。」
陶玉冷冷說道：「我要你守在原地別動，你胡亂跑的什麼？」
沈霞琳輕輕歎息一聲，道：「我就要嫁給你了，你和人家打架，要我如何能夠放得下心呢？……」
語聲一頓，轉過身子，緩步行了幾步，接道：「爲什麼這麼兇呢？我又沒做錯什麼？唉！楊夢寰就從來沒有似你這般對過我。」
陶玉不顧再取二僧之命，大步追了上去，道：「我心中有很多疑惑，一直想不明白，現在是不得不問了。」
沈霞琳道：「什麼事？」
陶玉道：「你和那楊夢寰山盟海誓，情重如山，何以會忽然來找上我？」

沈霞琳忖道，果然他問起此事，幸好我早已有了準備，當下說道：「因爲我要報答楊夢寰對我一番恩情……」

陶玉突然放聲而笑，道：「就算你答應嫁我爲妻，我也不會放了楊夢寰啊……」

沈霞琳道：「我知道，你把他視作眼中之釘，肉中之刺，自然不會放他了。」

陶玉淡淡一笑，道：「是啦，他們要你來利用美色臥底，裏應外合，以救出楊夢寰是麼？」

沈霞琳搖搖頭，道：「沒有人要我來。」

陶玉道：「那是你自己要來的了？」

沈霞琳道：「不錯，我知道他們都無法憑仗武功救出楊夢寰，只好親自前來見你了……」

陶玉接道：「因此你就趕來此地見我，準備以美色爲餌，救那楊夢寰，是麼？」

沈霞琳輕輕歎息一聲，道：「你如一點也不信我，爲什麼不早些告訴我呢？」

陶玉道：「什麼時候算早呢？」

沈霞琳道：「在那楊夢寰未寫休書之前。」

陶玉仰天打個哈哈，道：「沈霞琳，我陶玉如是這般輕易的被人騙去，那也不用在武林中爭什麼霸主之位了。」

沈霞琳心中暗道：糟糕，原來他早已對我懷疑了，只是未曾說出罷了。心念一轉，說道：「你既然這般不肯信我，咱們也不用再談了。」轉身向前行去。

陶玉還劍入鞘，突然向前欺進一步，左手一揮，抓住了沈霞琳的右腕，右手伸出托著沈霞琳肘間關節，冷冷說道：「你想到哪裏去？」
沈霞琳歎息一聲，道：「不知道。」
陶玉冷笑一聲，道：「不知道，這回答未免太過輕鬆了。」
沈霞琳道：「你既不肯信任，我留在這裏也是無味的很。」
陶玉道：「你可知道，只要我稍一用力，就可折斷你的右臂。」
沈霞琳道：「我知道，斷了一條臂，打什麼緊。」
陶玉道：「我可以錯開你雙臂雙腿上的關節，使你寸步難行。」
沈霞琳道：「那也不過是筋骨之傷，算不了什麼。」
陶玉道：「你不怕？」
沈霞琳道：「我這一生，已受過了不少的痛苦，再受折骨錯筋之苦，那也不會放在心上了，但你不該騙我，傷我之心。」
陶玉雙目中殺機隱現，冷冷說道：「除非你答應和我早成夫妻，我才能夠相信你。」
沈霞琳道：「不成，我雖要楊夢寰寫下休書，但他對我的照顧之情，還未報答，除非你立刻放他離去……」
陶玉只聽得心中一動，道：「我放了楊夢寰，你就可以答應我，立刻成爲夫妻？」
沈霞琳道：「那是當然了，放了他，我也算報了他數年照顧之情，心中再無牽掛，早日和你作夫妻有何不可！」
陶玉緩緩放開了沈霞琳的右手，哈哈大笑，道：「你自已答應了，可不能再行推托。」

沈霞琳道：「我幾時騙過人了？」
陶玉道：「好！咱們就去放那楊夢寰，我要你眼看他走出囚籠……」
沈霞琳道：「然後你再擒他回去。」
陶玉道：「不是，讓你眼看他走出樹林……」
沈霞琳接道：「你在樹林外埋伏下高手，再設法生擒於他。」
陶玉道：「這也不成，那也不成，究竟該要如何？」
沈霞琳道：「我要眼看他安然無恙，走出險境。」
陶玉道：「何謂險境？」
沈霞琳道：「我要眼看他走出你預布的勢力範圍之外。」
陶玉道：「好吧，咱們一起送他五里之外，再看著他步行而去。」
沈霞琳道：「好，你如是真的這般誠心，楊夢寰出險之後，咱們就行禮成親。」
陶玉道：「還要行禮？」
沈霞琳道：「隨便撮土爲香，拜個天地。」
陶玉長長歎息一聲，道：「好，依你之意就是。」放步向楊夢寰囚禁處行去。
沈霞琳暗中提聚真氣，凝神戒備。
這位天使般的姑娘，有生以來，第一次動用心機，暗算別人，心中不住向天祈禱。
陶玉行近鐵籠前面，不見防守之人，心知有變，右手拔出金環劍，正待挑開楊夢寰囚籠上的黑布，忽覺身後有物襲來，倉促間回劍一擋，那襲來之物，突然散成一片雲霧般的白煙，籠罩了數尺方圓。

陶玉大吃一驚，疾快的向後退出五尺。

他應變雖快，但仍然晚了一步，鼻息間嗅得一股奇辣之味，不覺一皺眉頭。

凝目望去，只見玉簫仙子手橫玉簫站在六七尺外。

陶玉正待喝問，還未來得及開口，玉簫仙子搶先說道：「閣下這樹林中，該是有甚多埋伏才對，爲何我卻如進了無人之境？」

陶玉冷笑一聲說道：「你可是自覺還有生離此地之望麼？」

玉簫仙子道：「我不信你還有和我動手之能。」

陶玉突然想到剛才嗅得異味，不禁心中一動，暗道：難道我中了什麼奇毒不成。心中念轉，口卻不言，雙目盯注在玉簫仙子臉上，瞧看了一陣，道：「其實我要生擒於你，也不用親自動手。」

他生平多疑，想到中毒之事，竟不敢再強自提聚真氣。

玉簫仙子察顏觀色，已知他中計，格格一笑，道：「你可是不想活了麼？」

陶玉淡淡一笑，道：「就憑你玉簫仙子麼？」

玉簫仙子接道：「我不信你敢還手。」

陶玉一皺眉頭，目光一掠沈霞琳，緩緩向後退了兩步。

沈霞琳對眼下的局勢大感困惑，陶玉在這片樹林中，埋伏了多少人，她不知道，此刻是否當真中毒，她亦無法弄得清楚。

但她卻瞧出了陶玉那掃掠的一眼，實含有求救之意，一時間竟不知如何才好。

只聽玉簫仙子說道：「陶玉啊！你今天死在我玉簫仙子的手中，只怕未曾想到呢！」

陶玉冷冷說道：「你也說得太自信了。」

玉簫仙子心中暗忖：機不可失，趁他全心全意在想著中毒之事，如能一舉把他制服，不但自己可以脫險，以他生死要挾，說不定連楊夢寰也可以救出此地。

心念轉動，突然向前欺進一步，疾向陶玉前胸點去。

陶玉不用劍勢封架，橫向一側讓開。

玉簫仙子心知此刻陶玉的武功，已非自己能敵，唯一勝他的機會，就是在他懷疑自己中毒之際，猝然間攻出奇招傷他，是以攻出一招之後，即不再出手。

陶玉一面暗行真氣，想試試自己是否中毒，一面亦想借此機會，試探一下沈霞琳的反應，讓她眼看自己在無能抗拒之下，是否會出手相助。

雙方相持了一盞熱茶工夫之久，玉簫仙子突然嬌叱一聲，躍起發難，玉簫揮動，點點簫影直向陶玉點去。

只見陶玉肩頭晃動，一個閃身，脫開了那重重簫影，身法奇異，極是罕見。

沈霞琳一直無法料定這一戰的勝敗，是以不敢輕易出手。

但見了陶玉這一招閃避身法，心中已然斷定他沒有中毒，立時揮動長劍，一招「穿雲取月」，直向玉簫仙子擊去，口中大聲喝道：「你怎可乘人之危！」

她開始施用心機，想了很久，才想出了這一句話。
這時玉簫仙子亦覺出陶玉發覺沒有中毒，回簫一擋，震開了沈霞琳的長劍，急攻三簫，把沈霞琳迫退了兩步，一提真氣，疾飛而起，懸空一個跟斗，隱入林中不見。
沈霞琳緩步走到陶玉身側，道：「你沒有受傷麼？」
陶玉搖搖頭，道：「我中了這丫頭的詭計，下次見她，決不饒她。」
沈霞琳道：「你中了她什麼計？我怎麼瞧不出來？」
陶玉道：「她不知在何處弄來了一包味道奇怪的粉末，我被這奇味所惑，誤認中毒，一直不敢強行出手……」
沈霞琳道：「你當真沒有中毒麼？」
陶玉道：「待我查覺到自己沒有中毒時，她已經知機而退了。」
沈霞琳道：「只要你沒有中毒，玉簫仙子定會被你擒得，那也不用急在一時了。」
在陶玉心目之中，那沈霞琳一直都是天真無邪，不會用心機的人物，她的一舉一動，都是內心真情的流露，當下微微一笑，道：「不錯，來日方長，不用急著找她了。」
他心中對沈霞琳的一點懷疑，也頓然一掃而光。
沈霞琳伸出手，牽起陶玉的衣袖道：「怎麼不見林中埋伏之人接應於你？」
陶玉笑道：「他們奉有嚴命，未得我允許，不得擅自出現。」
沈霞琳道：「你能在危險萬分中，仍不肯招來助戰之人，當真是人所難及。」
陶玉道：「比起你的寰哥哥如何？」

沈霞琳沉吟了一陣，道：「你們在伯仲之間。」

陶玉哈哈一笑，道：「好一個伯仲之間，走！咱們喝點酒去。」

沈霞琳道：「爲什麼你突然這麼快活了？」

陶玉道：「現在我才真正的相信了你，豈不是天大的喜事。」

沈霞琳默然不語，垂下頭去，心中卻暗暗忖道：我和他這般笑語之言，寰哥哥定然聽得十分清楚，他坐在鐵籠中，孤苦伶仃，我卻這般笑語不休，他心中定然十分難過，想到黯然之處，不禁長長一歎。

陶玉伸出手，抱住了沈霞琳柳腰，道：「不用傷感了，從此之後，你將是我唯一的可以信託之人了。」

沈霞琳暗裏一咬牙齒，偎在陶玉懷中行去。

兩人行得幾步，突聞一聲慘叫傳來。

陶玉吃了一驚，放開沈霞琳，急步向慘叫傳來之處奔去。

沈霞琳緊隨陶玉身後，繞過一片林木，只見李滄瀾手執龍頭拐，大步奔了過來。

這時兩人距那李滄瀾還有兩丈多遠，草叢中人影一閃，躍出了兩個大漢，手中各執一柄單刀，攔住李滄瀾的去路。

李滄瀾奔行之勢未停，一揮手中龍頭拐，掃向兩個黑衣大漢。

但聞一陣金鐵交鳴，兩個黑衣大漢手中單刀，一齊被震得脫手飛去，人也被震得踉蹌退開四五步。

陶玉低聲說道：「這老兒的勇猛，不減當年。」拔出金環劍，縱身一躍，迎了上去，喝道：「站住！」

李滄瀾一聽聲音，已知來人是誰，頭也未抬，冷冷說道：「陶玉麼？老夫正要找你。」

陶玉道：「有何見教？」

李滄瀾抬起頭來，望了陶玉一眼，神情嚴肅的說道：「我要問你一句話。」

陶玉道：「在下洗耳恭聽。」

李滄瀾道：「我教養你十幾年的往事，你還記得一點麼？」

陶玉道：「自然記得了，你如肯幫我陶玉完成霸業，日後不失一方雄主之尊……」

李滄瀾道：「住口！」

陶玉冷冷說道：「如你處處要和我作對，那也不用再談什麼情份了。」

李滄瀾目光一掠沈霞琳，滿臉困惑之色，道：「琳兒麼？」

沈霞琳道：「正是晚輩。」

李滄瀾道：「你怎麼跑到了此地？」

沈霞琳只覺心如刀絞，暗裏咬牙，強行抑制住激動、悲傷，道：「我變了，一個人長大了總是會變的。」

見多識廣的李滄瀾，卻為沈霞琳幾句話弄得有些茫然不解，道：「你被陶玉欺侮了？」

陶玉哈哈一笑道：「老前輩言重了。」

李滄瀾一捋白髯，道：「陶玉……」

陶玉道：「什麼事？」

李滄瀾厲聲說道：「老夫只問你一件事，你要據實回答我。」

陶玉道：「你說吧！」

李滄瀾道：「那楊夢寰現在何處？傷勢如何？」

陶玉道：「在何處不能奉告，但他還好好的活著。」

李滄瀾舉起龍頭拐，道：「只要他還活著，就夠了。」一招「泰山壓頂」兜頭劈下。

他天生神力，劈落的拐勢，挾著一片嘯風之聲。

陶玉橫跨兩步，避開正鋒，金環劍斜斜向拐上點去。

這一招看似平常，實則是一種極高手法，選擇的位置，恰當無比。

李滄瀾那威猛無倫的拐勢，吃陶玉手中的金環劍輕輕一撥，突然滑落開去，偏向一側。

陶玉一挫腕，收回金環劍，卻把李滄瀾的龍頭拐封到外門，振腕一招「寒光吐蕊」，劍光一閃，直向李滄瀾前胸刺去。

李滄瀾拐勢被封到外門，急切間收不回來，陶玉劍勢直逼前胸，只好向後一躍，退後八尺。

陶玉一招得手，那裏容他反擊，如影隨形，欺身而上，金環劍，劍劍不離李滄瀾要害大穴，迫得他連連後退，險象環生。

李滄瀾天生異稟，神力驚人，但這一陣，卻為陶玉的劍勢所制，空有神力，竟自施展不出，不禁大怒，暗自運集功力，運起「乾元指」功。

陶玉一面和李滄瀾動手，一面注意著他的舉動，他知道李滄瀾那「乾元指」力，功力驚人，如若被他擊中一指，勢必重傷不可，看他神情有變，立時先發制人，揚手一指，當先發出了「天罡指」力。

這「天罡指」乃歸元秘笈上記述武功之一，陶玉曾在「天罡指」上，下過數年的苦功。一縷指風，破空而至，直襲向李滄瀾的右肩。

李滄瀾「乾元指」力尚未發出，陶玉的「天罡指」力卻先他而至。

他以「乾元指」威震江湖數十年，心知凡是指功，都是具有驚人威勢，覺著指風破空襲來，急向後躍退。

陶玉哈哈一笑，道：「人人都說我陶玉爲人殘忍，不念舊情，今日破例念舊，這林中埋伏十分兇毒，你最好不要涉險而入。」說罷，拉起沈霞琳轉身而去。

陶玉牽著沈霞琳，自己卻以沈霞琳的身子作爲掩護，李滄瀾運集了「乾元指」力，卻是不敢發出，只怕傷到沈霞琳，瞧著兩人，隱失在林中不見。

對陶玉的話，李滄瀾是半信半疑，因他深知陶玉生性奸詐，自己雖把他養育長大，對他也難預測，但想到楊夢寰處境之危，縱然要冒奇險，也是顧不得了。

心念一轉，突然舉手一招，林木後面，緩步轉出來川中四醜。

原來李滄瀾亦有準備，如若陶玉帶著高手很多，就把陶玉引入四象陣中，由川中四醜把他困住，自己好放手對付他帶來的高手，那知陶玉卻帶來沈霞琳，大大出了李滄瀾的意料之外，驚愕之下，竟然忘記了預佈下的四象陣。

陶玉去後，李滄瀾才想起自己預布伏兵，舉手招來川中四醜說道：「陶玉說在這林中埋伏下甚多高手，不論他是否用詐，但咱們寧可信其有，你們隨我身後，要小心一些了。」

川中四醜齊聲應道：「咱們追隨主公，身經百戰，何懼林中一點埋伏。」

李滄瀾道：「好，老夫已五年未開殺戒，看來今日，要有違你們主母的告誡了。」

川中四醜的老大，黑靈官張欽，道：「此乃為拯救姑爺脫險，主母知道，也不會責怪主公。」

李滄瀾哈哈一笑，道：「好個不會責怪。」大步向前行去。

突聞草中悉嘍一響，玉簫仙子突然由草叢中現出身來，道：「老前輩不可涉險……」

李滄瀾停下腳步，望了玉簫仙子一眼，道：「玉簫姑娘，你來得正好，老朽心中悶著一樁不大明白的事，要請教姑娘。」

玉簫仙子道：「可是沈姑娘的事麼？」

李滄瀾道：「正是，她怎麼到了此地，又和陶玉走在一起？」

玉簫仙子道：「說來話長，此地不是談話之處，咱們找一個僻靜無人的地方談談吧！」

李滄瀾道：「小婿在此林中尚未脫險，我要去救他歸來。」

玉簫仙子道：「不是賤妾滅滅老前輩的威風，老前輩和川中四義，再加上我玉簫仙子，也無法救得楊大俠脫出險困。」

李滄瀾道：「姑娘可知他囚在何處麼？」

玉簫仙子放低了聲音，道：「咱們不去救他，有她們兩人保護，或可無恙，如果咱們強行去救，逼急了陶玉，只怕反要弄巧成拙。」

李滄瀾道：「這個老朽有些不明白，姑娘可否說得清楚一些。」

玉簫仙子道：「走，咱們到一處清靜地方再談。」轉身向前行去。

朦朧夜色中，玉簫仙子帶著李滄瀾和川中四醜，到了一座高崗之上，道：「這地方四下平原，一目了然，別人也無法隱身窺探，咱們一面在此等朱姑娘的手諭，亦可暢所欲言了。」

李滄瀾關心那楊夢寰的安危，急急問道：「哪兩人保護小婿？」

玉簫仙子道：「童淑貞和沈霞琳。」

李滄瀾道：「童淑貞也來了？」

玉簫仙子道：「他們同門師兄妹，情意的深厚，只怕不在你老前輩之下，童淑貞假扮了一個送飯的小廝，管理幾人膳食，沈霞琳更是不惜遷就陶玉，以保楊夢寰的安全。」

李滄瀾道：「胡鬧！胡鬧！琳兒心地純良，如何能是陶玉的敵手？」

玉簫仙子道：「沈姑娘心地純良，但並非是傻，平常只是不用心機而已，但這次不同了，她用了很多的心，想了很多的事。」

李滄瀾道：「就算她用上很多的心，也難以是那陶玉的敵手。」

玉簫仙子道：「老前輩不用急了，事已至此，只有盡人力，以聽天命了。」

李滄瀾道：「唉！想不到我自己一手養育出來的弟子，卻成了老夫的強敵！」

玉簫仙子道：「唉！滄海桑田，變幻無常，這幾年來，江湖的人事更替，變化之大，實叫人感慨萬千。」

李滄瀾長長歎息一聲，道：「唉！這五年變化之大，開江湖未有之先例，忽敵忽友，忽合忽散，比老朽昔年創天龍幫時，更為複雜……」

他語聲微微一頓，又道：「姑娘可曾見過小婿麼？」

玉簫仙子搖搖頭，道：「未曾見過，晚輩接近鐵籠，原意希望能夠救得令婿出來，卻不料陶玉及時趕到……」

李滄瀾似是有無限的憂慮，一皺眉頭，道：「此刻小婿尚有可用的價值，那陶玉一時之間決然不會殺他，老夫憂慮的是怕他廢去小婿武功，就算朱姑娘親自趕來，縱能把他救出，也是為時過晚了。」

玉簫仙子沉吟了一陣，道：「晚輩未見楊大俠，不敢斷言，但有那沈霞琳和童淑貞在暗中保護，決不會眼看陶玉施下毒手，照晚輩推斷，廢去楊大俠武功的成份不大。」

李滄瀾長長歎息一聲，澒：「英雄氣短，兒女情長，這滋味當真是難受得很。」

玉簫仙子道：「事已至此，老前輩所知，少林派已有高僧趕來，令婿望重江湖，人人敬仰，凡我武林道上人物，除了陶玉和他的屬下之外，大都冒險犯難，不計成敗的救助令婿，陶玉這一段行程，也夠苦的了。」

李滄瀾道：「不是老朽長他人的志氣，當今武林道上，能夠勝得陶玉的武林人物，只怕是難有幾個了……」

拂髯一歎接道：「除非那朱姑娘親自趕來……」

玉簫仙子道：「話雖不錯，但那重重的困擾，也夠陶玉應付的了。」

李滄瀾道：「如若有人把陶玉誘入一處絕地，老朽和他決一死戰，縱然不能勝他，或可打個同歸於盡之局，只要陶玉一死，小婿自能脫險了。」

玉簫仙子微微一笑，道：「照晚輩的計算，天明之時，就可得到朱姑娘的手書，看過朱姑娘手書之後，再作計議不遲，老前輩先請坐息一陣，萬一接不到朱姑娘手書，還得老前輩領導晚輩等對付那陶玉。」

李滄瀾道：「姑娘說得是。」盤膝坐了下去，閉目調息。

待他調息醒來，已是天色破曉時分。

玉簫仙子早已佇立在山嶺峰上，遙望著南天，想她心中焦急之情，也不在那李滄瀾之下。

李滄瀾輕步行在玉簫仙子身後，仰臉搜望天際。

過約一盞熱茶工夫，突見玉簫仙子舉手指著天際道：「來了！」

李滄瀾順著她手勢望去，只見一點鶴影，電射而來。

片刻工夫，那鶴影已然飛到幾人頭頂之上，打了兩個盤旋，長鳴一聲，緩緩落下實地。

李滄瀾輕輕歎息一聲，道：「數年未見靈鶴玄玉，似是又長大了一些。」

玉簫仙子道：「玄玉近年，愈發通靈，亦更得朱姑娘的寵愛，天機石府十里方圓之內，棲息了百隻以上的大鶴，只要一有生人到來，立時就長鳴傳警，那些大鶴，都是靈鶴玄玉招請而來，助她守望，是以那天機石府，表面上雖然毫無防備，但實則戒備森嚴，閒雜之人只要一進十里之內，天機石府就可以得到消息，不用派一兵一卒，他的舉動一直在監視之下。」

說話之間，人已行到了玄玉身前。

玄玉展開右翼，玉簫仙子探手從翼下取了一個細如小指，長約兩寸的竹筒，拔開木塞，取出了一張素箋。

玉簫仙子展開素箋，只見上面寫道：

來書悉，一月之內，我當趕往百丈峰，計算時限，或可搶在陶玉之前，不必趕回天機石府，沿途追蹤，暗中保護，如非必要，切不可打草驚蛇，留下玄玉助你，情勢如有變，速遣玄玉傳函告我。

下面寫著朱若蘭的名字。

看那潦草字跡，顯然是朱若蘭寫這封信時，心中十分焦急。

這封簡簡單單的信，書中不見一個情字，也未有一句綺念相思之言，卻充滿關懷、情意。

玉簫仙子手捧素箋，沉吟了良久，不能決定是否該把手中素箋，交給李滄瀾看。

只聽李滄瀾道：「姑娘可否把朱姑娘函中所言，告訴老朽……」

他似是自知問得太過冒昧，急急接道：「老朽只想知道關於小婿的事。」

玉簫仙子緩緩把手中素箋遞給李滄瀾，道：「朱姑娘對楊大俠十分關心，老前輩請瞧瞧這封信就可以明白了。」

李滄瀾接過素箋，仔細瞧了一遍，忽然微微一笑，道：「如是朱姑娘肯親自直往百丈峰去，小婿就有救了。」

玉簫仙子道：「朱姑娘對楊大俠甚是關心，五年來雖未見過一面，但楊大俠在武林江湖的一舉一動，卻是瞭若指掌。」

李滄瀾道：「老朽聽小女說過，他們夫婦三人，亦很懷念朱姑娘。」

玉簫仙子道：「朱姑娘巾幗奇才，量大如海，凡是和她相識之人，無不對她心生慕念，終身難忘的了。」

李滄瀾輕輕歎息一聲，道：「老朽一生之中，很少服人，但對朱姑娘卻是由衷的敬重，那不只是爲了她武功高強，更重要的是她爲人行事的氣度，和那過人的才慧，既然朱姑娘如此說，老朽就放心了。」

玉簫仙子暗道：好一番動人的說詞，明裏是把朱姑娘捧上了天，暗裏卻把楊夢寰的生死，牢牢的扣在朱姑娘的頭上……

心念轉動，口裏卻笑道：「老前輩說得是，那朱姑娘一向是輕不許諾，她既然答應了，定然會設法辦到，這一點老前輩但請放心。」

李滄瀾道：「我知道，暗中保護小婿的事，還望姑娘從中計劃一下，要琳兒和童姑娘設法保護他的安全。」

玉簫仙子笑道：「這個不勞老前輩費心了。」

李滄瀾道：「好！老朽就此別過了。」

舉手對玉簫仙子一禮，帶著川中四醜，急急而去。

玉簫仙子直待李滄瀾背影消失，才輕輕歎息一聲，帶著玄玉，找了一處僻靜之處，細修一封回書，放入玄玉翼下，拍拍玄玉道：「你回去吧！」

那玄玉似是通了人言一般，長鳴一聲，振翼而去。

玉簫仙子遣走了靈鶴之後，立時開始易容改裝，悄然追趕陶玉而去。

且說沈霞琳眼看李滄瀾敗走之後，心中大是焦急，暗道：「這陶玉武功進境如此之快，再過一些時間，當今武林之中，只怕很少找得到他的敵手了……」

心念轉動，淡然一笑，道：「唉！你的武功進境如此快速，此刻縱然是楊夢寰未囚在那鐵籠之中，只怕也難是你手中百合之將了。」

陶玉微微一笑，道：「我武功雖有進境，但也無法在短短幾月時光中，集起大成……」

沈霞琳突然接口說道：「陶玉呀，如若我們今夜成了親，你可是立刻就放開了楊夢寰麼？」

陶玉凝目沉吟了一陣道：「自然是了……」聲音低微的只有站在身側之人，才隱隱聽到。

沈霞琳輕輕歎息一聲，道：「容我想上一想，看看要不要答應你。」

陶玉也不多問，微微一笑，道：「你可要騎匹馬趕路麼？」

沈霞琳道：「為什麼？」

陶玉道：「天下各路英雄，聽到我擒到了楊夢寰，都紛紛追來，咱們必得早些上路才好。」

沈霞琳心中暗想：原來不只我和瑤紅姊等有限幾人關懷寰哥哥的安危，天下武林同道都這般關心於他，寰哥哥知道了，心中定然十分高興。

只聽陶玉說道：「你在想什麼？」

沈霞琳霍然一驚，道：「我在想天下英雄都要和你作對，你如何應付？」

陶玉笑道：「不要緊，我自有對付他們的辦法。」

沈霞琳道：「你雖不怕，但他們人手眾多，要搶救楊夢寰，你豈不是應付不暇了麼？」

陶玉雙目凝注在沈霞琳臉上，說道：「他們如若救走了楊夢寰，豈不是正合你的心願？」

沈霞琳輕輕歎息一聲，道：「如若被他們救走了楊夢寰，我就不能報答他昔年對我的好處，心中定然不安。」

陶玉笑道：「你儘管放心好了，他們定然無能救得了他。」

沈霞琳奇道：「爲什麼？」

陶玉道：「因爲楊夢寰在你見過之後，已被我遣派急足，先行運走了。」

沈霞琳吃了一驚，道：「那林內放的鐵籠，不是楊夢寰麼？」

陶玉道：「那是楊夢寰的替身。」

沈霞琳暗暗罵道：這人果然是陰險的很，口中卻稱讚道：「你這般聰明，處處都安排的出人意外，看來是大有成就江湖霸業之望。」

陶玉笑道：「他們想不到我敢冒此險，全都注意我一人身上，我再故意洩露行藏，引得他們追蹤於我。」

沈霞琳心中暗暗想道：如若我再能遇上玉簫姊姊，告訴她這個消息，讓她設法通知那李老前輩，那就很容易救出寰哥哥了。

只聽陶玉格格一笑，道：「走！咱們先吃點東西，然後上馬趕路。」

伸出手來，牽起沈霞琳的右腕，大步向前行去。

兩人走進樹林，飯菜果已備好，沈霞琳看那三個鐵籠，仍然好好的放在原地，但那守衛的人卻增加了一倍。

沈霞琳雖然食難下嚥，但卻強作歡顏，吃了很多東西。

兩人剛剛吃完飯，已有兩人牽馬入林。

陶玉一躍上馬，笑道：「咱們走吧！」

沈霞琳也不多問，跳上馬背，和陶玉並騎出林，走上官道，放轡馳去。

陶玉回顧沈霞琳一眼，笑道：「等我成了江湖霸主，那時天下英雄，人人奉我如神，咱們並騎遨遊江湖……」

沈霞琳對他這等狂妄之言，自是非常厭惡，但看他說的意興飛揚，又不能不曲意應付，當下微微一笑道：「以你武功這般日有精進，想這霸主江湖的雄圖，定然能如你心願……」

陶玉回過頭來，看了沈霞琳一眼，見她秀麗的臉上，滿是喜悅之色，心念轉了一轉，暗道：看來她當真是無半點心機，真是善良得很，柔聲說道：「待我陶玉成就了江湖霸業，那時候天下武林道上，對我陶玉誰不尊仰……」

沈霞琳點頭應道：「我也是很高興了……」

其實她此時臉上所生的喜悅之色，是適才聽陶玉所言，知道天下武林英雄，為了搶救楊夢寰，已大舉趕來。她想到天下英雄都在關心著楊夢寰的安危，並且不惜與陶玉為敵，趕來援救，是以心中感覺快慰，臉上也自然而然的發出喜悅之色。

陶玉鬆了一鬆馬韁，伸過手握住沈霞琳的玉手，並轡而行，雙目中閃動著異樣的光彩，道：「到了那時，我不但帶你遊盡中原的名山勝水，我還要帶你遠遊東海，看那海上日出的奇景，然後再帶你西遊異疆，欣賞那大戈壁的大漠風光……」

說到此處，忽然發覺沈霞琳一雙秀目望著前方的遠處，呆呆出神，彷彿並未聽他言說一般，不由乾咳了一聲，道：「你又在想些什麼，我的話你沒有聽到麼？」

沈霞琳幽幽的應道：「聽到了。」

陶玉冷冷一笑，道：「你又在想些什麼？」

沈霞琳回顧了陶玉一眼，心中暗道：我在想如何將你這「調虎離山」的陰謀，暗示與趕來救援之人，口中卻歎息了一聲，道：「我在想，你陶玉是個喜新厭舊之人，在你霸主中原武林，遨遊天下之時，又不知是些什麼女子陪伴在你身邊了……」幽幽一聲長歎，神情一片幽怨。

陶玉乾咳了一聲，道：「這個，姑娘但請放心，我陶玉雖然素有喜新厭舊之癖，但對你沈姑娘卻是一片真情，只要你真心對我，我陶玉決不有負姑娘……」

沈霞琳輕輕歎道：「只要你放了寰哥哥，我自然會真心待你……」

她忽然發覺陶玉勒馬不走，心裏不由暗自一驚，一時不知如何是好，只好也勒住轠繩，問道：「怎麼啦？……」

只見陶玉回首聆聽後面隨行的車馬，又掃視了這土崗的四週一眼，然後冷冷的說道：「這土崗形勢，倒是險惡得很……」

他話還未完，只聽一聲冷笑，土崗亂石堆中，躍出四個灰衣和尚。

這四個和尚，年紀都在五旬上下，兩個手執鑌鐵禪杖，兩個手執戒刀，分站在狹隘的山徑之上，攔住了兩人的去路。

陶玉目閃兇芒，掃了四人一眼，催動胯下健馬，擋在沈霞琳的身前。

那右首手執禪杖的和尚左掌立胸，低宣了一聲佛號，道：「施主慢行一步，貧僧有一事請教……」

陶玉回顧了沈霞琳一眼，冷冷說道：「大師何人，有什麼事要勞動問？」

那灰衣和尚道：「貧僧等乃少林嵩山本寺，達摩院的巡護僧人……」

沈霞琳此時心中卻大為焦急，心知少林寺雖然五年前曾與九大門派合力群鬥天龍幫，傷了不少元氣，但在目前武林情勢而言，依然是泰山北斗，如能將寰哥哥已被陶玉另行派人送走之事，設法告訴他們，即不難救他脫困出險，但她是一片純真，甚少使用心機，一時間不知該如何告訴四僧才好。

陶玉未待那和尚話完，嘿嘿一聲冷笑，道：「你少林嵩山本寺，又能把我陶某人怎樣？」那和尚似是極有修養，依然立掌說道：「貧僧奉主持方丈之諭，請問陶施主將楊夢寰楊大俠究竟……」忽然發覺陶玉身後，有一行車隊，遠遠行來，倏然住口不言。

陶玉忽然格格大笑，道：「大和尚，你們也不用大費心機了，人人都說我陶玉言必有詐，但今天我要對幾位講上幾句實話……」

語畢一頓，滿臉是得意狂傲之色，接道：「你要問楊夢寰麼？哈哈，他早已到百里之外了……」

沈霞琳情急之下，也顧不得露出馬腳，接口說道：「陶幫主料定你們要來搶救，早就派遣捷足將他先行運走，後面鐵籠中乃是假的。」

她素來不擅心機，所以說來大感吃力。

右首手執戒刀的和尚怒喝一聲，道：「好個狡猾之徒，二師兄不用和他多費口舌了。」一擺手中戒刀，直向陶玉所騎健馬砍去。

陶玉爲人沉著穩狠，早已暗中有備，一聲冷笑，人如輕煙，已飄落實地，在他躍離馬身之際，左手打出一拳，逼開刀勢，嗆的一聲，右手已將金環劍取在手中。

但見杖影似山，刀光如幕，四僧已將陶玉圍在中央。

陶玉心中另有計算，怕久纏不下，心中存了速戰速決之念，下手絕不留情，左拳右劍，分向四僧要害大穴攻去。

沈霞琳心中雖願少林僧人得手，但心中又怕陶玉對自己袖手旁觀，發生懷疑，想了一陣，輕叱一聲，道：「少林高僧也仗人多取勝麼？」下馬揮劍從側攻上，立時和兩名使戒刀的和尚戰在一起。

陶玉獨戰兩僧，對方杖重力猛，自己兵刃上先吃了虧，不由殺機油然而生。

這時那二僧的兩根禪杖，一使「直叩天南」，一使「蒼龍戲水」分上下攻到。

陶玉不避反上，金環劍上架禪杖，左手施出「天罡指」一指逼向禪杖，點在那和尚「風府」穴上，原招不變，翻手上迎，又點中另一和尚的「周榮」穴。

陶玉施出歸元秘笈上神功，舉手之間點倒了少林二僧，倒提金環劍，靜站一旁，看著沈霞琳和兩個使戒刀的和尚動手。

沈霞琳因怕陶玉對自己生疑，才出手從旁相助於他，心中不但沒有絲毫敵意，而且對少林僧人趕來相援，甚是感激，是以動手之間，完全採的是守勢。

那兩個少林和尚，身爲嵩山本寺達摩院的巡護，乃是廣字輩的高手，武功自非泛泛可比，但是因對方竟是楊夢寰的夫人，心中大爲困惑，所以也並未用出全力。

這時兩位師兄被陶玉點中穴道，仆倒地上，二人同時刀法一緊，逼退沈霞琳，齊齊向陶玉攻去。

二僧此次乃是銜忿而發，一出手就是少林絕學。

陶玉武功，自得歸元秘笈之後，精進快速，此時又心存速戰，一見二僧攻來，一陣金鐵交鳴之聲，擋開二僧戒刀，還攻三招。

這三招各盡奇奧，逼得二僧向兩側讓開，難以呼應。

陶玉趁勢飛起一腿，踢飛左側和尙手中戒刀，順勢又拍出一掌，將那和尙震得退出六七尺外，才勉強站住身子。

那攻向右側的和尙，心中一駭，就在一怔神間，金環劍已將他罩入劍圈之內，逼得險象環生，場中忽然響起沈霞琳一聲長長的歎息。

陶玉聽得沈霞琳歎息之聲，不由得抽劍回顧。

只聽沈霞琳自言自語的道：「你跟寰哥哥武功雖在伯仲之間，但為人卻是大不相同……」

陶玉一面揮劍遊走，一面說道：「我與他有何不同？」

沈霞琳幽幽的一笑，道：「寰哥哥武功雖高，卻絕不輕易傷人，你……你……你……」

她一連「你」了好幾個字，陶玉冷冷說道：「我怎麼樣了？」

沈霞琳嫣然一笑道：「你，你卻好像嗜殺成性，唉……」

陶玉格格一笑，一劍逼退那和尙，躍出場外，牽過馬匹，走到沈霞琳面前說道：「誰說我喜歡殺人了？」把另一條馬韁交給了沈霞琳，道：「我們趕路吧！」

沈霞琳微微一笑，接了過來，二人躍身上馬行去。

二人默然奔馳了一陣。

沈霞琳因陶玉力敗少林四僧，心中似有著甚多的感慨，回看了陶玉一眼，歎道：「看來他們真打不過你了……」

突聞一聲鶴唳，劃空傳來。

陶玉和沈霞琳一聽這聲鶴唳，心中卻不由一震，陶玉狡猾沉著，沈霞琳卻驚叫了一聲：「仙鶴！」

二人抬頭看去，只見高空中一點白影，疾瀉而下，這白影快逾殞星，眼間已在二人頭頂上空五六丈高之處。

一陣羽翼破空之聲，那仙鶴又已掠空飛去。

陶玉望著那遠去的鶴影，回目望著沈霞琳，道：「你還識得出這隻大白鶴麼？」

沈霞琳道：「好像是朱若蘭養的仙鶴。」

陶玉道：「不錯，正是朱若蘭養的仙鶴，哼！想不到她竟然也趕來參與這樁事了。」

沈霞琳心中暗自喜道：那朱若蘭姊姊武功高強，才慧過人，如若真的趕來此地，寰哥哥自然是有救了，只要寰哥哥能夠脫險，我就可以放手對付陶玉了。

想到神往之處，不禁面露笑容。

她本是天性至純，毫無心機的少女，只因爲情所牽，學著施用心機，對付強敵，但內心中的喜怒哀樂，仍無法控制得宜。

陶玉一直留心著沈霞琳的舉動神情，看她喜悅之情，忍不住格格大笑起來。

沈霞琳陡然警覺，回頭說道：「你笑什麼？」

陶玉道：「你可是覺著那朱若蘭親身臨敵，就能夠穩操勝券麼？」

沈霞琳心知他已動了懷疑，一時間卻又想不出適當之言回答於他，只好默然不語。

得得馬蹄，踏破了荒原的靜寂。

沉默延續了足足有一盞熱茶工夫之久。
陶玉輕輕咳了一聲，道：「你怎麼不說話了？」
沈霞琳道：「我在想，你一定對我動了懷疑。」
陶玉道：「什麼事情？」
沈霞琳道：「你不信我是真心從你。」
陶玉淡淡一笑，道：「久假亦成真，你此刻雖然不真，但如時間久了之後，自然會真的了。」
沈霞琳道：「你難道不怕我是奸細？」
陶玉笑道：「不怕，怕你我也不會收留你了。」
沈霞琳心中暗道：原來他早就把我看透了。
心中念轉，口裏說道：「你可是覺著我要楊夢寰寫下休書，也是商量好的圈套麼？」
陶玉道：「那倒不會。」
沈霞琳道：「爲什麼呢？」
陶玉道：「因爲我知楊夢寰的爲人，他決不肯讓自己心愛的妻子，佈施色相，在我陶玉面前施用美人計。」
這幾句話，字字如刀如劍，直刺入沈霞琳的心中。
沈霞琳口中嗯了一聲，強自忍著那刺骨椎心的痛苦，展顏一笑，道：「你說得不錯，楊夢寰和你不同之處，也就在此了，就算爲了救他，但如所作所爲，出了那禮義之限，他也是一生不會理我。」

陶玉仰天大笑，縱馬向前行去。

沈霞琳一抖轡繩，放馬追趕。

十九　風雨如晦

兩人行到一處岔道口，陶玉突然勒馬收韁，停住了大笑之聲，凝目望去。

只見那岔道中間，插著一塊木牌，寫著：「三條絕路，任擇其一。」八個紅字。

陶玉冷哼一聲，馬上探臂，抓起了插在地上的木牌。

那木牌大約兩尺見方，下面一根三尺長的木樁，痕跡猶新，一望之下，就知是新製不久。

陶玉一掌擊在那木牌之上，蓬然大震中，那木牌片片碎裂，灑落一地。

沈霞琳偷眼望去，只見陶玉低首思索，雙目中不時升起兇光，顯然內心中有著無比的激憤，也有著輕微的畏懼。

只聽輪聲轆轆，王寒湘帶著二十餘個佩帶兵刃的黑衣武士，押著囚車趕到。

沈霞琳轉眼望去，只見四匹健馬，拖拉的敞車上，放著三個黑布垂遮的小型囚籠，心中暗暗忖道：「這輛囚車之中，如不是囚的寰哥哥、趙姑娘和那毒龍夫人，難道是空的不成？這陶玉說話行事從來不講信用，叫人無法分辨真假。」

敞車在三丈之外停下，王寒湘卻緩步行了過來，對陶玉低語數言。他聲音過低，沈霞琳也無法聽得他們說得什麼。

只見陶玉滿臉堅決之色，道：「咱們走中間這一條路。」

先策馬而行。

沈霞琳一提韁繩。搶在了王寒湘的前面。

王寒湘高舉右手，懸空一揮，二十多個黑衣大漢，迅速的在那篷車四周布成了一座護守的方陣，隨在陶玉身後而行。

行約十餘里路，形勢突然一變，只見一重峰聳立，行到了一座大山前面。

陶玉似是自知選錯了路，但又不願退回，略一猶豫，硬著頭皮向前行去。

官道幾經曲轉，進入了山谷之中。

但見兩側峰壁削立，一條大道，穿山而過，緊依山壁處生滿了遮天的古樹，看上去陰風森森。

陶玉暗中提氣戒備，探手入懷摸出了三枚透骨子午針。

目光轉動，只見古樹上白招飄風，上面寫著：「活捉陶玉」，四個紅色大字。

那白招分掛在兩側的大樹之上，不下十條之多，隨風飄舞。

沈霞琳心中暗道：不知何人，掛起了這多白招……念頭轉動之間，突然一陣簫聲裊裊傳來。

陶玉勒住了健馬，高聲喝道：「玉簫仙子，不用藏頭露尾，就憑你那點微末伎倆，難道還能嚇唬我陶玉不成。」

語聲甫落，右面山壁草叢中，響起了一個嬌脆的聲音，道：「陶玉，你已身陷絕地，如不束手就縛，那就別怪我玉簫仙子要暗箭傷人了。」

陶玉目光轉動，掃掠了一下兩側高大的古樹一眼，冷頭說道：「玉簫仙子，這幾年來，你在天機石府倒把那朱若蘭的陰謀鬼計，學得不少，你如真在這山谷之中設下埋伏，為何不敢現身見我？」

山壁間草叢中響起了一聲冷笑，道：「陶玉，你早已心生畏怯，竟還敢大言不慚。」

陶玉回顧了沈霞琳一眼，低聲說道：「你如心中害怕，那就先行退出去吧！」

沈霞琳搖頭，道：「我不怕，我要和你並肩拒敵。」

陶玉雙目中神光一閃，臉上泛現起一抹笑意，道：「當真嗎？」

沈霞琳道：「自然是當真了，難道我還會騙你不成。」

陶玉道：「那很好……」高聲接道：「玉簫仙子，你如真在這山谷中設有埋伏，儘管對我們下手就是。」

但聞一聲銀鈴般的長笑，劃空傳了下來，懸崖間一處草叢中，疾飛起一條人影，落在路中。

正是那玉簫仙子。

陶玉回顧一眼，不見四周有何動靜，冷笑一聲，道：「玉簫仙子，你如想使詐術，今日這座山谷，就是你葬身埋骨之地。」

沈霞琳心中暗道：如若玉簫姊姊當真要傷在陶玉手中，我就只好出手幫她了。

玉簫仙子伸手理一下鬢邊散髮，淡然一笑，道：「陶玉，你不該選擇這一條居中之路……」

陶玉冷笑接道：「迄今爲止，我仍然不相信你在這山谷設有埋伏。」

玉簫仙子笑道：「對你陶玉的爲人，我很清楚，你是不見棺材不掉淚，自然應該先讓你見識一番才是。」舉起手中玉簫，在頭頂之上打了一個旋轉。

但見兩側古樹之上，人影閃動，片刻間飛落下二十餘位背插長劍，身著勁裝的美麗少女。

陶玉冷笑說道：「這是趙小蝶手中的花娥女婢。」

玉簫仙子笑道：「不錯，你生擒了趙小蝶，就該想到她手下的花娥女婢，一個個對她忠心不二，想不到你竟掉以輕心……」

陶玉接道：「我不信幾個黃毛丫頭，還能把我陶玉如何。」

玉簫仙子道：「她們的武功都是得自趙小蝶親自傳授，一二人雖非你陶玉之敵，但如她們聯手圍擊，也夠你陶玉對付了。」

陶玉道：「那趙小蝶的武功得自『歸元秘笈』上，趙小蝶手下的女婢花娥，或能夠困擾別人，但如想對我陶玉，那是飛蛾撲火了。」

玉簫仙子淡淡一笑，道：「陶玉，你是否相信除了我玉簫仙子和這一群花娥女婢之外，這狹谷中還有對付你的高手。」

陶玉仰天打了個哈哈，道：「當今武林之中，只有兩種人，一是我陶玉的敵人，一是我陶玉的屬下，這座山谷之中，除了你們之外，是否還有埋伏，自然也不會放在我陶玉的心上了。」

玉簫仙子暗道：此人大奸大雄的氣度，倒是非常人所及，古往今來的武林叛逆，從來沒有一個敢把天下武林同道，盡皆視為敵人，縱有此心，也不會說出口來……只聽陶玉縱聲大笑一陣，又道：「玉簫仙子，你大概心中亦自知非我之敵，我如要向你單獨挑戰，量你也不敢答允，那也不用白費唇舌了，但我先告訴你一件事，今日之戰，咱們不計用何手段，勝者為王……」

王字出口，陡然由馬上飛躍而起，直向玉簫仙子撲了過來。

玉簫仙子早已運氣戒備，眼看陶玉撲來，陡然舉簫擊出。

一片簫影，護住了嬌軀。

陶玉左掌中蓄勁外吐，一股潛力湧出，逼住玉簫，右手運起天罡指力，擊出一指。

玉簫仙子似是自知一人之力決非陶玉之敵，擊出一簫後，人卻自行向後退去。

但見寒光閃動，八隻長劍，分由四面八方湧了上來，齊向陶玉攻去。

原來那分列在陶玉身後的花娥女婢，早已和玉簫仙子有了默契，玉簫仙子收簫躍退之時拔劍攻出。

此時的陶玉，早已學得那『歸元秘笈』上大部的武功，身手內力都非等閒，一擊未中，長嘯而起，筆直的升起了兩丈多高，分由八個方位攻來的八隻長劍，一齊落空。

但聞陶玉縱聲大笑，笑聲中金環劍陡然出鞘，寒光繞身中，疾沉而下。

只聽一陣金鐵交鳴之聲，金環劍懸空掃落，震開了那些花娥女婢長劍交織而成的嚴密劍幕，仍然停在實地之上。

玉簫仙子心中暗道：此人武功和昔日相比，實不可同日而語，今日一戰，只怕是一個異常悲慘的結局。

心中念轉，人卻揮簫攻上，剎那間連攻八簫。

那些花娥女婢，緊隨著玉簫仙子聯劍攻出，把陶玉團團圍住。

陶玉金環劍幻起一片劍幕，寒光閃閃，獨拒玉簫仙子等圍攻，仍然有餘暇還擊。

沈霞琳冷眼旁觀，陶玉雖在圍攻之下，但卻毫無敗象，不禁心中一動，暗道：似這般纏鬥下去，只怕玉簫姊姊也無法勝得陶玉，而且我沒有出手相助，亦將引起他的懷疑，我何不拔劍出手，來個明幫陶玉，暗助玉簫姊姊。

心念一轉，揮手拔出長劍，大聲喝道：「玉簫姊姊，你們以眾凌寡，休怪小妹不顧舊情了。」縱身而起，揮劍直擊過去。

寒光閃閃，響起了兩聲金鐵交鳴，破開了那圍攻陶玉的劍幕，直衝到陶玉身側。

玉簫仙子心中忖道：天使般的沈姑娘，只因為為情所累，竟然也學會了施用心機，我何不助她一臂，當下玉簫一緊，單向沈霞琳攻了過去，而且簫簫盡都指襲沈霞琳的要害。

她心中深知沈霞琳對那楊夢寰的情意，山不足喻其高，海不足喻其深，這一生一世，決不會移情變心，口中卻恨聲說道：「你這臭丫頭，那楊夢寰待你情意是何等深重，你竟然在他危難之時，移情別戀了……」

陶玉金環劍橫裏伸來，擋的一聲，擋開了玉簫仙子攻向沈霞琳的玉簫，冷冷接道：「那楊夢寰已經寫下了休書，沈姑娘早已恢復了自由之身，有何不對了。」

說話之時，金環劍左擋右拒，封開了四周花娥女婢的攻勢。

沈霞琳道：「是呀！關你玉簫仙子什麼事了？」長劍一緊還擊過去。

兩方又纏鬥數合，忽聽一位花娥說道：「敵人厲害，咱們排出八仙劍勢對敵。」

陶玉似是知那八仙劍陣的厲害，急急說道：「沈姑娘，和我貼背而立，合力拒敵，不可擅自出手。」

沈霞琳知其所言，必有見地，當下急攻兩劍，迫開玉簫仙子，和陶玉貼背而立。

八個女婢移位交錯，排成了八仙劍陣，齊齊舉劍攻去。

那陶玉深諸八仙劍陣的變化，女婢的攻勢雖然凌厲，但卻都為陶玉輕易的化解開去，可是沈霞琳就大不相同了，只覺那交錯攻來的劍勢，兇惡凌厲使人眼花撩亂，大有應接不暇之勢。

陶玉眼看沈霞琳忙亂難顧，只好回劍來救。

他本可輕易的衝出八仙劍陣，但因顧及沈霞琳，時時得分神照顧於她，竟然無法破圍而去，被困於陣中。

玉簫仙子眼看那八仙陣威勢強大，自己混在陣中，不但幫不上忙，反而有些礙手礙腳，當下急攻兩簫，退出陣去，倒提玉簫，站在旁側觀戰。

玉簫仙子退出之後，八仙劍陣變化更見靈活，攻勢也更是猛銳。

但陶玉對那八仙劍陣的變化，也是愈來愈熟，劍劍都能制敵機先，可是沈霞琳愈打愈是不對，手中長劍左揮右拒，一直無法擋住那四面八方紛至沓來的劍勢，全憑陶玉劍勢護救，才未得傷在八女劍下。

這一來兩方暫時打了個不勝不敗之局。

玉簫仙子冷眼旁觀了一陣，發覺八仙劍勢雖然厲害，但卻無法傷得陶玉，心中暗暗一歎，忖道：這人的武功，果然是越來越精進了，趙小蝶被生擒囚禁，朱姑娘的武功，亦是大部來自歸元秘笈，與他所學大致相同，動起手來，只怕亦是難以分出勝負，唉！細數當今武林人物，能夠勝得陶玉的實是很難找得出一個人來，收拾此人，必得另行設法不可……

忖思之間，突聞得沈霞琳啊喲一聲驚叫。

抬頭看去，只見沈霞琳左肩上中了一劍，鮮血透濕了白衫。

但聞陶玉急聲問道：「傷得重麼？」手中金環劍突然一緊，層層劍浪，反擊過去，迫得八女紛紛向後退讓，擴展的金環劍幕，護住了沈霞琳。

沈霞琳道：「傷得不算太重。」

陶玉對沈霞琳似是愛護備至，無限關懷的說道：「不算太重，那是說也不算輕了！」

沈霞琳道：「鮮血快濕透了我半身衣服，傷處很痛。」

陶玉道：「傷到了筋骨沒有？」

沈霞琳道：「我不知道。」

陶玉道：「你快些運氣止血，不用再運劍還擊了。」

說話之中，劍勢威力又增強甚多。

玉簫仙子默察情勢，就算所有之人輪流出手，也無能把陶玉制服，必得另出奇兵不可……

正待喝令眾女停手，突聞一聲長嘯傳了過來。

轉頭望去，只見李滄瀾帶著川中四醜，急奔而來，不禁心頭一寬，暗道：這李滄瀾武功高強，他如若肯出手相助，再加上趙小蝶這些花娥女婢之力，或可把陶玉傷在當場。

心念轉動，人卻急急迎了上去，喝道：「李老前輩。」

李滄瀾停下腳步，道：「玉簫姑娘早到了麼？」

玉簫仙子道：「略施小謀，幸而得中，但那陶玉武功之高，卻是大大的出了我意料之外。」

李滄瀾目光一掠場中的打鬥形勢，道：「對付這等兇惡之人，也用不著和他講什麼江湖規矩了……」

玉簫仙子道：「他武功奇高，縱然圍攻，也難勝他。」

李滄瀾心中暗道：「你武功高強，何以不肯出手？」

心中念轉，口裏說道：「姑娘可曾和他動過手麼？」

玉簫仙子道：「晚輩原本和幾位姊妹合力攻他，只因她們習的劍陣，別具威勢，晚輩居中，反而有礙手腳。」

李滄瀾道：「原來如此……」

語聲微頓，接道：「老夫如若出手，不知能否勝他。」

玉簫仙子道：「老前輩功力深厚，當今武林之世，罕有敵手，但那陶玉自得『歸元秘笈』，武事大進，深不可測，兩位如一對一的搏鬥，這勝負之數，晚輩不敢妄加推斷。」

言下之意，無疑是說，你武功雖然高強，但那陶玉實非泛泛之輩，如是兩人動手相搏鬥，只怕你未必是他之敵。

李滄瀾老於世故，如何還聽不懂玉簫仙子的弦外之音，當下說道：「老夫倒是不信那歸元秘笈上記載的武功，全都是絕世無儔之學，姑娘請替老夫掠陣，我要去試他一試。」

玉簫仙子知他昔年領導天龍幫時，江湖聲望，一時無兩，自視極高，如再出言勸他，那是無疑火上加油，只好默默不言。

李滄瀾回顧了川中四醜一眼，道：「如若老夫傷在那陶玉劍下，你們就自行去吧！唉！你們追隨我多年，同甘共苦，患難與共，我一直沒有好好待過你們，誤了你們前程……」

川中四醜齊齊躬身說道：「恩主待我等情義如海，今生但得追隨恩主，心願已足，別無所求了。」

李滄瀾輕輕歎息一聲，說，「你們替我掠陣，我試試歸元秘笈上的武功，是否當真是絕世無儔。」

惡鬥中的陶玉，已瞧到了李滄瀾帶著川中四醜趕到。

他武功高強，實是自己勁敵之一，如若他要出手圍攻，今日只怕難有善果，大喝一聲，劍勢突變，奇招連出，刺傷了兩個花娥，護著沈霞琳破圍而出。

李滄瀾高舉龍頭拐，厲聲喝道：「負義叛徒，可敢和老夫決一死戰？」

陶玉發出天罡指力，又傷了兩個花娥，冷笑一聲，道：「來日方長，何必急在一時呢？」伸手牽著沈霞琳，放步而去。

李滄瀾正待舉拐追趕，突聞玉簫仙子叫道：「囚車。」

回頭望去，只見王寒湘帶著一群勁裝佩帶兵刃的大漢，押著三輛囚籠而來。

玉簫仙子和李滄瀾一見王寒湘率人押著囚籠而來，心中不由緊張起來，再也無心追趕陶玉，立時向囚籠迎了上去。

這時王寒湘也已看到李滄瀾和玉簫仙子，心中更是惴惴不安，一時間大感進退兩難，楞了一陣才緩緩抬起左手，微微一擺，隨行的大漢，一齊停了下來。

王寒湘緩緩上前幾步，站在那押解囚籠的隊伍之前。

李滄瀾因心中惦記著楊夢寰的安危，也急步上前來，一見王寒湘止步不動，自己也倏然止步。

這時雙方相距不過五六尺的距離。

李滄瀾右手握著龍頭拐，左手撫捋長髯，兩目閃閃神光，盯住在王寒湘的臉上瞧了一陣，沉聲說道：「故人別來無恙，王兄還認識老朽麼？」

這幾句話說得極是平和，但聽在王寒湘耳中，卻是大為不安。

要知王寒湘當年在天龍幫中，身為黃旗壇主，極得海天一叟李滄瀾的寵信，倚界之重，在天龍幫中，可算得一時無兩，此時，大變之後，重見昔日幫主，心中這份感觸，自是複雜萬分。

他微微一怔，躬身作禮道：「屬下參見幫主……」

李滄瀾手捋長髯，哈哈一笑，道：「天龍幫已經瓦解，看目下形勢，我們是敵非友了。」

王寒湘懍然低聲道：「屬下不敢……」

李滄瀾一聲長笑，道：「王兄，今日你我只有兩條路，你若念昔日舊情，便將囚籠打開將人放出，不然你我就分個生死勝負。」

這兩句使王寒湘大感爲難，呆立當地，不知如何回答是好。

李滄瀾心中焦急，一見王寒湘呆立不語，一頓龍頭拐，沉聲喝道：「王寒湘你可小心，休怪老朽得罪了。」一招「直叩天南」向王寒湘胸前擊去，王寒湘急向一旁躍去，尚未立穩，李滄瀾二招又到。

這時玉簫仙子與川中四醜也拔出兵刃，與押解大漢戰在一起。

王寒湘被逼，只得取出鐵骨扇，迎風一抖，迎了上去，二人一動上手，李滄瀾心存速戰，王寒湘卻因追隨李滄瀾多年，心中敬畏之情不減當年，此時雖被逼出手，卻始終無法全力施展，不到十合，已被李滄瀾一杖打中左肩，向山中逃去。

一群黑衣大漢已被玉簫仙子等殺傷過半，一見王寒湘落敗，呼嘯一聲，也紛向山中逃去。

李滄瀾急步走到三個鐵籠前面，伸出手中龍頭拐，挑起四周垂遮的黑布一看，不禁目瞪口呆。

原來囚籠之中，哪裏是什麼楊夢寰、趙小蝶和毒龍夫人，竟是一具無頭的屍體。

玉簫仙子輕輕歎息一聲，道：「我早已想到那陶玉必然有了安排，果然不出我的預料。」

李滄瀾輕輕歎息一聲，道：「這是金蟬脫殼之計。」

玉簫仙子道：「不錯，那楊夢寰早已被陶玉快馬送走了。」

李滄瀾道：「陶玉行事，著著都有目的，這鐵籠之中，放著一具沒有頭的屍體，不知他的用心何在？」

玉簫仙子知他心中別有懷疑，當下說道：「陶玉爲人毒辣，這一具無頭屍體，只不過是故作驚人。」

李滄瀾搖搖頭，道：「不然，老朽的看來，那陶玉很可能是暗示我等如若追迫過緊，他即將施出毒手。」

玉簫仙子道：「咱們問問這些押解囚籠的人。」回身行在一個勁裝大漢身側，玉簫仙子微微點在那大漢「玄機」穴上，道：「你的傷很重麼？」

原來那護守囚車的大漢，雖有一半傷在川中四醜和玉簫仙子的手中，但大部都是受傷未死。

那大漢雙目轉動，望了玉簫仙子一眼，閉目不答。

玉簫仙子冷冷說道：「說了實活，我就放你一條生路。」

李滄瀾探手從懷中摸出一粒丹丸，放入那大漢口中接道：「老朽李滄瀾，你如肯據實回答老朽之言，老朽當贈以療傷靈丹，放你回去。」

那大漢睜開眼睛，道：「你們救不了我，但能有此存心，我已感激不盡，趁我還有一口氣在，有什麼話快些問吧。」

李滄瀾道：「這囚籠中人，哪裏去了？」

那大漢道：「已被我家幫主另遣快馬送往百丈峰去了。」

李滄瀾道：「他們可曾受到傷害？」

那大漢道：「沒有……」突然雙腿一伸，閉目而逝。
李滄瀾望了玉簫仙子一眼，道：「他們都已經先行服下毒藥。」
玉簫仙子道：「老前輩也不用再費心追問了，據賤妾推斷，陶玉非不得已，決不會傷害楊夢寰。」
李滄瀾道：「陶玉帶著沈霞琳，諒他們難以行快，咱們追他去吧！」
玉簫仙子道：「老前輩如若有勝他之能，這倒是一個機會。」
李滄瀾道：「我自信不致會敗。」帶著川中四醜當先而去，玉簫仙子帶著一群花娥女婢，隨後緊趕。
正離數十餘丈遠，突聞長空鶴唳，一隻巨鶴，直瀉而下，落在道中，攔住了幾人去路，仰首長鳴。
李滄瀾停下腳步，回顧說道：「玉簫姑娘，這可是朱姑娘的仙鶴麼？」
玉簫仙子走向前去，伸出纖手，在那巨鶴身上撫拂了兩下，道：「鶴兄，鶴兄，你可是遇上了什麼事麼？」
只見那靈鶴伸出長喙，啣住了玉簫仙子衣服，輕輕一帶。
玉簫仙子略一沉吟，道：「可是有人要我們去？那就有勞鶴兄帶路了。」
玄玉展開雙翼，緩緩向前飛去，玉簫仙子當先而行，緊隨在仙鶴之後。
李滄瀾心中惦記愛婿的安危，忍不住問道：「玉簫姑娘，靈鶴玄玉，可見發現了敵人行蹤麼？」

玉簫仙子道：「這個，晚輩就難作斷言了，看牠飛行之慢，似非追趕敵人。」

李滄瀾道：「咱們如若這般隨牠而行，豈不是誤了大事？」

玉簫仙子道：「玄玉早已通靈，若不是重大之事，決然不會攔住咱們的去路。」

李滄瀾輕輕歎息一聲，不再言語。

那靈鶴飛行甚低，轉過幾個山彎，到了一處絕峰之下，突然一伸長頸，直向峰上飛去。

玉簫仙子低聲說道：「如若有什麼稀奇古怪，就在這山峰上了，咱們且上去瞧瞧。」一提真氣，當先而行。

李滄瀾提氣疾追，緊隨在玉簫仙子之後。

川中四醜和隨行的花娥女婢，魚貫相隨而上。

李滄瀾內力深厚，片刻間追上玉簫仙子，兩人並肩上了絕峰。

只見峰頂一塊大沙石上，坐著一個面貌奇醜的女子，臉上疤痕斑斑，正伸出纖巧的玉手，拂拭靈鶴羽毛。

玉簫仙子停下腳步，欠身一禮，道：「原來是彭姊姊遣鶴相召。」

那醜怪女人站起身子，道：「玉簫妹子言重了。」

玉簫仙子回視了李滄瀾一眼，道：「老前輩可認識彭姑娘麼？」

李滄瀾道：「咱們有過數面之緣。」

那醜怪女人還了一禮，笑道：「我三手羅剎彭秀葦，這張醜怪的臉，只要是見過一次之人，大概就不會忘了，何況數面之緣。」

李滄瀾道：「彭姑娘說笑話了。」

彭秀葦道：「這些年來，我早已不把此事放在心上，說說無妨。」

玉簫仙子接道：「姊姊可是奉了姑娘之命而來麼？」

彭秀葦抬頭看看天色，道：「姑娘也來了。」

玉簫仙子吃了一驚，道：「姑娘練功正值緊要關頭，怎麼可以輕易離開天機石府？」

彭秀葦垂下頭去，默然不語，良久之後，才輕輕歎息一聲，道：「她冒了很大的危險。」

李滄瀾心中的震動，那是尤過玉簫仙子，但他老練沉著，竟能隱忍不問。

玉簫仙子道：「姑娘現在何處？」

彭秀葦沉吟了一陣，又抬頭望望天色，道：「此刻時光還早，咱們等一下再說不遲。」

玉簫仙子知她對朱若蘭忠實無比，想是此刻朱若蘭正在靜坐運息的緊要關頭，不肯說出地點。

李滄瀾輕輕咳了一聲，道：「兩位談的可是那朱姑娘麼？」

玉簫仙子道：「不錯，那朱姑娘已經到了此地。」

李滄瀾道：「老朽有一個不情之求，兩位見著朱姑娘，代老朽問好求見。」

玉簫仙子道：「朱姑娘提到老前輩，自然會抽暇會見。」

彭秀葦突然站起身子，神色肅穆的說道：「諸位請在此等候片刻，我去稟告姑娘一聲。」轉身而去了。

李滄瀾直待三手羅剎背影消失不見，才低聲說道：「玉簫姑娘，那位彭姑娘可是對老朽有些不滿意麼？」

玉簫仙子道：「沒有的事，老前輩不用多心，她陪伴姑娘而來，姑娘的安危重任，全加諸她的身上，心情沉重，自是難免了。」

李滄瀾道：「玉簫姑娘，老朽有兩句話，不知當不當言？」

玉簫仙子道：「老前輩儘管請說。」

李滄瀾道：「你說那朱姑娘正値習功關頭，不知是習內功，還是外功？」

玉簫仙子道：「老前輩自己人，說說亦是無妨……」

李滄瀾是何等人物，立時聽出了弦外之音，回顧一揮手，道：「你們退下五丈。」川中四醜和那隨行花娥，齊齊向後退去。

玉簫仙子低聲說道：「似是一種很高深的內功，是以面臨的危險很大。」

李滄瀾道：「越是深奧的內功，越是怕人驚擾，她爲何要親自下山呢？」

玉簫仙子道：「姑娘對人，一向是和顏悅色，晚輩在那天機石府中，住了數年之久，別說看到她發脾氣了，就是大聲喝叫，也是未曾聽過……」

她長長歎息一聲，接道：「但晚輩對她敬畏卻是日有加深，既感覺她對自己施恩深厚，雖粉身碎骨，亦是難報萬一，又覺著她品流清高，乃是神仙中人，和她相處，實有些自慚形穢，如若她說要來，就算是人人反對，也不敢和不忍出口攔她的興致。」

李滄瀾道：「不錯，那朱姑娘的風采，實是留給人很深的敬慕。」

說話之間，那彭秀葦又轉了回來，道：「姑娘還想問那趙姑娘的事情，玉簫妹子，請就在那女婢群中選上一位，和咱們一起去見姑娘。」

玉簫仙子應了一聲，就在那群女婢之中，隨便選上了一個。

彭秀葦當先帶路，行入了懸崖下一個山洞之中。

抬頭望去，只見一個身著青衣的美麗少女，正自盤膝而坐，運氣調息。

彭秀葦停下腳步，一雙森冷的目光，緩緩在幾人臉上掃過，低聲說道：「諸位請稍候一會。」

李滄瀾點點頭，悄然退到一側。

玉簫仙子低聲說道：「老前輩，朱姑娘定會問到你當今武林形勢，最好別說得太壞了。」

李滄瀾道：「為什麼？」

玉簫仙子道：「她此刻最好是完全不受外界干擾，但此時已無法逃避，只好盡量使她少費心思。」

只見那盤膝而坐的少女，嬌軀似是陡然間觸到了電流一般，全身開始輕微抖動。

李滄瀾吃了一驚，暗道：這是怎麼回事呢，難道她已岔了真氣麼？

心中念轉，人已不自覺向前跨了一步，準備出手施救。

只見彭秀葦右手一伸，攔住了李滄瀾。

李滄瀾眼看那玉簫仙子和彭秀葦，都是無驚懼之狀，心中暗想道：她們倆這般沉得住氣，定然是早知內情。

凝目望去，只見那青衣少女粉頰之上，不停的滾落汗水。

再看彭秀葦和那玉簫仙子時，雖然也是全神貫注著青衣女，但神情仍無驚慌之色。

玉簫仙子低聲對彭秀葦道：「可是姑娘叫我們來的麼？」

彭秀葦道：「剛才她要我去召請你們時，一切都很正常，此刻是有些不對了。」

玉簫仙子道：「此刻咱們不能胡亂出手，必待她醒來之後再說。」

幾人又等了一盞熱茶工夫之久，那青衣女才逐漸的好轉過來。

只見她緩緩的睜開了眼睛，掃掠了幾人一眼，重又閉上。

李滄瀾踏前一步，正待出言呼叫，卻被三手羅剎彭秀葦伸手攔住，低聲說道：「再等一下。」

這三手羅剎臉上疤痕斑斑，十分難看，縱然是好聽的話，從她口中說出，也使人有著十分難聽的感覺。

李滄瀾緩緩向後退了兩步，未再多言，三手羅剎彭秀葦，人雖然生得難看，但對青衣女卻是忠心得很，自從李滄瀾等到了石洞之後，她一直是若有意若無意擋在那青衣女的身前。

如是有人由洞外打入暗器，襲向那青衣女，不管由任何角度射入，那三手羅剎都能在極快的一瞬，替她擋下暗器。

李滄瀾倚壁而立，足足等待一頓飯工夫之久，那美麗的青衣女，重又睜開雙目，緩緩站起身子，微微一笑，道：「李老英雄。」

李滄瀾抱拳一禮，道：「朱姑娘別來無恙。」

這美麗絕倫的青衣女，正是李滄瀾一生中最為敬服的朱若蘭。

朱若蘭欠身笑道：「老英雄不用多禮，有話只管請說。」

李滄瀾心中暗道：你這靈鶴召請我等來此，怎的反要問起我了。

心中念轉，口中說道：「陶玉重出江湖的事，姑娘可已聽說了麼？」

朱若蘭道：「聽說了，那陶玉橫行無忌，擄去了令婿和趙姑娘……」

李滄瀾道：「老朽亦是為此重出江湖。」

朱若蘭道：「老英雄可已和那陶玉動過手了？」

李滄瀾道：「動過了。」

朱若蘭道：「他的武功進境如何？」

李滄瀾道：「如以進境而論，這幾年時光，他已達爐火純青之境，但老朽自信可和他作一場生死之戰。」

朱若蘭微微一笑，道：「此刻可知令婿下落？」

李滄瀾道：「那陶玉心中對小婿似有海一般的深仇，他要把小婿帶往百丈峰去，準備召集天下英雄，當面處死……」

朱若蘭道：「這些經過，她們都告訴我了……」一掠玉簫仙子，接道：「但不知李老英雄意欲如何？」

李滄瀾道：「老朽雖然不畏陶玉，但自知很難迫他就範，因此寄望姑娘甚深。」

朱若蘭道：「九大門派對此態度如何？」

李滄瀾道：「一致憤怒聲討，目下各大門派，已然派出高手追蹤那陶玉了。」

朱若蘭道：「晚輩知道了。」目光轉到那花娥身上，道：「你一直追隨在趙小蝶的身側麼？」

那花娥一欠身，道：「小婢一直追隨在趙姑娘的身邊。」

朱若蘭道：「這些年，她都做些什麼事？」

那花娥呆了一呆，道：「這些年來，姑娘一直在江湖飄蕩，行無定址，居無定所。」

朱若蘭輕輕歎息一聲，道：「可是裝什麼多情仙子，憑借武功，在江湖上鬧得烏煙瘴氣，是麼？」

那花娥似是未料到朱若蘭問起話來，竟是這等單刀直入，一時間想不出來適當措詞回答，呆在當地。

朱若蘭接道：「那百花谷之中，萬花競艷，是何等仙境樂土，她竟不肯安份住下，終年飄蕩江湖，興風作浪，唉！你們爲她之婢，爲什麼不勸勸她。」

那花娥道：「姑娘脾氣很壞，小婢們不敢多言。」

朱若蘭淡淡一笑，不再理那花娥，目光轉注在李滄瀾的身上，道：「老前輩對拯救令婿的事，有何高見？」

李滄瀾道：「老朽準備和他們硬拚一場，逼他交出小婿。」

朱若蘭道：「老前輩可是自信能夠勝過那陶玉麼？」

李滄瀾道：「老朽雖無必勝的把握，但相信還不致落敗。」

朱若蘭道：「機會太少了，據晚輩所知，那『歸元秘笈』上記載的武功，大都是精奇之學，連內功一道，亦有速成之法，老前輩雖天生雄才，只怕也不易制服住陶玉，何況他也未必肯和老前輩一決生死的。」

李滄瀾道：「姑娘有何高見呢？」

朱若蘭道：「晚輩尚未瞭解全盤內情，也未定主意。」

李滄瀾道：「經過之情，玉簫姑娘已經函報姑娘，大致無甚差別。」

朱若蘭道：「眼下令婿和趙姑娘，都落在陶玉手中，如若晚輩料斷不錯，他可能早有準備，只要咱們逼他過緊，令婿和趙姑娘都是他很好的人質，如是他以令婿的生死威脅，老前輩有何良策，能夠救得令婿？」

李滄瀾道：「這個，這個……」

朱若蘭道：「那時他如逼老前輩束手就縛，不知老前輩何以對付？」

李滄瀾道：「老朽這把年紀，活也難以活得多久了，只要能夠救得小婿，老朽是死而無憾。」

朱若蘭道：「他不會真的放過了令婿。」突然舉步而行，走到懸崖邊緣，迎風而立，望著天際出神，衣袂隨風飄揚，看上去恍如淩波仙子。

玉簫仙子心知朱若蘭正在用心思索良策，生恐李滄瀾驚擾，立時低聲說道：「姑娘正在思索應付良策……」

李滄瀾點點頭，接道：「老朽決不驚擾於她。」

不知過去有好多時光，朱若蘭突然回過頭來，說道：「令嫒何在？」

李滄瀾道：「她奉侍公婆，居在一處十分隱蔽之地。」

朱若蘭道：「那陶玉找不到麼？」

李滄瀾道：「找不到。」

朱若蘭長長吁一口氣，道：「但願如此。」語聲微微一頓，又道：「目下你們所見到都是陶玉浮現的力量，他選擇百丈峰頂，只怕也非無因而起，動手之前，咱們必須查出那陶玉究竟有多大的實力，然後才能從根本上解決它。」

李滄瀾道：「姑娘說得是，斬草不除根，春風吹又生。」

朱若蘭道：「據晚輩看，楊夢寰和沈霞琳都非早夭之相，縱然遇上一些兇險之事，也不致有性命危險，老前輩先請放心。」

李滄瀾道：「同樣一句話，出自姑娘之口，就使人多上了幾分信心。」

朱若蘭道：「誇獎了……」語聲微微一頓，又道：「九大門派，對此看法如何？」

李滄瀾道：「各派震動，一致聲討。」

朱若蘭道：「我是說，他們可有實際上的行動？」

李滄瀾道：「少林、武當等各大門派，已然派出高手，追查實情，已經有不少個少林僧侶，傷在那陶玉手中了。」

朱若蘭道：「晚輩想請老前輩做一件事……」

李滄瀾道：「什麼事，只要我力所能及，自然是全力以赴。」

朱若蘭道：「如非老前輩的聲望，別人也不足當此大任。」

李滄瀾怔了一怔，道：「什麼事？老朽當真能擔得起麼？」

朱若蘭道：「我想請老前輩負責聯絡協調九大門派中人，讓他們劃一步驟，不可個別從事。」

李滄瀾道：「老朽遵命。」

朱若蘭道：「晚輩先到百丈峰去，暗中查看一下那陶玉的部署實力，再和老前輩聯絡。」

言罷，突然發出一聲低嘯聲，嘯聲甫落，靈鶴玄玉，已然疾飛而來。

朱若蘭縱身一躍，落在巨鶴背上，回身對李滄瀾和玉簫仙子揮揮手，巨鶴立時沖霄而上，直向正南飛去。

李滄瀾望了玉簫仙子等一眼，道：「兩位姑娘行止如何？」

彭秀葦道：「我要趕往百丈峰去，侍候姑娘……」

玉簫仙子接道：「我已奉姑娘之命，暫率趙姑娘的花娥、女婢，不能讓她們散去。」

李滄瀾道：「朱姑娘要老朽和九大門派中人聯絡，但不知如何和朱姑娘取得連繫？」

玉簫仙子道：「老前輩雄才大略，姑娘之意，是讓老前輩協調各大門派，以便力量集中，對付那陶玉……」

李滄瀾接道：「是啦，老朽和各大門派如能延阻了陶玉的行動，也好讓朱姑娘有著較爲從容的時間，在百丈峰中，布置下對付陶玉的力量。」

玉簫仙子道：「姑娘才慧，人所難及，一向是因人施謀，似你李老前輩這等雄才大略的人，她自是不便諄諄相囑，只能說出一個大略原則，細微小處，任由老前輩發揮了。」

突然衣袂飄風之聲，彭秀葦疾如流矢一般，從兩人身側掠過，直向谷底落去。

李滄瀾道：「姑娘珍重。」一抱拳，轉身而去。

他本來感覺到事態緊急，處處必須自己親身臨敵，有著一股無所適從之感，此刻卻突然輕鬆下來，一心一意的聯絡九大門派中人。

朱若蘭的出現，似是給了李滄瀾一種莫大的精神力量，似是她一插手，楊夢寰定可轉危為安了。

且說那陶玉破圍而出，帶著沈霞琳一口氣跑出了十幾里路，才放緩了腳步而行。

沈霞琳道：「陶玉啊！好像是整個的武林中人，都和咱們作對了。」

陶玉笑道：「都在我意料之中，不足為慮。」

沈霞琳道：「唉！你那些屬下，都到何處去了，為什麼不見接應咱們之人。」

陶玉笑道：「他們肯把所有的力量，集中在追趕我們兩人身上，那是最好不過了。」

沈霞琳道：「你武功雖高，但也不是金剛之身，豈能日夜不停地身經百戰……」

陶玉笑道：「這個你儘管放心，我已經早有部署了。」

沈霞琳恐怕引他生疑，不再多問。

陶玉帶著沈霞琳行到了一處竹林環繞的茅舍，停了下來，笑道：「這就是咱們的歇腳之處。」

沈霞琳奇道：「你怎知此地有一座茅舍呢？」

陶玉微微一笑，走上前去，叩動門環。

沈霞琳聽他叩打門環的聲音，若有節奏，似是早已規定好的暗記。

只見木屋呀然而開，一個白髮蒼蒼，手執拐杖的老嫗，當門而立，冷冷說道：「你要找什麼人呀？」

陶玉道：「海內存知己。」

那老嫗道：「天涯若比鄰，請問大名？」

陶玉微微一笑，道：「太上為我尊。」

那老嫗拜伏在地上，道：「幫主駕到，屬下未曾遠迎，還望多多恕罪。」

沈霞琳聽他聲音，不似女子，心中大為奇怪，道：「你說話不似女人……」

那人舉手推掉滿頭白髮，道：「小的原本就不是女人，但為了掩人耳目，才這般改扮為老嫗的形狀的。」

陶玉牽著沈霞琳大步直入室中，道：「快些送上酒菜。」

沈霞琳細看那人，大約四旬左右，長臉細眉，倒也有幾分女人模樣，無怪他要扮裝成一位老嫗。

只聽他應聲道：「幫主請稍息片刻，酒菜立時送上。」

果然，片刻之後，酒菜已送了上來。

陶玉先要那長臉大漢嘗試過一些酒菜之後，才和沈霞琳放心食用，一面問道：「這裏有好多人手？」

那大漢應道：「原本有八個，有四人奉命趕往百丈峰去，兩個人於今晨奉密令而去，此刻這茅舍中只有小的和另外一位項兄弟了。」

陶玉道：「那姓項的現在何處？」

那大漢應道：「近日風聲甚緊，他出去查看形勢去了。」

陶玉道：「什麼事風聲甚緊？」

那大漢道：「有幾個少林和尚，似是已瞧出破綻，兩日來，已經三顧茅廬。」

陶玉冷哼一聲，道：「少林處處和我作對，百丈峰事過之後，我要先把少林一派消滅。」

那長臉大漢道：「不錯，少林一派，弟子眾多，耳目靈敏，咱們分設天下的甚多小站，都毀在少林僧侶手中……」

說話之間，突然一陣急促的步履之聲，傳了過來。

陶玉霍然站起，手握劍把。

但聞砰然一聲，木門被人撞開，一個黑衣大漢，手提單刀，直奔而入。

那長臉大漢吃了一驚，道：「項兄弟，你受了傷嗎？」

那黑衣大漢，滿臉都是鮮血，望了陶玉一眼，道：「這兩位是……」

長臉大漢道：「這是幫主。」

陶玉疾出一指，點了那大漢一處穴道，道：「什麼事，快說出來。」
那大漢道：「幫主快走，少林和尚追來了……」
話聲未住，茅舍外已傳入一聲佛號，道：「阿彌陀佛，室中施主，若是不肯現身，貧僧等只好打進來了。」
陶玉冷笑一聲，起身直行門前，凝目望去，只見四個身著灰衣的僧人，手持禪杖，並肩橫立。
四個僧人對陶玉的陡然出現，似是甚感意外，相互交換了一個眼色，由左首一位僧人說道：「施主使用金環劍，定然是大名鼎鼎的陶玉了。」
陶玉冷笑一聲，道：「是又怎樣？」
左首僧侶突然仰臉一聲長嘯，道：「貧僧等久仰大名了。」
陶玉冷笑一聲，道：「可是想召請助手麼？」說話之中，人已閃出室外。
四僧似是已知陶玉厲害，不敢輕敵，四人分站了四個方位，不肯躁進。
陶玉目光一轉，冷冷說道：「久聞你們少林派羅漢陣的威名，四位可是想要排成羅漢陣來對付在下麼？」
四僧的修養工夫甚好，任那陶玉諷激，一直不爲所動，各自凝神運氣，靜站不動。
陶玉眼看四僧不怒不躁，口中怒罵道：「你們少林和尚好厚的臉皮啊！」金環劍一招「笑指天南」，疾向左首一僧攻去。
那和尚早已凝神戒備，禪杖一舉「橫架金樑」，猛向金環劍上掃去。

只聽禪杖嘯風，最右一僧一招「劍劈華山」鐵禪杖兜頭擊下。

陶玉冷笑一聲，挫腕收劍，一轉身子，閃開五尺，金環劍隨著轉動的身子，抖出一片劍花，分向四僧各刺一劍。

耀眼的劍花，使四僧無法分辨哪一劍是虛招，齊齊舉起禪杖封去。

陶玉誘得四僧齊齊舉起手中禪杖，封擋劍勢，取得先機，金環劍疾轉如輪，攻向左首一僧。

那和尚被他疾快的劍勢迫得無法還手，連退了四五步遠。

但聞佛號傳來，十幾條人影疾奔而至。

陶玉一皺眉頭，怒聲喝道：「想不到大名鼎鼎的少林派，竟然要倚多爲勝。」

但聞一個宏亮的聲音喝道：「諸位師兄，此人作惡多端，傷了咱們數位師兄弟，今日萬萬不能放過他。」

一陣和應之聲，響徹雲霄，十餘位少林僧侶一湧而上，把陶玉團團圍住。

沈霞琳一擺長劍，道：「你們這樣多人打一個，勝了也不算數。」疾攻兩劍，直向重圍之中衝去。群僧中有人喊道：「這位是楊大俠的夫人，不知如何會和陶玉走在一起？」

但聞一聲長長的歎息，接道：「那楊大俠爲人英雄，小僧最是欽敬，想不到他的夫人，唉！女人的心真是難說得很……」

又一個僧人接道：「大丈夫難保妻賢子孝，楊夫人縱然是背叛了楊大俠，那也無損楊大俠的英雄盛名啊！」

另一個僧人接道：「久聞楊夫人賢淑之名，心地善良，有若天使，定然是那陶玉給她服用了什麼迷亂神志的藥物……」

這些話字字句句都聽入沈霞琳的耳中，也聽到了陶玉的耳中。

沈霞琳只聽得心如刀絞，有著無比痛苦，也有著一分難言的欣慰，心中暗暗忖道：人人都罵我沈霞琳爲惡婦淫娃，棄去了苦難中的丈夫，這份鬱悶之氣，不知何日才能一吐爲快，但寰哥哥能爲武林同道這般的敬仰尊重，實又叫人代他歡喜。

這些責罵指斥，更堅定了沈霞琳殺陶玉爲江湖除害的決心，當下劍勢一緊，攻勢更見猛銳。

不擅心機的沈霞琳，爲情所困，爲勢所迫，學著處處用心思索。

她心中明白，陶玉對自己多一份信任之心，自己就多一分殺他的機會，在群僧眾口責罵之下，陶玉必將會留心到自己的神情舉動。

果然，陶玉一面運劍拒擋群僧，一面留神著沈霞琳舉動，看她手中劍勢，愈來愈是快速兇猛，毫無愧疚不安之狀，心中暗暗忖道：看來她對我倒是一片真情了。

心念一轉，精神大振，怒喝一聲，金環劍連出三絕招。

劍凝一片寒芒，迫得群僧紛紛向後退去，陶玉衝到沈霞琳身側，道：「和我一起拒敵。」劍勢展開，把沈霞琳護於重起的劍網之中。

少林僧眾似是知道像陶玉這般強敵，非是一時片刻能戰勝他，只把他團團圍住，不讓他突出重圍，慢慢消耗他的氣力。

是故，群僧雖然團團把陶玉圍住，但卻是守多攻少，禪杖交織成一個圈子，擋住了陶玉和沈霞琳聯手的劍勢。

這時那茅舍中兩個大漢，已為少林群僧擒住押走。

陶玉默查情勢，似是已窺出群僧用心，低聲對沈霞琳道：「我用劍光護你，快些運氣調息，咱們不能久戰。」

沈霞琳年來武功大進，這一陣激戰，並無睏倦之感，但聽得陶玉如此說，自然樂得休息一下，當下說道：「真的很累了。」

陶玉劍勢擴展，果然把沈霞琳全身護在金環劍下。

沈霞琳停劍靜立，運氣調息。

大約過有半炷香的時光，陶玉劍勢突然一變，沉聲說道：「咱們要突圍。」大喝一聲，攻勢突然轉急。

但聞兩聲悶哼，兩個僧人先後傷在他金環劍下。

只見他左手牽著沈霞琳，右手運劍攻出，招招劍劍，都是奇幻莫測之學。

少林群僧，雖然全力阻攔，竟是無法擋住，又被他傷了二僧，破圍而去。

陶玉牽著沈霞琳，放腿疾奔，沈霞琳卻裝作疲累不堪，行動不便，任那陶玉牽著奔行。

原來沈霞琳發覺陶玉的武功日有進境，心中暗自忖道：這般下去，他武功愈來愈高，殺他的機會豈不是愈來愈少麼？目下他孤身一人，正是殺他的機會，如若少林僧侶能夠趕來，再圍住陶玉廝殺，適當時機，自己再施暗算，或可能一舉把他殺死，只要陶玉一死，救出寰哥哥和趙小蝶那就自非難事。

陶玉雖然精明多疑，但他卻沒有想到一向不善心機的沈霞琳，突然動起心機來，只道她當真力戰疲累，奔行不動，當下暗中運氣，拖住沈霞琳，如風馳電掣一般，向前奔去。

沈霞琳只覺陶玉腕力奇大，竟是難以自主向前奔走，不禁心中暗暗吃驚，忖道：他久戰之後，還有如此內力，此人當真是不可輕視了。

陶玉牽著沈霞琳一口氣奔出了十幾里路，才放緩了腳步。

沈霞琳故作嬌喘著說道：「那些和尚可曾追來麼？」

陶玉搖搖頭，笑道：「早被甩遠了。」

沈霞琳回首望去，果然不見有人追趕，心中連叫可惜，口裏卻笑道：「你近來武功進步甚速，一日千里……」

陶玉接道：「還有幾條經脈未曾打通，幾種掌指拳招，未能領會，但我想多則半年，少則三月，就可能貫通了，那時我要上少林寺去，殺它一個痛快。」

沈霞琳道：「那少林寺羅漢陣天下聞名，你一個人武功再高，只怕也打他們不過。」

陶玉笑道：「我出其不意，攻入寺中，見人就殺，不讓他們有準備布陣的機會。」

沈霞琳心中忖道：這人果然是惡毒得很。

陶玉不聞沈霞琳回答自己之言，心中暗道：她天性善良，聽我用心如此，自然是不高興了，當下微微一笑，道：「我不過說幾句氣話而已，哪裏還會真去……」

語聲微微一頓，停下腳步，接道：「我也有些累了，咱們也該休息一下。」放開沈霞琳，席地坐下，背靠在一株樹上，閉目坐息。

他惡戰之後，又拖著沈霞琳趕了甚多路程，實已疲乏不堪，倚在樹上，竟不知不覺熟睡過去。

沈霞琳聽得他傳來的鼻息之聲，知他已睡熟過去，暗道：這倒是一個殺他的機會。

但轉念又想到此人鬼計多端，也許故意作出熟睡之狀，試驗自己……

一時間只覺心念起伏，不知是否該借此機會，出手殺他？

她猶豫了足足一頓飯工夫之久，仍是不敢下手。

陶玉內功精深，一陣小睡之後精神盡復，緩緩睜開了雙目。

只見沈霞琳睜著一對圓圓的大眼睛，望著自己出神，不禁微微一笑，道：「你沒休息會麼？」

沈霞琳道：「沒有，我擔心那些和尚追來，一直不敢合上眼睛。」

陶玉輕輕歎息一聲，道：「倒是辛苦你了。」伸手從懷中取出一幅地圖，攤在地上，仔細瞧了一陣，道：「已經距此不遠了，咱們有得半日工夫，就可以到了。」

沈霞琳道：「到哪裏啊？」

陶玉笑道：「我早已想到九大門派和一些武林人物，必將沿途追截於我，因此我早已組成了甚多歇馬的驛站，剛才咱們去那茅舍，乃是一處最小的驛站。」

沈霞琳道：「還有大的麼？」

陶玉道：「此刻咱們要去的，就是一處大站，那裏雲集了無數高手，待我之命。」

沈霞琳道：「你出道江湖不久，已經有此成就，實是人所難及了。」

陶玉笑道：「此事早已在三年前開始經營，豈是一朝一夕之功。」

沈霞琳道：「那時你還未曾出道江湖啊。」

陶玉站起身子，道：「咱們邊走邊談吧！」當先舉步行去。

沈霞琳隨在陶玉身後而行，一面問道：「你在天下各處設了甚多驛站，難道就未被他們發現麼？」

陶玉道：「我分設的驛站，表面上決然看不出是武林人物，自然不會引起武林人的注意了。」

沈霞琳啊了一聲，不再多問。

陶玉小息之後，精神大好，奔行奇快，沈霞琳全力追趕，仍是有些力難從心。

半日緊趕，到了一座大鎮之上。

這時夜色已深，但這座大鎮上仍甚熱鬧，到處燈火輝煌，行人如梭。

沈霞琳道：「這裏好熱鬧，快到二更了，還有這樣多人。」

陶玉微微一笑，帶著沈霞琳繞入一條幽靜的街道上，在一所高大的宅院前，停了下來，輕輕在黑漆大門上叩了七下，木門突然大開。

兩個開門的黑衣大漢，肅然分站兩側。

陶玉帶著沈霞琳直趨大廳前面，低聲對沈霞琳說道：「你在此稍候片刻，我進去瞧瞧。」大步直入廳中。

沈霞琳正待打量四周景物，突見一個全身黑衣的瘦小之人，掠身而過，低聲說道：「沈師妹，已有人對你動了懷疑，還望多多小心。」說完兩句話，快速行過大廳，轉過屋角不見。

那人雖然只匆匆數言而去，但沈霞琳已由短短幾句話中聽出是童淑貞的聲音，正想多問兩句，那童淑貞已然行進大廳不見。

她這些時日中，獨自和陶玉鬥智，早已有了心力皆絀，孤獨無依之感，聽得童淑貞的聲音傳來，心中甚喜，幾乎忍不住失聲而呼，叫她回來，但她終於忍了下去，只聽陶玉的聲音傳了過來，道：「沈姑娘，請到廳中來吧！」

火光一閃，大廳中突然亮起了一片燈光。

沈霞琳轉臉望去，只見陶玉站在大廳門口之處，望著自己，不停的招手，當下鎮靜了一下心神，緩緩直步過去。

就這一陣工夫，大廳中已然是燈火通明，亮起八支兒臂粗細的紅燭。

沈霞琳一腳跨入廳中，不禁為之一呆。

原來她進入這高大宅院之後，大廳中一直是一片黑暗，不見燈光，剛剛才亮起一點燭火，在沈霞琳想像之中，這大廳中決不會有人。

那知事情竟是大出了沈霞琳意料之外，大廳中竟是站滿了人。

王寒湘、勝一清和另外兩個長髯老者之外，還有八個勁裝佩刀的大漢，分守在窗口和廳門之中，戒備得十分森嚴。

沈霞琳暗暗忖道：「原來這些人在廳中議事，竟然連燈也不點，當真是神秘得很，幸好我剛才還未叫出童師姊的姓名來，要不然豈不是露出馬腳來了。」

陶玉伸出手來，牽著沈霞琳的右腕，行到首位之上，並肩坐下，揮手對王寒湘、勝一清和另外兩個長髯老者，道：「四位請過來坐坐吧！」

四人齊齊抱拳說道：「多謝幫主賜坐。」恭恭敬敬的走了過來，坐了下去。

陶玉輕輕咳了一聲，道：「百毒翁陣前變節，和毒龍夫人預謀叛逆，使咱們計劃的事，前功盡棄，幸好咱們先發制人，臨機應變，改了策略，先制服毒龍夫人，誘擒楊夢寰，把敗局穩定下來……」

四人齊聲說道：「幫主天縱英明，智略過人，才能在突變的局勢中，穩住大局。」

陶玉微微一笑，道：「目下九大門派，似是已經大部出動，緊迫不捨，倒是討厭得很，本座之意，咱們集中一些高手，在未到百丈峰前，佈下一重埋伏，先殺了他們一些人，以示懲罰……」

語聲微微一頓，接道：「本座之意如此，諸位有何高見，請說出來，本座自當酌情修正預定之計。」

王寒湘緩緩站起身子，道：「屬下有事稟報！」

陶玉道：「你就說吧！」

王寒湘道：「目下咱們實力，大都集聚百丈峰上……」目光轉注到沈霞琳的臉上，突然住口不言了。

陶玉微微一笑，道：「你儘管說吧！就算沈姑娘確實還心向那楊夢寰，也不足壞了我們的大事。」

沈霞琳心中暗道：好啊！你還將我當幾年前一樣看待，全然不把我放在眼中……

王寒湘輕輕咳了一聲，道：「幫主，星星之火，可以燎原，最好是小心一些。」

陶玉揮揮手，笑道：「世人都說我陶玉鬼計多端，但這次我偏要他們試試我陶玉的真正武功，厲害手段。」

王寒湘不便再多辯言，只好接了下去，道：「據屬下所知，九大門派大都派出了精銳的高手，而彼此之間已摒棄門派之見……」

陶玉接道：「這個我早知道了，還有什麼新的事情麼？」

王寒湘道：「有人看到了三手羅剎彭秀葦，因此聯想到朱若蘭也可能離開了天機石府，趕來此地了。」

陶玉一皺眉頭，道：「可有人看到朱若蘭麼？」

王寒湘搖搖頭，道：「到此刻爲止，還無人看到過朱若蘭，但就目下所得消息，似乎是一切事情，還有著奇怪的轉變。」

陶玉道：「到底是怎樣一個奇怪的變法？」

王寒湘道：「各大門派追蹤咱們的高手，忽然間停了下來，不再緊追不捨，其間似是有人在協調指揮。」

陶玉沉吟了一陣，道：「有這等事？」

勝一清起身接道：「屬下查得了百毒翁並未死去。」

陶玉聽勝一清說百毒翁並未死去，臉色不由一變，道：「這不可能啊！」

勝一清道：「詳情此刻還無法報告，屬下已派人追查去了。」

左首一個長髯老者，道：「屬下探得消息，毒龍夫人的部屬，散而重聚，決心拯救毒龍夫人，已然嘯聚追來。」

陶玉點點頭，未再接言。

右首一個長髯老者，道：「屬下也得到一個消息，大大不利於我等。」

陶玉道：「你說吧！」

那老者道：「屬下所探，九大門派中人，除了派遣一些人追蹤我等之外，還另遣部份高手往百丈峰去。」

陶玉閉目思索了一陣，望了沈霞琳一眼，道：「你回去休息一會吧！」

左首長髯老者轉望著沈霞琳說道：「老朽為姑娘帶路。」

沈霞琳心知多言無益，起身隨那老者行去。

那老者帶著沈霞琳穿過兩重庭院，到了一座布設幽雅的臥室之中，帶上房門，悄然退去。

沈霞琳行近木榻，望著旁側木桌上高燃的紅燭出神，只覺千萬事端，紛至沓來，湧上心頭……

漏夜深閨，一燈如豆，沈霞琳舉起手來，理一下鬢邊散髮，緩緩躺了下去。

她心中已然警覺到了陶玉一直沒有信任過自己，只是不把自己的才智放在心上而已，真正研商到重要的事，仍然要把自己調離開去……

突然間，一陣輕微的剝剝之聲傳了過來，分明有人在敲打窗櫺。

沈霞琳挺立而起，低聲問道：「什麼人？」

窗外果然是有人應道：「我！沈師妹快請打開窗內的木栓。」

沈霞琳已聽出是童淑貞的聲音，伸出打開木栓。

只見窗門大開，一個瘦小的黑衣人，一躍而入，隨手撲熄桌上燭火。

沈霞琳這些日子中置身於險詐之境，雖然聽出了那是童淑貞的聲音，仍是不敢大意，當下凝神戒備，低聲問道：「你是童師姊？」

那黑衣人應道：「正是愚姊。」拉著沈霞琳的左手，同坐木榻之上，低聲說道：「王寒湘早已對師妹動了疑心，準備找機會下毒手，把你除去，你此刻的處境險惡異常，還望多多小心。」

沈霞琳道：「多謝姊姊關懷，寰哥哥此刻何在，師姊知道麼？」

童淑貞道：「楊師弟和趙姑娘早已被送上百丈峰去，快馬兼程，日夜趕路，毒龍夫人尚留在此，陶玉安排下一十二個囚人鐵籠，共分四組，都非楊師弟和趙姑娘的真身。」

沈霞琳道：「陶玉果然是狡猾得很。」

童淑貞道：「師妹多多小心保重，愚姊多留不便，我要去了。」推開窗門，探頭向外瞧了一陣，縱身躍起，穿窗而去。

沈霞琳拴好窗門，和衣倒臥在木榻之上，想到寰哥哥，一代英雄，此刻卻被人囚入鐵籠，自己卻營救無策，不禁悲從中來，淚水滾滾，奪眶而出……

只聽門外傳進來一個沉重的聲音，道：「沈姑娘安歇了麼？」

沈霞琳霍然一驚，拭去淚痕，凝神聽去。

但聞一陣敲門之聲過後，又傳入那沉重的聲音，道：「沈姑娘睡了麼？」

沈霞琳只覺那聲音陌生得很，從未聽過，暗自忖道：我如裝作睡熟，必要引起他們懷疑之心。當下應道：「嗯！什麼人？」站起身子，翻過了淚水滴濕的枕頭，燃起了案上燭火。

但聞窗外又傳出那沉重的聲音，道：「沈姑娘既然睡了，那就不用起來開門了。」

沈霞琳抽出長劍，冷冷的喝道：「你究竟是何人？如不說出姓名身分，可別怪我無禮了。」

室外響起了一陣低低的笑聲，道：「沈姑娘不用多疑，在下只不過是奉命而來，保護姑娘的安全，姑娘既然無恙，還請早些安歇吧！」

沈霞琳揚手熄去案上燭火，登上木榻，擁被而臥。

大約過有一盞熱茶工夫，悄然揭被而起，輕步行到門側，閉起一目，從門縫中向外望去。

她心知此刻處境，險惡無比，如若不小心從事，定然要吃大虧。

暗淡的星光下，只見兩個全身勁裝的佩刀大漢，守在門外，分明是在監視自己。

沈霞琳打量了室外景物一陣，又悄然退回木榻，心中暗道：陶玉似是已對我動了懷疑之心，眼下唯一的辦法，就是設法裝作不解險惡之狀，或可使陶玉減少幾分戒備之心。心念轉動，還劍入鞘，拉上棉被，蒙頭而臥，心中卻在忖思著對付陶玉之策。

不知過去了多少時間，沈霞琳正當要入夢境之時，突然一陣沙沙的輕微之聲，傳了過來。凝目望去，只見那緊閉的木門，輕輕開啓了一扇。

一條人影疾快的閃入室內，輕輕關上了木門。

沈霞琳凝聚目光望去，只見那人影緩步直對木榻行來，正是陶玉。

這一瞬間，沈霞琳的心中，連轉了幾個念頭，暗暗忖道：「我如挺身而起，必將使他警覺，此後再想殺他，只怕非是易事了。」

當下閉上了雙目，裝作熟睡未醒之狀。

陶玉來到榻前，掀開紗帳，伸出右手，輕輕在沈霞琳前胸拍了一下，笑道：「沈姑娘醒醒吧！」

沈霞琳原想他不會驚動自己，料不到他竟會把自己叫醒，睜開眼來，故作駭然，尖聲叫道：「什麼人？」

陶玉隨手幌燃火招子，點起案上燭火，道：「是我！姑娘不用害怕。」

沈霞琳挺身而起，卻被陶玉一把按住，說道：「不用起來，我有一件重要之事，不得不在深夜中和你談談。」

沈霞琳道：「什麼事？」

陶玉道：「他們都懷疑你此來用心，旨在暗中算計於我。」

沈霞琳故作鎮靜，道：「你呢？相信他們的話麼？」

陶玉道：「半信半疑。」

沈霞琳道：「信就是信，疑就是疑，怎的會半信半疑？」

陶玉道：「他們列舉很多可疑之點，叫我無法不信，但就我所知，沈姑娘卻是位最重然諾，不擅心機的人，因此我只好疑信參半了。」

沈霞琳沉吟了一陣，道：「你既然疑信參半，我不能久留於此……」挺身欲起。

陶玉伸手按下沈霞琳的身子，微微一笑，道：「沈霞琳，就算你沒有害我之心，但你用心要救那楊夢寰總是不錯了。」

沈霞琳道：「我要報答他數年愛護之情，事先已經對你說過，哪裏不對了。」

陶玉笑道：「他已經把你休了，你爲什麼還要管他的生死呢？」

沈霞琳道：「休我並非是出於他的本心，而是我們迫他而爲。」

陶玉笑道：「我們……」

沈霞琳接道：「是啊！你和我兩個人。」

陶玉笑道：「你們夫妻間事，和我陶玉何干？」

沈霞琳道：「如非爲你，楊夢寰不會休我，我也不會讓他休我。」

陶玉道：「這麼說來，你對我陶玉倒是一往情深了。」

沈霞琳道：「我明知你爲人很壞，但卻又情不自禁。」

陶玉格格一笑，道：「不論你說的是真是假，但聽來卻是動人得很……」

沈霞琳道：「你既是不相信我，咱們就不用再談了。」

陶玉道：「唉！信我倒是相信，唉，不過……」

沈霞琳道：「不過什麼？」

陶玉道：「不過總是有些放心不下。」

沈霞琳道：「你如何才能放心？」

陶玉故作爲難，沉吟了一陣，道：「你如和我成爲夫妻，從此名正言順，他們自是不敢講閒話了。」

沈霞琳吃了一驚，道：「你不是答應過我，等你霸業有成，昭告天下，和我再成夫妻，唉！早晚我已屬你，又何必急在一時呢？」

陶玉笑道：「不錯啊！早晚我都要娶你爲妻，又何必延誤時刻。」

右手一沉，點了沈霞琳兩處穴道，左手揭開了沈霞琳覆身棉被，喇的一聲，撕破了沈霞琳的衣衫。

沈霞琳只急得淚水滾滾，尖聲說道：「陶玉，你如動強，我就恨你一輩子。」

陶玉微微一笑，道：「世上恨我之人，何止千千萬萬，多你一恨，又有何妨？」

沈霞琳穴道被點，雖有抗拒之心，卻已無抗拒之能了。

陶玉右手連揮，盡撕沈霞琳衣著，燭光下可見那冰膚玉肌。

正當這危急萬分當兒，突聞金風破空之聲，傳了過來，寒芒破窗而入，直飛向陶玉後腦。

陶玉一低頭，寒芒落空，啪的一聲，一把匕首，釘在床緣之上。

這陡然的變化，有如一盆冷水兜頭澆下，使陶玉高漲的慾火，忽然間熄了下去。

陶玉為人陰沉，抬頭瞧了那匕首一眼，肅立不動，暗中卻提聚真氣，陡然翻腕一掌，拍了出去。

一股暗勁出手，熄去了高燃的火燭。

就在那燭火熄去的同時，陶玉已抓起一張坐椅，用足腕勁，投向窗外。

廿 深入虎穴

只聽蓬然一聲大震，那木椅破窗而出。

陶玉長身而起，緊隨那木椅之後，飛了出去。

抬頭看去，靜夜寂寂哪裏還有人蹤，當下一提氣，躍上屋面。

但見四下人影閃動，四個勁裝大漢，齊齊飛躍而至。陶玉原想查看敵蹤，但經自己人這麼一攪，敵人縱未去遠，亦可借此機會逸走了，當下一皺眉頭，冷冷說道：「你們來此作甚？」

幾個勁裝大漢，早已奉到令諭，而遠離沈霞琳臥室三丈之外，是以誰也不敢守在沈霞琳的臥室旁側，只因聽到陶玉木椅碎窗之聲，才分由四面趕來。

這幾人都知陶玉是幫主之尊，哪裏還敢答話，齊齊垂頭，連連說道：「屬下該死。」

陶玉氣憤稍息，冷冷說道：「你們可曾瞧到了什麼可疑之處麼？」

四個勁裝大漢齊聲道：「沒有，屬下等並未瞧到有何可疑之處。」

陶玉舉手一揮，道：「你們去吧！」

四個勁裝大漢如獲大赦一般，應了一聲，齊齊轉身而去。

陶玉躍下屋面，打量了四下形勢一眼，緩步走到窗前，伸手撿起破損的木窗，正想舉步入室，以便點起火燭，查看那木窗的刀痕，突然身後傳過來一陣輕微的步履之聲，暗中提氣戒備，冷冷問道：「什麼人？」

來人沉聲應道：「屬下王寒湘。」

陶玉緩緩轉過身子，道：「你過來。」

王寒湘急步行了過來，道：「幫主有何吩咐？」

陶玉低聲道：「那于氏兄弟靠得住麼？」

王寒湘道：「靠得住，兩人都曾爲咱們天龍幫立過大功。」

陶玉道：「這就是了。」

王寒湘輕輕咳了一聲，道：「屬下多口，幫主可是遇上刺客了麼？」

陶玉道：「不錯，但那刺客手法，十分拙劣。」

王寒湘道：「以幫主的快速身法，那刺客決難逃過幫主的追襲。」

陶玉道：「奇怪的也就在此了，因而我懷疑是于氏兄弟的屬下。」

王寒湘道：「這個，問問于氏兄弟也好。」

他本想勸阻陶玉，在未查得確證之前，不可驚動于氏兄弟，免得使他人兄弟生出了離異之念，但轉念又想到陶玉爲人的陰沉多疑，如若自己一力勸阻，恐將引起誤會，立時見風轉舵。

陶玉微一沉吟，突然又改變了主意，低聲對王寒湘道：「王兄請暗中代我注意一下，如若發現于氏兄弟有叛離之心，請盡快告訴於我。」

王寒湘道：「謹領面諭。」

陶玉微微一笑，道：「今宵之事，王兄也不用告訴于氏兄弟了。」

王寒湘道：「明晨之時，于氏兄弟必將面見幫主領罪。」

陶玉道：「你讓他們見我之面再說。」轉身直向沈霞琳的臥室中行去。

王寒湘道：「可要屬下留此護駕？」

陶玉道：「不用了。」大步直入室中。

陶玉晃燃火摺子，點起火燭，凝目望去，只見沈霞琳仍然是坦露酥胸，睡在木榻之上。陶玉心中本對沈霞琳有著很深的懷疑，但目睹此情，疑心盡消，右手揮動，拍開沈霞琳的穴道，低聲說道：「讓你吃苦了。」

沈霞琳緩緩坐起了身子，拉一下破裂的衣服，歎息一聲，道：「陶玉，你好像又改變了主意。」

陶玉淡淡一笑，道：「這等強力相迫，你心中不樂，自然是無味得很。」

沈霞琳心中暗自罵道：你這禽獸、魔鬼，日後犯到我手中，非把你碎屍萬段不可。口中卻微笑說道：「只為了我不快樂，你就改變了主意麼？」

陶玉微微一笑，道：「自然是啦。」伸出手去按下沈霞琳的身子，說道：「好好睡吧！明天我讓他們送些衣服過來。」

隨手撲熄燭火，大步而去，而且還回手帶上了木門。

沈霞琳凝神聽了良久，不聞有可疑之處，悄然站起身子，行到門口處，向外瞧了一陣，重又回到木榻之上，低聲說道：「童師姊，可以出來了。」

只見人影一閃，床下鑽出一個黑衣人來，低聲應道：「陶玉去遠了？」

沈霞琳點點頭，道：「唉！想不到他又改變了主意。」

童淑貞道：「這是他迫你如此，只好出此下策，此刻形勢有變，自然是不同了。」

沈霞琳道：「和陶玉相處一起，有如和虎狼相處，唉！當真是日夜叫人提心吊膽。」

童淑貞道：「你未來此地之前，我一再勸你不要冒險，但此刻已經來了，我要勸你多多忍耐一二了。」

沈霞琳道：「只要能夠殺了陶玉，救出寰哥哥，我自己決計是不能活了。」

童淑貞低聲說道：「沈師妹，百里行程半九十，你既然已經置身於此，就該堅持下去才是，陶玉此刻，不但武功過人，而且機警無比，豈能隨便暗算得到，你必得找出適當的機會下手才行。」

沈霞琳低聲說道：「童師姊最好能隨我身側，也好助我一點勇氣。」

童淑貞道：「好！我盡量追隨身邊就是，你要多多小心，愚姊去了。」

轉身行了兩步，突然又走了回來，低聲說道：「沈師妹，記著一件事……」

沈霞琳道：「什麼事？」

童淑貞道：「挑撥離間，要使陶玉和他的屬下朋友，彼此都有猜疑之心。」

沈霞琳道：「記下了。」

童淑貞行到窗口，探頭向外張望一陣，一提真氣，越窗而去。

這窗子早爲陶玉擊碎，出入更是方便。

一夜匆匆而過，再未發生事故。

次日天色一亮，立時有兩個丫頭替沈霞琳送上新衣。

沈霞琳剛剛換上新衣，門外突然傳進來一個低沉的聲音，道：「沈姑娘，在下可以進來麼？」

沈霞琳理一下披肩長髮，道：「進來吧！」

只聽門聲呀然，王寒湘推門而入。

沈霞琳想到昨夜童淑貞相囑之言，立時迎了上去，笑道：「王副幫主請坐。」

王寒湘急急搖手，道：「咱們這天龍幫中，只有幫主一人，並無副幫主的設置，姑娘不要亂叫。」

沈霞琳笑道：「你和幫主，看起來最是親切，不是副幫主，又是什麼呢？」

王寒湘道：「老朽在天龍幫中，不過是一名護法頭兒。」

沈霞琳道：「啊！王護法頭兒，你請坐啊！」

王寒湘依言坐了下去，沈霞琳已倒了一杯香茗親手奉上，滿臉巧笑，直遞到王寒湘的手中。

王寒湘連連說道：「不敢當，不敢當。」起身接過香茗。

沈霞琳道：「護法就是護法，為什麼叫護法頭兒呢。」

王寒湘道：「幫主駕前，有許多武功高強的護法，都歸在下所管帶，所以叫作護法頭兒。」

沈霞琳道：「原來如此……」語音微微一頓，又道：「陶玉過去，不是稱你叔伯、老前輩麼？」

王寒湘道：「那已是過去的事了。」

沈霞琳道：「唉！當真是長江後浪推前浪，一代新人勝舊人了。」

王寒湘臉色一變，起身說道：「在下來此請姑娘上路。」

沈霞琳道：「要到哪裏去？」

王寒湘道：「行蹤何處，在下亦不知道，姑娘請問過幫主。」

沈霞琳盈盈而笑，提著茶壺行了過去。

王寒湘急急站起身子，道：「姑娘請更換衣服，整理行裝，在下在室外候駕。」

也不容沈霞琳答話，悄然退了出去。

沈霞琳關上房門，換了衣服，整理好簡單的行囊，佩上寶劍，步出室門，笑對王寒湘道：「咱們走吧！」

王寒湘道：「還得等幫主之命。」

語聲甫落，已見陶玉身佩金環劍，帶著勝一清和兩個大漢，大步行了過來。

陶玉眉宇間隱隱泛現出憂愁，顯然狡計百端的陶玉，正自遭受著困擾。

王寒湘不容陶玉開口，搶先說道：「都已準備好了，恭請幫主上路。」

陶玉點點頭，道：「好！咱們立刻動身。」目光轉到兩個長髯大漢身上，接道：「兩位辛辛苦苦創立的基業，一旦毀棄而去，想必感慨很多。」

左首那長髯大漢，道：「于方、于飛蒙受幫主下顧，別說區區一點基業，就是要我兄弟赴湯蹈火，亦是在所不辭。」

陶玉淡淡一笑，道：「那很好，咱們走吧！」大步向前行去。

于方搶先一步，道：「屬下帶路。」折向正南行去。

幾人腳程甚快，一路上健步如飛。

沈霞琳默察幾人神色，都很凝重，似是都有著很沉重的心事。

行約數十里，到了一片荒涼的蘆葦叢邊，抬頭看蘆葦無際，一片荒涼，不見人蹤，一條大道穿林而過。

陶玉停下腳步，道：「這片蘆葦很大。」

于方道：「總有數千頃大小。」

陶玉道：「好一片美好的所在，如能誘得少林僧侶等深入此地，一把火可以燒它個片甲不留。」

說笑中，大步入林。

深入百丈之後，忽聞一片笳聲怒嘯，四面傳來。
蘆葦深密，幾人目光雖好，也難見一丈外的景物。
陶玉停下腳步，低聲說道：「散佈開些，防他們暗器施襲。」
流目四顧，見葦叢茫茫，哪裏有一個人蹤！
沈霞琳咧的一聲，拔出長劍，道：「這蘆葦叢中有埋伏。」
陶玉搖搖手，道：「不可輕舉妄動，咱們等等再說。」
那笳聲、怒嘯響了一陣之後，突然停了下去。
陶玉輕輕咳了一聲，道：「你們聽出來了沒有？」
勝一清道：「什麼事？」
陶玉道：「適才那笳聲、怒嘯都是疑兵之計，如是真在這蘆葦叢中，埋伏下了高手對付咱們，那就不用吹笳驚動咱們了。」
王寒湘道：「幫主說得是。」
陶玉凝神傾聽了一陣，未再聽到什麼動靜，又舉步向前行去。
行約百步，突聞一陣嗤嗤的弩箭劃空之聲，蘆葦叢中射出來一排弩箭。
陶玉身手快捷，拔劍一揮，擊落了近身兩支。
王寒湘等都是第一流的身手，手接掌劈，一排暗箭，盡皆落空。
陶玉道：「蘆葦密集，這些弩箭手隱身之處，不會超過兩丈……」
目光一掠王寒湘和勝一清道：「兩位請四下搜查一下，最好能夠生擒他們幾個。」

王寒湘、勝一清齊聲應道：「我等盡力而爲。」

一左一右，分向兩側躍入蘆葦叢中。

這蘆葦不但密集異常，而且有一半生在水中，就算當世第一高手，也無法在此等環境施展輕功。

兩人分頭深入，行不過六七尺遠，已聽得蘆葦沙沙的分折之聲，分明是有人向前逃去。

以王寒湘和勝一清的武功，也無法追趕那逃走之人，只好折返上路。

陶玉看兩人膝蓋以下，滿是泥污，心知兩人無法在蘆葦叢中施展武功，也不多問，淡然一笑，道：「咱們小心一些，防他們暗中施襲就是。」舉步向前行去。

王寒湘緊行兩步，追在陶玉身後，道：「在這蘆葦叢中，一個人的武功已然完全失了作用。」

陶玉道：「我知道，當你們躍入蘆葦叢中，我就想起來了。」

王寒湘道：「如若他們在這蘆葦叢中，設下很多暗中施襲的弩箭、毒針，倒也是麻煩得很，屬下之意，不如退出，繞道而行。」

陶玉道：「咱們已深入數百丈，如是中伏，那是早已中了。」

王寒湘欲言又止，不敢再勸。

幾人又行了十餘丈後，突見道中豎立了一塊木牌，道：「到此止步。」

陶玉冷笑一聲，飛起一腳，把那木牌踢得飛起了兩三丈高，摔入了蘆葦叢中，高聲喝道：

「哪位朋友，想會我陶玉，何不現出身來，鬼鬼祟祟，算是什麼人物。」

只聽蘆葦叢中，響起了一個冷漠的聲音，道：「你作惡多端，早就死有餘辜了……」

陶玉一面默察那發話之處，大約在三丈開外，一面暗中提聚真氣，準備出手。

只聽蘆葦叢中，又傳出一陣大笑之聲，道：「你知道，趙小蝶和楊夢寰都已被救出來……」

陶玉一哼，道：「當真麼？」突然躍身而起，一直向發話處落去。

手中金環劍，繞身飛旋，化作了一片護身劍幕。

寒芒落之處，蘆葦紛飛，方圓五六尺內，吃那金環劍掃擊成一片光地。

凝目望去不見人蹤，那發話之人，似是早已逸走。

陶玉這全力一擊，不但未能殺了那說話之人，而且落入了泥污之中，沾得滿身都是泥漿。

他究竟是大好巨惡之人，略一沉吟，竟把心中積存激憤之氣，完全消去，縱身躍回官道之上，哈哈一笑道：「那人狡猾得很，說完話，立刻潛往別處去了……」

他抖抖身上的泥漿，接道：「咱們既不能在蘆葦叢和他們決一死戰，只有儘管通過這一片葦叢，任他們笑罵譏諷，一概不理就是。」

王寒湘道：「幫主說得是，屬下開道。」拔出摺扇，當先而行。

只聽那蘆葦叢中，又響起一陣大笑，道：「陶玉，你抬頭瞧瞧，什麼人來了。」

請續看《風雨燕歸來》（三）

臥龍生武俠經典珍藏版 18

風雨燕歸來（二）

作者：臥龍生
發行人：陳曉林
出版所：風雲時代出版股份有限公司
地址：10576台北市民生東路五段178號7樓之3
電話：(02) 2756-0949　　傳真：(02) 2765-3799
執行主編：劉宇青
美術設計：許惠芳
行銷企劃：林安莉
業務總監：張瑋鳳
出版日期：臥龍生60週年珍藏版 2022年6月
ISBN ：978-986-5589-63-9
風雲書網：http://www.eastbooks.com.tw
官方部落格：http://eastbooks.pixnet.net/blog
Facebook：http://www.facebook.com/h7560949
E-mail：h7560949@ms15.hinet.net
劃撥帳號：12043291
戶名：風雲時代出版股份有限公司

風雲發行所：33373桃園市龜山區公西村2鄰復興街304巷96號
電話：(03) 318-1378　　傳真：(03) 318-1378
法律顧問：永然法律事務所 李永然律師
　　　　　北辰著作權事務所 蕭雄淋律師

行政院新聞局局版台業字第3595號 營利事業統一編號22759935

定價：320元　

國家圖書館出版品預行編目資料

風雨燕歸來／臥龍生 著. -- 臺北市：風雲時代出版股份有限公司，2021.06- 冊；公分（臥龍生武俠經典珍藏版）
ISBN：978-986-5589-62-2（第1冊：平裝）
ISBN：978-986-5589-63-9（第2冊：平裝）
ISBN：978-986-5589-64-6（第3冊：平裝）
ISBN：978-986-5589-65-3（第4冊：平裝）

863.57　　110007327